EL BARCO FANTASMA

Cussler

Du Brul

El barco fantasma

Traducción de Eduardo Murillo García

Umbriel Editores

Argentina • Chile • Colombia • España
Estados Unidos • México • Perú • Uruguay • Venezuela

Título original: *Mirage – A novel of the Oregon Files*
Editor original: G. P. Putnam's Sons, New York, Published by the Penguin Group (USA) LLC.
Traducción: Eduardo Murillo García

1.ª edición Marzo 2014

Copyright © 2011 by Sandecker RLLLP
   All Rights Reserved
© de la traducción 2014 *by* Eduardo Murillo García
© 2014 *by* Ediciones Urano, S.A.
   Aríbau, 142, pral. – 08036 Barcelona
   www.umbrieleditores.com

ISBN: 978-84-92915-44-6
E-ISBN: 978-84-9944-695-0
Depósito legal: B-2.714-2014

Fotocomposición: Ediciones Urano, S.A.
Impreso por Romanyà-Valls, S.A. – Verdaguer, 1 – 08786 Capellades (Barcelona)

Impreso en España – *Printed in Spain*

Prólogo

FRENTE AL ROMPEOLAS DE DELAWARE
1 DE AGOSTO DE 1902

Cuando el eco de la primera llamada a la puerta resonó en la parte posterior del camarote, el capitán Charles Urquhart ya se había despertado por completo. Toda una vida en el mar le había prestado los reflejos de un gato. Al oír la segunda llamada, ya sabía, gracias a las vibraciones transmitidas por su colchón, que habían parado los motores del barco, pero el silbido del agua que corría a lo largo del casco de acero le decía que el *Mohican* todavía no había empezado a disminuir su velocidad. Una luz turbia se filtraba alrededor de la cortina que cubría la única portilla del camarote. Como el barco navegaba en dirección norte y su camarote se encontraba en el lado de estribor, Urquhart calculó que eran más o menos las nueve de la noche.

Llevaba dormido menos de media hora, tras veinte agotadoras horas en pie, mientras el carguero atravesaba la cola del huracán que inauguraba la temporada.

—Voy —gritó mientras bajaba las piernas del catre. El suelo estaba cubierto por una alfombra de un pelo tan fino que sintió el frío de las planchas de metal bajo sus pies.

La puerta del camarote se abrió unos centímetros, y una brecha de luz procedente de una lámpara de queroseno se dibujó en el umbral. El barco iba provisto de un generador eléctrico, pero las escasas luces que alimentaba se reservaban para el puente.

—Siento molestarle, señor —dijo el tercer oficial, un galés llamado Jones.

—¿Qué pasa? —preguntó Urquhart, desaparecidos los últimos vestigios de sueño. Nadie despertaba al capitán a menos que se tratara de una emergencia, y sabía que tenía que estar preparado para cualquier cosa.

El hombre vaciló un segundo.

—No estamos seguros. Le necesitamos en el puente. —Hizo otra pausa—. Señor.

Urquhart tiró a un lado las mantas. Embutió los pies en unas botas de goma y se puso una bata andrajosa sobre los hombros. Una gorra de pescador griego completó su ridículo atavío.

—Vamos.

El puente estaba una cubierta por encima de su camarote. El timonel se hallaba de pie en silencio ante el gran timón de roble, pero no miraba hacia la proa, como habría sido lo normal, sino que tenía la vista clavada en la puerta de babor que conducía al achaparrado alerón del barco. Urquhart siguió su mirada, y si bien su expresión no cambió, la cabeza le dio vueltas.

A unas dos millas de distancia, un sobrecogedor resplandor azul se aferraba al horizonte y ocultaba los rayos agonizantes del sol poniente. No era el color del rayo ni del fuego de San Telmo, como había sospechado en principio el capitán. Era de un azul más intenso, un color que no había visto en su vida.

Entonces, de repente, se expandió. No como una neblina que se elevara desde la superficie del agua, sino como el latido de un corazón gigantesco. De pronto, se encontraron dentro del efecto luminoso, y fue como si el color poseyera textura. Urquhart sintió el brillo en su piel cuando los pelos de sus brazos se erizaron y el espeso vello viril que cubría su torso y la espalda hormigueó, como si las patas de miles de insectos estuvieran reptando sobre su cuerpo.

—Capitán —llamó el segundo de a bordo en tono quejumbroso. Señalaba la gran caja de compás en la que iba montada la aguja náutica sobre una suspensión de cardán líquido; la aguja giraba como la peonza de un niño.

Como cualquier marino avezado, Charles Urquhart se ceñía a la rutina, y cuando la rutina se interrumpía, era preciso anotarlo en el cuaderno de bitácora del barco. Su siguiente mirada la dirigió al cronógrafo, que colgaba en la pared del fondo sobre la mesa de derrota, de modo que pudo documentar la hora del extraño fenómeno. Vio consternado que las dos agujas apuntaban hacia abajo.

No como si fueran las seis y media, cuando la manecilla más corta habría descansado a medias sobre la cifra siete, sino hacia abajo del todo.

Se acercó a comprobar el mecanismo e hizo caer sin querer la llave de cuerda metálica. Como arrebatada por una fuerza mayor que la gravedad, la llave cayó al suelo como si hubiera sido arrojada a una enorme velocidad. No rebotó, sino que dio la impresión de adherirse a la cubierta metálica. El capitán se agachó para recuperarla, aunque no logró desplazar la llave ni un pelo.

Miró de nuevo hacia el oeste, pero la luz cobalto limitaba la visibilidad a unos doce metros. Observó que el mar que les rodeaba estaba tan quieto que parecía sólido, como si se hubiera congelado al igual que una pista de hielo, sólo que era tan negro como la antracita.

Algunos marineros que se encontraban en la cubierta principal divisaron la silueta de Urquhart en la puerta del alerón. Uno hizo bocina con las manos y gritó:

—¿Qué es todo esto, capitán?

Oyó la voz como si el hombre hubiera gritado desde el fondo de un pozo.

Aparecieron más hombres, y Urquhart intuyó su nerviosa aprensión. Sabía que los marineros componían un colectivo supersticioso. Cada uno llevaba encima talismanes de diversos tipos, atrapasueños en miniatura, patas de conejo y bolas de la suerte. En una ocasión había servido con un individuo que llevaba un pequeño tarro lleno de alcohol en el bolsillo, con los restos conservados de su dedo meñique cercenado. Afirmaba que la pérdida del dedo significaba que era afortunado. Urquhart nunca había insistido en saber por qué.

Con el fin de distraer sus mentes de la extrañeza de la situación, señaló algunas cadenas sueltas abandonadas al azar sobre la tapa de la escotilla de proa del *Mohican*.

—Guardad esas cadenas como es debido —ordenó con su voz más autoritaria—, o tendréis problemas.

Los cuatro hombres se pusieron manos a la obra sin pérdida de tiempo, ansiosos por ocuparse en algo como había sospechado el veterano capitán. Pero al igual que con la llave, los fornidos marineros fueron incapaces de mover ni un eslabón de la cadena. Si alguien hubiera soldado toda la masa de acero oxidado a la escotilla, no habría podido pegar mejor la cadena al barco.

Urquhart estaba empezando a pensar que todo el barco se había convertido en un gigantesco imán, cuando oyó el chillido, un aullido de angustia espectral que iba aumentando de intensidad sin interrupción.

El ruido le sacó de su abstracción, porque había reconocido la voz pese a la agonía que comunicaba, y sabía lo que le estaba pasando al hombre.

El jefe de máquinas, un escocés, tenía el camarote en el mismo pasillo del ocupado por Urquhart. Éste llegó a la puerta de McTaggert e irrumpió en el camarote tan sólo unos segundos después de oír el alarido.

A la luz de la lámpara de queroseno de latón que el capitán había arrebatado al segundo de a bordo, vio al escocés tumbado en la cama sin camisa, con una expresión de terror pintada en la cara. Se estaba arañando el pecho, o mejor dicho, la gran cicatriz que partía en dos el músculo pectoral izquierdo. La cicatriz era un recuerdo de la explosión de una caldera acaecida unos veinte años antes, y debajo, como le gustaba jactarse a McTaggart, había quedado alojado un fragmento de una olla metálica que el cocinero del barco, quien le había suturado la herida, había sido incapaz de extraer.

—Date la vuelta, Conner —gritó Urquhart, pero sabía que era demasiado tarde.

El jefe de máquinas chilló de nuevo, era un sonido tan agudo y tan henchido de dolor, que Urquhart se encogió. Y entonces, un reguero de sangre brotó de los labios de Conner McTaggart. Ambos hombres intercambiaron una mirada, y un silencioso mensaje de despedida se transmitió entre ellos.

El reguero se transformó a continuación en una hemorragia imparable de abundante sangre arterial, cuando el fragmento de metal alojado en el pecho de Conner le atravesó el corazón y los pulmones, atraído inexorablemente hacia la cubierta por las poderosas fuerzas magnéticas que actuaban. El dolor que había transformado su cara en una espantosa máscara había cesado, y la mancha carmesí que se extendía desde la barbilla hasta el pecho era la única prueba de los horripilantes últimos segundos del hombre.

Un momento después se oyó un sonido de succión, y el tintineo metálico del fragmento metálico que caía a la cubierta después de atravesar todo el cuerpo de McTaggart.

Urquhart cerró la puerta del camarote antes de que los tripulantes vieran el cadáver. Volvió al puente, con el rostro ceniciento y las manos algo temblorosas. El resplandor todavía se extendía sobre el barco con su luz espectral, mientras los hombres de la cubierta habían renunciado a recoger las cadenas y miraban con angustia hacia el punto del que había surgido por primera vez el resplandor.

El mar continuaba vidrioso, ni el menor soplo de aire agitaba el aparejo del barco. La columna de humo de sus calderas, todavía en funcionamiento, se elevaba hacia el cielo y colgaba sobre el *Mohican* como una cortina.

Durante veinte minutos no se produjo el menor cambio, y entonces, como si hubieran apagado una luz, el resplandor se desvaneció por completo. Al instante siguiente, la superficie del agua volvió a removerse, y el humo fue empujado hacia popa cuando una ráfaga de viento procedente del norte barrió el barco. En dirección oeste, donde había aparecido por primera vez el fenómeno, no se veía nada, salvo los cielos oscurecidos salpicados de estrellas. Una noche en el mar de lo más normal.

Urquhart permaneció con los restantes oficiales en el fondo de la timonera, mientras se desviaban hacia el oeste para ver si algún barco se había visto sorprendido en el epicentro del aura sobrenatural. Dio la orden de que cosieran el cuerpo de Conner McTaggart a sus mantas y lo arrojaran por la borda. Estaban lo bastante cerca de Filadelfia para poder ocultar la muerte del jefe de máquinas, y su ausencia, una vez abandonaran el puerto, podrían explicarla diciendo que había renunciado a su empleo.

No descubrieron pruebas de que hubiera más barcos en la zona, y después de una hora de búsqueda, Urquhart decidió que ya habían perdido bastante tiempo. De todos modos, cuando llegaran a Filadelfia, pensaba denunciar el incidente por si algún otro barco había padecido el mismo extraño efecto. La muerte de McTaggart se mantendría en secreto por la sencilla razón de que les demoraría varios días o semanas, mientras les tomaran declaración e iniciaran la investigación.

No le gustaba la falta de respeto que estaba mostrando hacia su amigo, pero estaba seguro de que el solterón McTaggart lo entendería.

Tal como se había prometido a sí mismo, Charles Urquhart informó del incidente a la Guardia Costera, y un periódico local se hizo eco de la historia. No hubo la menor mención del jefe de máquinas muerto. Ni tampoco de otro barco que hubiera experimentado el fenómeno. El *Mohican* consiguió llegar a Filadelfia. Pero otro navío, con su tripulación de cinco hombres, había desaparecido sin dejar rastro.

1

NORTE DE SIBERIA
EN LA ACTUALIDAD

Era un paisaje de otro planeta. Altísimos riscos negros se alzaban sobre inmensos campos de nieve reluciente. Vientos capaces de arrancar gritos del silencio azotaban el aire a más de cien kilómetros por hora. Un cielo en ocasiones tan diáfano como si la tierra careciera de atmósfera. Y, a veces, nubes que se aferraban a la tierra con tal tenacidad que el sol permanecía oculto durante semanas seguidas.

Era un paisaje que no estaba hecho para el hombre. Hasta los nativos más endurecidos evitaban este lugar y vivían en la costa, en diminutas aldeas que podían desmantelar para ir a perseguir manadas de caribúes.

Todo lo cual lo convertía en un enclave ideal para que los soviéticos construyeran una prisión de máxima seguridad a principios de la década de 1970, una prisión pensada para los criminales más peligrosos: los políticos. Sólo Dios y algunos burócratas sabían cuántas almas habían perecido detrás de los tétricos muros de hormigón. La prisión estaba construida para albergar a quinientos hombres, y hasta que fue cerrada en los años posteriores al derrumbamiento de la Unión Soviética, un chorro constante había entrado por la aislada carretera de acceso, con el fin de sustituir a los que habían sucumbido al frío, las privaciones y la brutalidad.

No había tumbas que señalaran los restos humanos, sólo el pozo de cenizas de sus cuerpos incinerados (un pozo muy grande), que ahora se hallaba enterrado en el permafrost a escasa distancia de la puerta principal.

Durante veinte años, la instalación había permanecido abandonada a las inclemencias del tiempo, aunque los famosos inviernos de Siberia poco podían hacer para erosionar el edificio de acero y hormigón. La gente que regresó para reabrir la prisión descubrió que estaba exactamente igual a como la habían dejado, inmutable, impenetrable y, sobre todo, inmune a evasiones.

Un solitario camión pintado de un verde mate militar avanzaba hacia la prisión, alojada a la sombra de una montaña singular, con aspecto de haber sido partida en dos, con una cara vertical hacia el norte, y el océano Ártico a unos cuarenta y cinco kilómetros de distancia. La carretera estaba sembrada de baches, porque en verano algunos tramos se convertían en ciénagas pantanosas, y si las brigadas de mantenimiento no la allanaban antes de que llegaran las heladas, conservaba una textura ondulada. El viento empujaba ráfagas de nieve hacia los lugares donde las máquinas no habían despejado el camino lo suficiente.

El sol colgaba bajo en el horizonte, frío y lejano. Dentro de pocas semanas se hundiría por última vez sobre el borde del mundo y no volvería a reaparecer hasta la primavera siguiente. La temperatura alcanzaba entonces los dieciocho grados bajo cero.

El camión se acercó a la fortaleza, con sus cuatro torres de vigía que se alzaban como minaretes. Un círculo exterior que formaba una valla de tela metálica con alambre de púas rodeaba todo el edificio de una hectárea cuadrada. Una garita de centinela se hallaba dentro de la alambrada, a la derecha de la carretera de acceso. Entre la garita y la prisión descansaba un helicóptero de transporte pesado pintado de un blanco glacial.

Sólo cuando el camión frenó, un guardia bien protegido del frío salió anadeando de la pequeña cabaña con calefacción. Estaba enterado de la llegada del camión, pero al mirar a través del parabrisas no reconoció a los conductores. Llevaba al alcance de la mano, en la correa que le colgaba del hombro, su AK-74, la versión actualizada del venerable AK-47 de Mijail Kalashnikov.

Indicó con un gesto al conductor que bajara de la cabina.

Con un encogimiento de hombros resignado, el conductor abrió la puerta, y la nieve solidificada crujió bajo el peso de sus botas.

—¿Dónde está Dmitri? —preguntó el guardia.

—¿Quién es Dmitri? —dijo el conductor.

Había sido una prueba. Los conductores habituales del camión de transporte de la prisión se llamaban Vasily y Anton.

El conductor continuó.

—Si te refieres a Anton o Sasha —el mote de Vasily—, la mujer de Anton ha tenido un hijo, otro chico, y Sash está de baja por neumonía.

El guardia cabeceó y se sintió menos inquieto por la presencia de desconocidos en la prisión secreta. Era evidente que pertenecían al mismo escuadrón del grupo habitual.

—Enséñame tus papeles, y dile a tu compañero que baje con los suyos.

Unos momentos después, el guardia se tranquilizó cuando examinó la documentación de los hombres. Se colgó el rifle de asalto a la espalda y abrió la verja. La empujó hacia fuera, y la masa de alambre de púas tintineó con una resonancia oscura.

Los gases de escape formaron una nube blanca cuando el conductor aceleró al atravesar la puerta y pasar bajo un rastrillo abierto que daba acceso al patio central, a cuyo alrededor habían sido construidos los cuatro bloques de la prisión. Una escalinata conducía a la entrada, en realidad una puerta más adecuada para la cámara acorazada de un banco que para un edificio. Dos guardias con uniforme blanco de camuflaje flanqueaban la puerta. El camión describió un arco cerrado, y después empezó a dar marcha atrás poco a poco hacia los hombres. Cuando uno de ellos juzgó que ya se había acercado bastante, levantó una mano. El conductor pisó el freno. Era contrario al protocolo que dejara el motor en marcha, por si un preso lograba apoderarse del camión, así que apagó el motor y guardó las llaves en el bolsillo.

Era otra llave de un llavero diferente la que abría las puertas traseras. Los dos guardias llevaban colgados al hombro sus AK cuando las puertas se abrieron.

Dentro había un solo prisionero, con grilletes en las muñecas y los tobillos y encadenado al suelo. Llevaba uniforme carcelario, con una chaqueta de acolchado ligero para protegerse un poco del aire ártico. Al principio, dio la impresión de que llevaba el pelo oscuro muy corto, pero en realidad tenía la cabeza completamente afeitada. Era el complicado dibujo de los tatuajes que cubrían su cráneo lo que creaba la impresión de que tuviera pelo. Los tatuajes continuaban alrededor de su garganta y desaparecían en la uve de su camisa carcelaria. No era un hombre muy grande, pero la intensidad feroz de sus gélidos ojos azules le dotaba de una apariencia peligrosa.

—De acuerdo, amigo mío —dijo el conductor con burlona jocosidad—, has llegado a casa. —Su tono se ensombreció—. Si nos das algún problema, morirás en el acto.

El prisionero no dijo nada, pero la ferocidad de su mirada se aplacó como si hubiera reducido la intensidad de algún reóstato personal de rabia. Asintió una sola vez, en señal de que iba a cooperar.

El conductor subió al camión y abrió la cadena que sujetaba el preso al suelo del camión carente de ventanas. El conductor retrocedió, y el preso avanzó arrastrando los pies. Se encogió cuando saltó al suelo. Había pasado las seis últimas y torturantes horas en la misma postura. El traslado no se habría completado hasta que le cambiaran los grilletes, de modo que los cuatro hombres subieron los escalones y entraron en la prisión.

Las paredes de concreto del vestíbulo estaban pintadas del verde pálido por el que sentían predilección las instituciones soviéticas. Los suelos eran de hormigón desnudo, y el techo se alzaba a una altura de tres metros. En la estancia reinaba más o menos el mismo frío de fuera, pero al menos no soplaba el viento. Había una jaula con barrotes a la derecha de la puerta. Dentro había dos hombres más. No iban vestidos de uniforme, pero sus ropas eran bastante similares a la del preso.

Ambos eran enormes, cercanos al metro noventa y cinco, con manos como mazos y bíceps y pechos que tensaban la tela de sus camisas. Al igual que el preso recién llegado, sus cuellos estaban adornados con tatuajes carcelarios, aunque uno exhibía una hilera de alambre de púas grabada en la frente, señal de que había sido sentenciado a cadena perpetua sin posibilidad de libertad condicional.

Condujeron al preso nuevo a la jaula. Uno de los guardias armados entregó el rifle de asalto a su compañero y cogió unas esposas que colgaban de un gancho sobre un escritorio desnudo. Junto con el conductor, entraron en el recinto y cerraron la puerta de barrotes. El engranaje de la cerradura se encajó automáticamente.

—Nos habéis traído un pájaro bastante feo —dijo el de la cadena perpetua—. Esperábamos algo más bonito.

—Los mendigos no pueden elegir, Marko —replicó el guardia—. Y contigo, no se conservan guapos mucho tiempo.

El hombretón se encogió de hombros como si le diera la razón.

—Vamos a ver dónde has estado, pajarito. Quítate la camisa.

Los tatuajes eran algo así como un currículum vítae en el sistema penal ruso, y revelaba a los demás cuántos años había estado encerrado un hombre, qué clase de crímenes había cometido, para quién había trabajado fuera y toda otra clase de información. Un gato tatuado significaba que el hombre había sido un ladrón, y si llevaba más felinos grabados en el cuerpo, significaba que había trabajado en una banda. Una cruz en el pecho solía grabarse en contra de su voluntad, y significaba que era esclavo de alguien.

El conductor miró al guardia, quien dio su aprobación a este leve desvío del procedimiento con un cabeceo, y procedió a soltar los grilletes de piernas y muñecas. Cuando estuvo libre, el prisionero se irguió como una estatua, sin que sus ojos abandonaran en ningún momento los de Marko, el condenado a cadena perpetua que ocupaba la cúspide de la jerarquía de la prisión y se hallaba al mando.

—Quítate la camisa o no saldrás vivo de esta habitación —dijo Marko.

Si ser amenazado de muerte por segunda vez en otros tantos minutos intimidó al prisionero, éste no lo demostró. Permaneció inmóvil y sin parpadear durante unos diez segundos. Entonces, con lenta deliberación, como si la idea hubiera partido de él, se bajó la cremallera de la delgada chaqueta y se desabotonó la camisa con movimientos lánguidos.

No había cruces en su pecho, aunque estaba cubierto casi hasta el último centímetro cuadrado de motivos carcelarios.

Marko se apartó de la pared.

—Vamos a ver qué tienes —dijo.

El prisionero, un tal Ivan Karnov (aunque había tenido muchos nombres a lo largo de los años, y considerando que sus facciones eran más del sur que eslavas, se trataba sin duda de un alias), comprendía el significado de cada trasfondo y matiz, y los siguientes segundos decidirían cómo iba a pasar el resto de su tiempo.

Marko se deslizó detrás de Karnov, dominándole con su estatura, y el hedor a ajo que proyectaba su piel a pesar del aire helado era abrumador.

Ivan Karnov reprodujo los movimientos en su mente, contempló ángulos y posturas, pero sobre todo centró su atención en el lugarteniente de Marko. Cuando sus ojos se dilataron apenas, Ivan giró en redondo y agarró la muñeca de Marko un instante antes de que éste le hundiera su enorme puño en el riñón con un golpe demoledor que sin duda le habría roto el órgano. A continuación, la rodilla de Karnov se elevó al tiempo que doblaba hacia abajo el brazo de Marko. Los dos huesos, el radio y el cúbito, se partieron a causa del impacto, y sus extremos afilados atravesaron la piel cuando el antebrazo quedó doblado por la mitad.

Karnov se puso en movimiento aun antes de que el sistema nervioso de Marko revelara a su cerebro los enormes daños padecidos. Atravesó la habitación en dos zancadas y hundió la frente en la nariz del otro hombre de confianza de la prisión. El ángulo no fue el óptimo debido a la estatura del hombre, pero le rompió la nariz de todos modos.

En una pelea, este movimiento lograba un objetivo vital. Por grande o fuerte que fuera el contrincante, los ojos lloraban copiosamente, una reacción automática. Durante los siguientes segundos, el hombre quedó ciego.

El rugido de dolor de Marko resonó en la habitación cuando su mente reaccionó por fin a los traumatismos.

Karnov golpeó la nariz del segundo hombre. Derecha, izquierda, derecha, y después un golpe de canto en el cuello del individuo, de modo que los músculos se cerraron sobre la arteria carótida. Falto de sangre, el cerebro del hombre se colapsó, y el preso cayó al suelo.

Tiempo transcurrido: cuatro segundos.

Más que suficiente para que el conductor y el guardia de prisiones reaccionaran. El conductor había retrocedido un paso mientras el guardia avanzaba, con la mano apoyada sobre la porra negra lacada que colgaba mediante una anilla de su cinturón. El guardia estaba concentrado en conseguir soltarla, a sabiendas de que luego toda la ventaja sería suya.

Ése era el error de pensar que un arma te concedía ventaja antes de blandirla. El hombre estaba concentrado en sus propios actos, y no en los de su contrincante.

Karnov agarró el extremo de la porra justo antes de que el guardia pudiera sacarla de su anilla, y se estrelló contra él mientras le inmovilizaba el brazo entre los pechos de ambos. Los dos eran hombres corpulentos, y el impacto contra la pared de la jaula fue más que suficiente para dislocar el húmero de la cavidad glenoidea de su escápula, así como para desgarrar varios músculos y fibras.

El guardia que estaba fuera de la jaula apoyó el rifle contra el hombbro mientras gritaba órdenes incoherentes, pero tuvo la presencia de ánimo de no disparar dentro del reducido espacio, donde sólo uno de los cinco hombres constituía una amenaza.

Karnov se volvió para hacer frente al conductor, en el mismo momento en que lanzaban tres kilos de grilletes de acero contra su cabeza, sin tiempo para poder esquivarlos.

Retrocedió tambaleante a causa del golpe, mientras brotaba sangre de la herida en la sien causada por los afilados grilletes. El conductor se lanzó sobre él antes de que pudiera caer al suelo, sin haber perdido por completo el sentido, pero tampoco consciente. Con veloces y bien ensayados movimientos, inmovilizó a Karnov de pies y manos.

Karnov empezó a apretarse contra la pared.

El conductor retrocedió.

—Buena suerte aquí dentro, amigo mío —dijo en voz baja—. Vas a necesitarla.

El guardia de fuera pensó por fin en la alarma y activó un interruptor situado debajo del escritorio. La bocina convocó a media docena de hombres al cabo de pocos segundos. Karnov ya se había puesto en pie, pero el desafío que había convertido su rostro en una máscara había desaparecido. Ya había hecho lo que debía: afirmarse cuanto antes. Era un hombre con el que no convenía jugar, pero su disputa era con los demás prisioneros, no con los guardias. El hombro dislocado sólo era un daño colateral.

—Ya he terminado —dijo a los guardias que ardían en deseos de despedazarle—. No opondré más resistencia, y siento lo de vuestro compañero.

El primer guardia abrió por fin la puerta, y pese a las palabras y la pasividad de Karnov los hombres no iban a quedarse sin su desquite. Se sintió agradecido cuando se abalanzaron sobre él y sólo utilizaron los puños en lugar de las porras. Y después, un guardia le propinó un puntapié en la coronilla con su bota de extremo de acero, y la paliza se borró de su conciencia.

Después de eso, el tiempo perdió todo su significado, de modo que Karnov no tenía ni idea de cuánto había transcurrido antes de recobrar la conciencia. Le dolía todo el cuerpo, lo cual le reveló que la paliza se había prolongado mucho rato después de que perdiera el conocimiento, pero cabía esperarlo. Era inimaginable que la compasión formara parte de los requisitos laborales de un guardia de una prisión de máxima seguridad perdida en el culo del mundo.

Su celda era diminuta, pero lo bastante grande para que pudiera estirarse por completo sobre el suelo helado. Las paredes eran de concreto carentes de adornos, y la puerta de metal macizo, con una rendija en la parte inferior para la comida y otra a la altura de los ojos para observarle.

Se hallaba en una celda de aislamiento.

«Perfecto», pensó.

Todavía continuaba inmovilizado con grilletes, y en la confusión los guardias no habían reparado en que todavía llevaba las esposas que le ceñían las manos al llegar.

«Perfecto», sonrió.

Además, llevados por su ira y el deseo de castigar al prisionero, los guardias no habían llevado a cabo el rutinario registro corporal, de lo contrario le habrían quitado su pierna artificial.

«Perfecto.» Sabía que ya estaba libre.

Juan Cabrillo se había fugado de más de una cárcel en el curso de su vida, pero era la primera vez que se hacía encerrar en una.

El único propósito de la pelea había sido que le encerraran en una celda de aislamiento nada más llegar. Marko y su esbirro habían sido unos objetivos perfectos, pero en caso necesario Cabrillo se habría deshecho de los guardias con idéntica facilidad. Ninguno de ellos eran honrados ciudadanos con empleos necesarios pero deprimentes. Eran matones escogidos con mucho cuidado, miembros del ejército privado de Pytor Kenin, almirante de la flota y tal vez el segundo hombre más corrupto del planeta. Todo el plan de Cabrillo consistía en saltarse por completo el proceso de adoctrinamiento carcelario.

Tocó el punto donde los grilletes le habían golpeado. La hemorragia había cesado casi por completo. Se miró el pecho. Los tatuajes parecían reales, aunque se los habían aplicado en sesiones de cuatro horas de duración a bordo del *Oregon*, en el curso de la semana anterior. Kevin Nixon, exartista de efectos especiales de Hollywood, los había pintado con una tinta especial, pero le había advertido que empezarían a borrarse enseguida. De ahí el deseo de Cabrillo de que le arrojaran a la celda de aislamiento en cuanto llegara a la cárcel.

Juan se subió la pernera del pantalón y comprobó la extremidad artificial sujeta justo por debajo de la rodilla. No era la más realista de su colección de prótesis, ni siquiera la más funcional. Estaba construida especialmente para esta misión, con el fin de poder entrar de contrabando la mayor cantidad de material posible. La pierna era un cilindro casi perfecto, con tan sólo una leve hendidura para un tobillo. Si un guardia le hubiera puesto los grilletes, habría levantado sospechas de inmediato, pero el conductor que se había encargado de la tarea estaba a sueldo de Cabrillo en aquella misión. Durante todo el incidente, sólo él le había inmovilizado las piernas, tal como habían planificado y coreografiado una y otra vez.

Juan se acarició la sien ensangrentada y se arrepintió de no haber ensayado un poco más.

Como desconocía la rutina de la prisión, decidió que lo mejor era esperar un rato antes de llevar a cabo su siguiente movimiento. Eso también le permitiría recuperarse de la paliza. La primera parte de la operación, secuestrar el camión que transportaba al verdadero Ivan Karnov, se había realizado sin el menor error. Los dos conductores y su prisionero habían sido encerrados en una casa abandonada de una ciudad portuaria olvidada de la mano de Dios, lo más parecido posible a una prisión.

Cuando la operación hubiera terminado, llamarían por teléfono a las autoridades municipales, y Karnov volvería a ser trasladado al destino que le aguardaba.

La segunda parte, entrar en la cárcel, había ido tan bien como cabía esperar. Era la tercera parte lo que preocupaba a Cabrillo. Max Hanley, el mejor amigo de Cabrillo, segundo de a bordo de su carguero de ciento setenta metros de eslora, el *Oregon*, y cascarrabias sempiterno, la calificaba de demencial.

Pero eso era lo que hacían Juan Cabrillo y su equipo como algo rutinario: llevar a cabo lo imposible por motivos que valieran la pena. Y por el precio justo.

Y si bien esta misión tenía un componente personal para Cabrillo, no pensaba renunciar al resto de los veinticinco millones de dólares que le habían garantizado.

Durante las siguientes gélidas treinta y seis horas, descubrió la rutina de la celda de aislamiento. No comportaba gran cosa.

Hacia lo que calculó mediodía, la ranura de la base de la puerta se abrió y le entraron una bandeja metálica con algo de gachas y un pedazo de pan negro del tamaño y consistencia de una granada de mano. Tenía tanto tiempo para comer como el que empleara el carcelero en entregar el rancho a los presos de aquel nivel y vaciar los orinales que los hombres le pasaban. A juzgar por los ruidos del guardia durante aquella monótona tarea, había otros seis presos en confinamiento solitario. Ninguno de ellos habló, lo cual indujo a creer a Cabrillo que, en caso de que lo hicieran, habría represalias.

Guardó silencio, y sin tocar la comida esperó. Una mano peluda cogió la bandeja.

—Como quieras —masculló el guardia—. El rancho no va a mejorar por eso.

La ranura se cerró.

Como ahora sabía que nadie venía a ver a los presos de allí abajo más que a la hora de darles de comer, Cabrillo puso manos a la obra. Después de quitarse la pierna artificial y abrir su tapa desmontable, fue disponiendo a su alrededor el material. Primero utilizó una llave para liberarse de los grilletes. La llave era un duplicado de la original que llevaba el conductor. Dejar de deambular con un tintineo de cadenas como el fantasma de Jacob Marley en la obra de Dickens fue un alivio en sí mismo. Ponerse la camisa y la chaqueta que habían arrojado a la celda fue sublime. A continuación, de la pierna salió casi una docena de tubos de una sustancia similar a la masilla: la clave de toda la operación. Si esto no funcionaba tal como le habían dicho, si Mark Murphy y Eric Stone, los proveedores de artefactos explosivos de Cabrillo, habían metido la pata, ésta sería la fuga de una cárcel más breve de la historia.

Se encajó la pierna y desenroscó la tapa de uno de los tubos, para luego aplicar una delgada gota del gel a la juntura de argamasa que separaba los dos bloques de concreto más cercanos a la puerta.

Toda clase de horribles pensamientos desfilaron por la mente de Cabrillo cuando el gel no reaccionó como cuando habían experimentado con él en el *Oregon*. Pero la mente es capaz de plasmar posibilidades atroces en cuestión de segundos. La reacción química era un poco lenta.

Stone y Murphy, alias «Wepps» o «Murph» habían deducido la composición química de la argamasa utilizada en la prisión leyendo miles de páginas de documentos desclasificados de Archangel, donde se hallaba la empresa que había construido la instalación en la década de 1970 (de hecho, un equipo del *Oregon* había allanado la instalación y escaneado los documentos a lo largo de un período de tres noches, para luego introducirlos en el ordenador principal del barco con el fin de traducirlos, y después Eric y Mark se habían puesto a trabajar).

En menos de un minuto, la masilla ácida había resquebrajado por completo la argamasa. Cabrillo conectó una sonda al tubo, para introducirlo en la grieta que había practicado, y aplicó más gel para eliminar la argamasa restante que había al otro lado del bloque. Cuando estuvo seguro de que no quedaba nada, pegó una patada al bloque, que cayó en un angosto espacio situado entre la pared de la celda y la pared exterior del sótano de la prisión. Escudriñó el oscuro espacio y vio que el siguiente obstáculo era una losa de hormigón precolado que descansaba sobre asideros de cemento armado. Cada sección debía pesar unas diez toneladas.

El ácido que atacaba la argamasa no las afectaría, pero el paquete de explosivos de plástico C-4 se encargaría de ello.

2

Cabrillo tardó casi una hora en ensanchar el hueco del bloque hasta practicar una abertura que podía atravesar a rastras. En la remota posibilidad de una inspección imprevista a través de la mirilla, amontonó los bloques delante de ella, con espacio suficiente para apretujarse detrás. La luz mortecina de la celda crearía la ilusión de una pared sólida.

A continuación, atacó la pared contigua a la puerta de la celda. Antes que utilizar la masilla ácida para desprender bloques individuales, en primer lugar erosionó toda la argamasa a su alcance, en una zona algo más ancha que su cuerpo. Una vez más, se trataba de una precaución por si aparecía un guardia o el alcaide. Sólo cuando estuviera preparado para proceder, volaría el resto de la argamasa.

El penúltimo elemento de su extremidad artificial era un diminuto transmisor. En cuanto oprimiera el botón y la señal fuera transmitida a los hombres que esperaban en el barco, le quedarían seis minutos para localizar al hombre al que había ido a rescatar, detonar el C-4 que ya había colocado y llegar a la superficie.

Yuri Borodin llevaba encarcelado en la prisión varias semanas. Si bien el hombre comía como un oso, bebía como un ruso, y hacía ejercicio cada tres años bisiestos, todavía estaba en buena forma para ser un tipo de cincuenta y cinco años. Pero los guardias podrían haberle hecho cualquier cosa durante ese período de tiempo. Por lo que Juan sabía, podía encontrar a un hombre roto y vencido en la celda de Yuri, o peor todavía, quizá ya habría sido ejecutado y sus cenizas sumadas al montón de fuera.

Con independencia de lo que encontrara, el tope de seis minutos con el que contaba Cabrillo era ineludible.

Se puso a trabajar con los últimos restos de argamasa, entregado a su tarea sin la menor sombra de duda. Cuando terminó, preparó sus ganzúas, la última baza surgida de su alijo, y se abrió paso a patadas entre los bloques de cemento. Cayeron al suelo formando una masa terrosa, y Juan pasó a través del hueco.

—Yuri —llamó en un susurro cuando se puso en pie.

Se hallaba en un largo pasillo con al menos veinte puertas de celdas. Al final vio que el corredor se curvaba noventa grados. Como había estudiado los esquemas de la construcción, sabía que había otra puerta a la vuelta de la esquina y, después, una escalera que subía al primer piso de la prisión. Era como el bloque de celdas de Hannibal Lecter sin la espeluznante pared acrílica.

—¿Quién hay ahí? —contestó una voz tenue, que reconoció por sus años de colaboración mutua.

Juan fue a la puerta donde pensaba que retenían a Yuri y miró por la ranura de observación. La celda estaba vacía.

—A tu izquierda —dijo Yuri.

Juan abrió la ranura, y vio frente a él al almirante Yuri Borodin, excomandante de la base naval de Vladivostok. Había sido en el astillero de Borodin donde habían reacondicionado el *Oregon* e integrado el sofisticado sistema de armamento, después de que el barco original hubiera superado con holgura su tiempo de vida útil y se hubiera convertido casi en chatarra. El reacondicionamiento de sus revolucionarios motores magnetohidrodinámicos se había llevado a cabo en otro astillero que Yuri controlaba. Ambos trabajos habían tenido un costo combinado de casi cien millones de dólares, pero como el exjefe de Juan en la CIA le había dado luz verde para convertir el *Oregon* en lo que era hoy, el financiamiento no había representado ningún problema.

El casco habitual de pelo color bronce de Borodin caía lacio sobre los costados de su rostro franco, y su piel presentaba un aspecto cetrino anormal, pero aún conservaba los vivaces ojos oscuros del zorro astuto que era. Todavía no le habían quebrantado, ni de lejos.

Contempló confuso y cauteloso al hombre que se alzaba ante él, como si le reconociera, pero no pudiera ubicarle. Entonces sonrió abiertamente.

—Presidente Juan Cabrillo —exclamó en voz alta antes de convertir su voz en un susurro de nuevo—. De todas las cárceles de todas las ciudades del mundo, ¿por qué no me sorprende verte en ésta?

—La proverbial mala suerte —replicó impávido Cabrillo.

Borodin extendió la mano a través de la ranura de observación y acarició la cabeza de Juan.

—¿Qué te has dejado hacer?

—Me he puesto guapo para ti.

Juan empezó a trabajar con las ganzúas.

—¿Quién te ha enviado?

—Misha.

El capitán Mijail Kasporov era ayudante y edecán de Borodin desde hacía mucho tiempo.

—Dios bendiga a ese chico. —De pronto, un pensamiento aciago cruzó su mente—. ¿Para rescatarme o para matarme?

Juan alzó la vista de la cerradura, que estaba a punto de abrir.

—¿Es que tu paranoia no conoce límites? Para rescatarte, idiota.

—Ah, es un buen chico. Y en cuanto a mi paranoia, señor Presidente de la Corporación, un vistazo a mi actual entorno demuestra que no fui lo bastante paranoico. ¿Qué hay de nuevo, amigo mío?

—Vamos a ver: la guerra civil en Sudán se está calmando. Los Dodgers se han quedado otra vez sin lanzadores. Y creo que la mitad de las Kardashian se está casando, mientras la otra mitad se está divorciando. Ah, y una vez más has conseguido cabrear a quien no debías.

En su implacable ascensión al poder en el seno de la Marina rusa, con el apoyo de la extrema derecha, el voluble almirante Pytor Kenin había dejado un rastro de destrucción a su espalda, carreras destruidas y, en una ocasión, la sospechosa muerte de un rival. Ahora que ya era uno de los almirantes más jóvenes de la flota en la historia del país, corrían rumores de que pronto se volcaría en la política bajo la guía de Vladimir Putin.

Yuri Borodin se había convertido en uno de los enemigos de Kenin, si bien se hallaba demasiado bien situado en el estamento militar para ser expulsado sin más, y le habían detenido bajo falsas acusaciones y enviado a esta cárcel a la espera del juicio, un juicio al que probablemente no llegaría con vida. Una empresa controlada por Kenin gestionaba la prisión en nombre del gobierno, en una cooperativa público/privada como muchas de las que auparon a los oligarcas durante los días posteriores a la caída del comunismo. No sería nada difícil organizar su muerte, que tendría lugar una vez calmado el escándalo inicial provocado por su detención.

Que Borodin era un corrupto era un secreto a voces, pero elegirle a él era como detener a un solo usuario de un fumadero de opio abarrotado. La corrupción en el estamento militar ruso formaba parte de su cultura tanto como los uniformes que producían picores y la comida repugnante.

—¿Y haces esto movido tan sólo por la bondad de tu corazón?

—Por supuesto. Más un diez por ciento del valor de tu red.

—Bah. Mi Misha es un buen chico, pero un pésimo negociador. Me quieres como a un hermano por lo que hice con aquella gabarra gigantesca tuya. Nos lo pasamos muy bien, tú y yo, mientras los hombres de mi astillero convertían tu gatito atigrado en un león. Tan sólo para rendir homenaje a esos recuerdos deberías rescatarme gratis.

—Podría haberte cobrado el doble, y Mijail habría pagado porque ni siquiera él conoce los números de todas tus cuentas suizas.

Sin más trámites, procedió a forzar la cerradura con la ganzúa.

Lo primero que hizo Yuri Borodin fue aferrar a Cabrillo en un gran abrazo de oso y plantarle un beso en cada mejilla.

—Eres un santo varón.

—Suéltame, ruso chiflado —dijo Juan mientras se liberaba de la presa de Yuri—. Aún no hemos salido de ésta.

Borodin se puso serio.

—Hemos de hablar de muchas cosas. El momento en que me detuvieron no fue casual.

—Ahora no. Vámonos.

Volvieron a la celda de Cabrillo. Juan cogió el transmisor de microrráfaga, dispuso un temporizador mental en su cabeza y activó ambos. Después tecleó la clave de los explosivos de plástico que había adosado al muro exterior de la cárcel, a bastante distancia de su madriguera. Los bloques de concreto intermedios ahogaron el estallido, pero se notó en todos los rincones de la extensa instalación. Los guardias entrarían en acción casi de inmediato.

Juan se agachó para entrar en el espacio claustrofóbico situado entre los muros interiores y exteriores de la cárcel. Se volvió hacia Borodin.

—Pase lo que pase, no te separes de mí.

Yuri asintió con semblante sombrío, su habitual afabilidad sustituida por una auténtica preocupación por su suerte.

Se desplazaron lateralmente por el angosto espacio y tuvieron que apretarse contra las tuberías que se elevaban a través del suelo. Formaban parte del sistema de refrigeración pasivo con amoníaco encargado de impedir que el escaso calor generado por la prisión fundiera el permafrost sobre el cual estaba construida. El aire estaba impregnado del hedor a productos químicos quemados de los explosivos cuando se acercaron a la brecha que atravesaba los cimientos exteriores.

El C-4 había practicado un hueco mellado en la losa de hormigón del tamaño de una tapa de alcantarilla. Fragmentos de hormigón aplastado se movieron bajo sus pies cuando Cabrillo se abrió paso entre la abertura. Al otro lado se encontró parado en un foso que rodeaba el nivel del sótano de la prisión. Este espacio muerto actuaba también como amortiguador térmico para impedir que el calor latente del edificio fundiera el suelo helado.

Seis metros por encima de su cabeza había paneles que impedían ver el foso desde la superficie. En los paneles se habían practicado docenas de agujeros para que el aire pudiera circular con libertad, y estaban sostenidos por andamios metálicos. Grumos de nieve taponaban algunos agujeros, y unos cuantos cayeron sobre los hombres como resultado de la explosión.

—Vamos —gritó Juan por encima del sonido de una sirena con efecto Doppler. Huyeron del agujero en la pared, pues era probable que los guardias de las torres hubieran visto la explosión. Fue como correr por un laberinto. Tuvieron que retorcer y contorsionar sus cuerpos alrededor de los incontables puntales que componían los andamios. Y, no obstante, sólo un contorsionista hubiera podido correr más deprisa que aquel par. Una vez que hubieron doblado la esquina, Cabrillo avanzó unos pasos más y empezó a subir. El metal estaba tan frío que tuvo la impresión de tener las manos escaldadas. Los paneles estaban sujetos por arriba mediante tornillos enroscados en receptores del armazón de acero. Un tubo de ácido concentrado para disolver acero carcomió las tuercas oxidadas y hasta los mismísimos tornillos.

Los seis minutos de Cabrillo casi se habían agotado. Se preparó para utilizar la espalda y las piernas con el fin de empujar el panel hacia arriba y soltarlo del andamio.

—Recuerda, no te separes de mí y todo irá bien —advirtió de nuevo—. La mitad de lo que va a pasar es para impresionar.

Empujó con los hombros para probar cuánta resistencia iba a ofrecer el panel después de tantas décadas y, ante su sorpresa, la sección de la plancha de acero perforada se desprendió casi antes de que estuviera preparado.

La sirena de la prisión continuaba aullando, pero otro sonido se impuso, el inconfundible *hup-hup-hup* de un helicóptero que se acercaba a toda velocidad.

El temporizador de su cabeza llegó al cero, y Cabrillo empujó el panel a un lado. Salió al exterior, consciente de que su uniforme azul de la cárcel destacaba contra la capa de nieve de treinta centímetros de profundidad que le rodeaba. Un guardia entregado a su trabajo podría divisarle de un momento a otro, pero confiaba en el instinto humano para impedir que le vieran. Los guardias deberían estar mirando el helicóptero que se aproximaba.

Vio el helicóptero al otro lado de la valla de seguridad, un insecto parduzco que creció de tamaño hasta que pudo reconocerlo como un desgarbado Kamov Ka-26. Con dos rotores principales colocados uno encima del otro sobre el casco, y que giraban en direcciones diferentes, el vehículo no necesitaba un rotor antipar con un eje de rotación lateral. Esto conseguía que el helicóptero con capacidad para seis pasajeros pareciera una furgoneta volante, con dos timones achaparrados adosados a su parachoques trasero.

Yuri se paró a su lado en cuestión de segundos, y ambos hombres apretaron la espalda contra el muro de la cárcel.

Ahora que se encontraba más cerca, Juan vio las pequeñas alas que habían acoplado al casco del aparato, justo detrás de la puerta del piloto.

Un guardia nervioso lanzó una ráfaga de su AK, aunque el helicóptero estaba fuera de su alcance. En respuesta, un solo cohete surgió de uno de los dispositivos de punta alar y voló hacia la verja del perímetro, al tiempo que una pesada ametralladora cobraba vida en el lado opuesto y escupía una lengua de fuego. Casquillos del tamaño de pureras llovieron desde el arma, al tiempo que la nieve recién caída entre la verja del perímetro y el edificio cobraba vida bajo el abrasador ataque de plomo.

—¡Corre! —gritó Juan por encima del estruendo.

Ante la estupefacción de Yuri, Cabrillo cargó hacia el remolino levantado por la ametralladora como si fuera un miembro de la Brigada Ligera lanzado al galope hacia los cañones rusos en Balaclava.

«Sígueme pase lo que pase», había dicho el hombre que se llamaba a sí mismo Presidente y, ante su asombro, Yuri emitió un bramido ahogado por la sirena, el helicóptero y la ametralladora, y corrió detrás de su amigo.

El cohete estalló en la base de la verja y levantó todavía más nieve y masas de suelo helado. Borodin temía caer abatido de un momento a otro, mientras géiseres de nieve estallaban a su alrededor, arrojados al aire por balas que ni siquiera había oído.

Entonces sintió un pequeño impacto bajo su pie izquierdo. No fue suficiente para derribarle, pero logró que se tambaleara. Fue la pista que necesitaba para saber que no era inmune a la andanada de balas que vomitaba la ametralladora del helicóptero porque, en realidad, no se trataba de balas. El Kamov estaba disparando cartuchos de fogueo, y las detonaciones de nieve que creaban una niebla de tres metros de altura eran pequeñas cargas explosivas que el equipo de Cabrillo habría debido colocar durante la última tormenta de nieve, con un método tan sencillo como tirarlas por encima de la alambrada.

Pero su suerte no podía durar eternamente. Balas disparadas por las armas automáticas de los hombres apostados en las torres vigía empezaron a buscarles, y los microestampidos supersónicos rasgaron el aire cerca de su cabeza. Borodin lamentó que Cabrillo fuera tan blando. De haber planeado él la evasión, los primeros misiles del Kamov se habrían llevado por delante a los guardias de las torres. Pero Juan era diferente. Aunque era un mercenario, detestaba matar cuando no era necesario, aunque eso significara poner en peligro su vida. Pero Juan no conocía a aquellos hombres, ignoraba que formaban parte del ejército privado de Kenin, retribuidos más por su lealtad al almirante que a la Madre Rusia. Vestían los uniformes de su país, pero no eran menos mercenarios que el propio Cabrillo.

Ahora que cada vez llovían más balas de verdad, los dos hombres atravesaron veloces el campo despejado sin ser alcanzados. El cohete había volado una parte de la alambrada cercana a uno de sus postes, y practicado un hueco suficiente para poder atravesarla, pero eso también les obligó a desviarse hacia la izquierda para evitar el montículo de mortífero alambre de púas caído en el suelo.

Alejados de la barraca de tiro al blanco, y mucho más cerca del helicóptero, vieron las cuerdas que colgaban a cada lado del Kanov, lo bastante largas para arrastrarse sobre el suelo.

Juan fue el primero en llegar a las cuerdas, y enseguida localizó el lazo para el pie y otro para una mano.

—Espera —gritó por encima del estruendo de rotores y disparos.

La descarga de fuego del helicóptero era un remolino de Categoría 5.

El piloto debió ver que los dos hombres ocupaban sus posiciones, porque en cuanto Yuri deslizó el pie en uno de los lazos y la mano a través de otro experimentó la sensación de que su estómago intentaba abandonar su cuerpo a través de las suelas de los zapatos.

El Kamov se elevó y giró, y los dos hombres se columpiaron como péndulos, a unos treinta metros del suelo. El viento, cuando el aparato aceleró, arañó sus cuerpos expuestos con aguijonazos que entumecían la piel y convertían los ojos en torrentes de lágrimas.

Borodin luchó por aferrarse a la sinuosa cuerda, y rezó para que el plan de Cabrillo les permitiera tomar tierra pronto para entrar en la cabina climatizada donde, conociendo el estilo de Juan, les aguardaría una buena botella de coñac. No estaba seguro de cuánto tiempo podría aguantar, pero cuando miró la nieve y las piedras que desfilaban bajo sus pies, supo que podría aguantar el resto de su vida, porque una caída le mataría sin la menor duda.

El helicóptero se desvió hacia el este, adentrándose en las montañas, mientras el piloto volaba tan cerca del suelo como se atrevía, con sus dos pasajeros colgando bajo las ruedas del tren de aterrizaje triciclo. Cada descenso, ascensión y giro del aparato sacudía los cuerpos de ambos hombres. El ocaso estaba empezando a caer sobre el paisaje, pero el piloto no encendió ninguna luz de aterrizaje. Borodin sospechaba que contaba con algún sistema de visión nocturna, de lo contrario no volaría con tanta imprudencia a través de aquellos cañones desconocidos.

Tras una eternidad de diez minutos gélidos, el ritmo de los rotores cambió cuando se acercaron a un bosquecillo de pinos cobijado bajo otro risco de granito. Iban a aterrizar por fin. Borodin maldeciría al Presidente por un vuelo tan tortuoso, pero sólo después de dejar de temblequear.

El helicóptero fue descendiendo cada vez más, hasta que ambos hombres pudieron liberarse de los lazos y agacharse bajo el viento huracanado que les arrojaban las palas giratorias. Borodin esperaba que el Kamov continuaría hasta el suelo, pero el gemido de los motores aumentó de intensidad, y una vez más el desgarbado aparato se dirigió hacia el este, dejando a los dos hombres abandonados en el desierto yermo y helado. Sabía que ambos morirían de hipotermia antes de una hora, si no antes. También sabía que Juan Cabrillo no había agotado la provisión de su bolsa de trucos.

Borodin señaló hacia el punto por donde había desaparecido el helicóptero, detrás de una colina abrupta y rocosa.

—Señuelo, sí.

Juan no utilizó el ruso, uno de los cuatro idiomas que hablaba, sino que habló en inglés con acento ruso para burlarse de la sintaxis de Borodin.

—Señuelo, *da.*

—¿Y el piloto? ¿Saldrá bien librado?

—¿Por qué no? Está sentado ante una consola a bordo del *Oregon.*

Juan disfrutó de la variedad de emociones que fueron apareciendo en el rostro agrietado por el viento de Borodin cuando asimiló la información. La incomprensión se metamorfoseó en comprensión, y después en horror ante las implicaciones, para luego desembocar en indignación por las posibles consecuencias.

—¿Quieres decir que, mientras pasábamos zumbando junto a las montañas y rozando el suelo, no había piloto? ¿Que podría habernos matado mientras estaba sentado tan tranquilo en tu barco?

Juan no pudo reprimir la tentación de tomarle el pelo un poco más.

—Mi piloto, Gomez Adams, llamado así por un escarceo que tuvo con una mujer muy parecida a Carolyn Jones, la Morticia original, contó con menos de una semana para practicar el televuelo del Kamov, después de que lo compráramos e instaláramos el mando a distancia.

—Estás loco.

—Como una chota —admitió Juan—. Vamos.

Se internaron un poco entre los árboles, donde el equipo de Cabrillo les había preparado otra sorpresa. Era una motonieve Lynx Rave RE 800R pintada de un blanco mate a juego con la nieve. Con su enorme rueda de tracción a oruga y los esquís dobles, era la máquina perfecta para cruzar cualquier terreno ártico. Junto al vehículo había una bolsa que contenía cascos y monos acolchados blancos, un casco de batería y otro capaz de acoplarse al sistema eléctrico de la Lynx, así como botas y guantes aislantes.

—Ponte esto. Hay un helicóptero en la prisión, y no tardarán en perseguirnos.

—Por eso no cambiamos de dirección cuando huimos —dijo Yuri mientras se vestían—. Querías que siguieran al Kamov.

—Y mientras ellos vuelan hacia el este en persecución de un helicóptero vacío, nosotros iremos hacia el norte, donde el *Oregon* nos está esperando.

—¿Cuánto rato?

Juan pasó una pierna por encima del asiento de la moto y puso en marcha el motor Rotax de 800 cc.

—Más o menos una hora —dijo por encima del gemido del motor.

Enchufó un cable que colgaba del casco a un teléfono satélite que estaba guardado con el resto del equipo.

—Aquí Edmundo Dantès al habla. —Su nombre en clave era una referencia al famoso prisionero que había escapado de la cadena perpetua en la obra maestra de Dumas—. Hemos salido del castillo de If.

—Edmundo —fue la risueña respuesta de Max Hanley—. ¿Preparado para recuperar tu tesoro y vengarte?

—El tesoro será enviado a un número de cuenta en cuanto regresemos a bordo, y nunca he albergado la menor intención de vengarme.

—¿Cómo ha ido? —preguntó Max, dejando de lado cualquier fingimiento de que no le preocupaba la seguridad de Juan.

—Ningún problema de momento. Los petardos funcionaron mejor de lo que esperábamos, y Gomez habría sido capaz de pasar el helicóptero por el ojo de una aguja en caso necesario.

—Se te oye por el altavoz del centro de operaciones, Presidente —dijo Gomez Adams—. Te he oído y estoy absolutamente de acuerdo.

Juan se imaginó al apuesto tejano, con su bigote caído de pistolero, sentado detrás y a la derecha de la silla de mando, en mitad del puente de mando de alta tecnología del *Oregon*. Mientras transportaban a Cabrillo a la prisión, Adams había pilotado el Kamov dron desde el barco para situarlo cerca del complejo, mientras otro de los leales a Yuri esperaba para encender el motor cuando recibiera la señal de Juan.

—Estamos en posición y a la espera —interrumpió Hanley.

—De acuerdo, Max. Yuri y yo estaremos ahí dentro de una hora.

—Dejaremos la luz encendida.

Juan dio una palmada en el asiento y Borodin se sentó detrás de él. Habían cosido dos asas a la espalda del mono de Cabrillo para que se sujetara, lo cual ahorraba a los dos hombres la ignominia de que el ruso se ciñera a la cintura de Juan. Éste habría podido conectar el casco de Borodin al aparato de comunicaciones de la motonieve, pero eso significaría que no podría recibir llamadas desde el *Oregon*, que controlaba la trayectoria del Kamov dron y del enorme helicóptero Mil de la prisión que lo perseguía.

La Lynx aceleró como un cohete y salió disparada de entre los pinos con la veloz agilidad de una liebre asustada. Al cabo de unos minutos, volaban sobre la nieve acumulada. Debido a la sofisticada suspensión y los trajes climatizados, el viaje fue muy cómodo. El frío que había padecido Cabrillo en los huesos pronto fue sustituido por un calor tal que se vio obligado a bajar la temperatura. Apenas sentía la vibración del vehículo que surcaba la nieve, y el gemido del motor de dos tiempos no era más que un ronroneo apagado en su casco.

De no ser por el hecho de que un helicóptero ruso armado no tardaría en darles caza, habría disfrutado del viaje.

Al cabo de tan sólo quince minutos de iniciada su carrera hacia la costa, Max Hanley llamó para informar de que el helicóptero dron había sido abatido, y de que sus cámaras habían sobrevivido lo bastante para revelarles que los rusos sabían que el aparato no iba pilotado.

Cabrillo maldijo en silencio. Había confiado en media hora o más. El Mil debía estar preparado para cualquier emergencia si había cazado a su presa con tanta facilidad. Ahora estaría dando media vuelta, y un piloto de vista aguda vería el rastro de la motonieve como una cicatriz en la corteza de nieve virgen.

Juan aminoró la velocidad lo suficiente para abrir el visor y mirar a su alrededor.

—Nos persiguen —gritó por encima del viento.

Yuri comprendió el peligro y dio dos palmadas en el hombro de Cabrillo para comunicárselo.

Era una carrera no tan sólo contra el helicóptero que iba en su persecución, sino también contra el sol poniente. No cabía duda de que el Mil contaba con luces de navegación, de modo que en cuanto localizara a su objetivo podría mantenerlas encendidas mientras perseguía a los fugitivos. Por otra parte, Juan no podía encender el faro de la Lynx porque sería la única fuente de luz en la desolada llanura, y el helicóptero perseguidor se desviaría hacia ellos en cuanto la divisara. No se atrevía a reducir la velocidad, y maldijo la decisión de ir con un casco tintado. Apenas podía ver la nieve blanca a través de la oscuridad.

Cuando oscureció demasiado, pensó que podría conducir con el visor levantado. Hizo un experimento. Notó el viento como cuchilladas en las cuencas de los ojos, y bajó enseguida el escudo protector. Durante varios segundos las lágrimas le cegaron por completo. Experimento fracasado.

En aquel tramo había muy pocos obstáculos, pero tenían que recorrer varios kilómetros más de océano helado para llegar al *Oregon*.

Mientras corrían, Borodin se aferraba a las asas con Juan encorvado sobre los manillares, y el sol se hundió bajo el horizonte hacia el oeste. En algún lugar situado hacia el este un helicóptero les estaba buscando con tanta obstinación como un halcón busca a su presa.

Se aproximaban a toda velocidad a la costa, y se adentraron en una masa confusa de montecillos helados y fracturas en el hielo, en un paisaje de pesadilla que parecía infranqueable. Juan se vio obligado a reducir la velocidad y, pese al dolor que le causó en los ojos, también tuvo que abrir el visor. Estaba demasiado oscuro para ver a través del tintado, y casi demasiado oscuro para ver cualquier cosa.

Pese a la soberbia suspensión de la Lynx, ambos hombres se sintieron zarandeados de un lado a otro mientras la motonieve saltaba y rodaba sobre el hielo fracturado. Yuri no tuvo otro remedio que pasar los brazos hasta los codos a través de las correas y aferrarse al asiento con los muslos, como si intentara domar a un corcel salvaje. Pero aun así mantuvo la presencia de ánimo de examinar el cielo que les rodeaba para que el Presidente pudiera concentrarse en el camino. Una estrella particularmente brillante llamó su atención, y la contempló con arrobo agotado.

Había tenido tanto frío durante tanto tiempo (la temperatura de la celda de la prisión nunca sobrepasaba los diez grados, con lo cual resultaba casi imposible dormir), que el calor de su mono climatizado estaba adormeciendo sus sentidos y conduciendo su mente a la inconsciencia. Sólo el traqueteo de la motonieve le mantenía despierto. El día de su detención, se encontraba en su apartamento de quinientos metros cuadrados en compañía de una cortesana birmana, bebiendo Cristal. Su último esfuerzo físico verdadero había sido el entrenamiento básico cuando ingresó en la Marina. Brezhnev era presidente en aquel tiempo.

Ansiaba el sueño como un borracho ansía el alcohol.

Pero había algo deslumbrante en aquella estrella concreta que llamaba su atención. No poseía la fría actitud distante de sus vecinas celestiales mientras recorría el filo de la navaja entre la tierra y el cielo. Palpitaba y daba la impresión de crecer, casi le llamaba como las sirenas llamaron a Ulises cuando se ató al mástil de su barco. Habían intentado atraerle hacia las rocas.

Hacia el peligro.

Hacia la muerte.

¡Las estrellas no crecen de tamaño!

¡Era el Mil!

3

Borodin despertó del letargo inducido por el calor. Dio una palmada a Cabrillo en el hombro, el grito de advertencia ahogado por el casco, pero sus movimientos perentorios comunicaron muy bien su consternación.

Juan aceleró, indiferente al terreno irregular.

Al mismo tiempo, recibió una llamada por su conexión satélite.

—Bogey acaba de aparecer en tu seis —le advirtió Max—. Salió de entre las montañas y vuela en rasante. No le vimos llegar.

—¿Habéis interferido las comunicaciones?

—Todas, salvo esta frecuencia —contestó Hanley.

Juan efectuó los cálculos en su mente, pero no le salían las cuentas. El helicóptero les alcanzaría antes de llegar al barco. Estaba a punto de ordenar a Max que destruyera el helicóptero, cuando Yuri le palmeó la espalda con más insistencia que antes. Cabrillo miró un momento hacia atrás y vio que el cielo se iluminaba alrededor del Mil como la corona de un sol negro.

Les estaban bombardeando, lo más probable desde un lanzacohetes UB-32 suspendido del costado del fuselaje del Mil. El radio de acción era máximo, y los misiles no guiados tenían tendencia a estallar en una amplia franja, pero sus ojivas explosivas estaban diseñadas para eyectarse como granadas de fragmentación.

Justo cuando volvía la cabeza hacia delante, Cabrillo oyó por el enlace radiofónico que Max daba la orden de destruir el helicóptero.

A tres kilómetros de distancia, todavía oculto por los montículos de hielo, el domo que cubría una de las torretas provistas de ametralladoras Gatling de 20 milímetros se abrió y el conjunto de seis cañones giratorios asomó por su hueco. Con el estruendo de una infernal máquina industrial, la ametralladora escupió una sólida cortina de proyectiles de tungsteno. El sistema de control de armas del barco era tan preciso que no era necesario añadir balas trazadoras en la mezcla de municiones. El piloto y la tripulación del helicóptero jamás vieron lo que estaba surcando la noche hacia ellos.

De los cuatrocientos proyectiles de la ráfaga de cinco segundos, casi todos alcanzaron de lleno al Mil o impactaron en los restos volantes del aparato destruido. Después el Mil floreció cuando su volátil combustible estalló en una bola de fuego que colgó en el cielo durante muchos largos segundos, antes de que la gravedad impusiera su ley y lo hundiera en el hielo como una estrella fugaz caída a la tierra.

Dos proyectiles de la ametralladora habían conseguido alcanzar a los pequeños misiles atacantes por pura casualidad, pero treinta más describieron un arco, se abrieron en abanico y encerraron al Presidente y a Yuri Borodin en una trampa mortal.

En aquellos últimos segundos frenéticos, Cabrillo intentó alejarse del mortífero enjambre, pero era como si el hielo se hubiera implicado de manera activa en frustrar sus esfuerzos. A cada lado se alzaban montículos hasta la altura del hombro, demasiado empinados para que ni siquiera la Lynx pudiera rebasarlos. Estaban atrapados en un angosto cañón sin posibilidad de escape, a expensas de la velocidad de la moto.

Por un irónico capricho del destino, las motonieves no funcionan tan bien sobre hielo como sobre nieve. La rueda de tracción a oruga tiende a recalentarse y provoca excesivo desgaste, pero en aquel momento a Juan no podía importarle menos que la rueda se hiciera pedazos, siempre que eso ocurriera después de llegar al barco.

Las primeras explosiones resonaron a sus espaldas, y las murallas de hielo las ahogaron, pero casi de inmediato otros cohetes empezaron a impactar alrededor de la Lynx, cada detonación una luminosa flor de hielo y fuego. Y esquirlas de acero.

Las continuas explosiones hicieron pedazos el mar de hielo, desencadenando una serie de minierupciones que convirtieron el aire en un remolino de nieve. Los misiles seguían impactando, en lo que parecía un ataque interminable. Juan sintió los tirones cuando fragmentos de metralla atravesaron su voluminoso mono, y tuvo que apartar la cabeza cuando uno rebotó en el duro plástico del casco.

En el preciso momento del impacto, Yuri emitió una exclamación ahogada y se desplomó sobre la espalda de Cabrillo.

Juan sabía que su amigo había sido alcanzado, pero no tenía ni idea de la gravedad de la herida. Los últimos misiles estaban explotando detrás de ellos, mientras se alejaban de la zona peligrosa. Extendió una mano hacia atrás, palpó el costado de Borodin, y cuando miró la mano, vio que el nailon blanco estaba negro de sangre. Derribado el helicóptero, encendió el faro de la Lynx. Y examinó con más detenimiento la mano. La sangre estaba cargada de diminutas burbujas que estallaban, como un espeso refresco de cereza.

Borodin había sido alcanzado en el pulmón.

Quedaba un kilómetro y medio de distancia.

—Max, ¿me recibes?

—Estamos aquí. Dime que no estabais cerca de esos misiles.

—Justo en medio. Yuri ha sido alcanzado en los pulmones y sufre una grave hemorragia. Dile a Julia que esté preparada.

Julia Huxley, doctora entrenada en la Marina, era la directora médica del *Oregon*.

—¿Todavía quieres transbordar a la lancha inflable semirrígida?

—No hay tiempo. Acerca el barco lo máximo que puedas al borde del hielo.

—Eso va a dejar un hueco de unos sesenta metros.

Juan no vaciló al contestar.

—Ningún problema.

«Gran problema», pensó para sus adentros.

El viento había erosionado el hielo hasta formar un montículo que corría hacia el este en una larga espiral arqueada, como si una de las olas gigantes de Waikiki se hubiera quedado congelada. Juan dirigió la Lynx hacia él, dándole al acelerador hasta que la muñeca le dolió. Notó que el peso de Yuri se desplazaba hacia abajo cuando la máquina subió por la rampa de hielo, y después se enderezó de nuevo debido a la fuerza centrípeta de la velocidad. Salieron del tobogán por su extremo. El hielo era tan rugoso como acero acanalado, lo cual obligó a Juan a disminuir un poco la velocidad. Cada sacudida y oscilación maltrataba su cuerpo como si un boxeador le estuviera propinando una paliza. Confió en que Borodin hubiera perdido la conciencia, aunque sólo fuera para ahorrarle más dolor.

Lanzó la Lynx entre dos colinas de hielo, rodeó una tercera, y ante él, tentadoramente cerca, vio el *Oregon* con todas las luces encendidas, con un aspecto tan alegre y festivo como si fuera un crucero. Hilillos de bruma marina se elevaban del agua atrapada entre el barco y el hielo.

Desde donde se encontraba no podía ver si Max estaba utilizando las hélices de proa y popa para acercar el barco de ciento setenta metros de eslora a la capa de hielo, pero sabía que su viejo amigo estaba haciendo todo lo posible para reducir la distancia.

Sin importarle el estado del terreno, Juan forzó la moto de nieve hasta que el motor chilló en señal de protesta y una nube de partículas de hielo salió disparada por debajo de la rueda. Daba la impresión de que estaban huyendo de un banco de niebla creado por ellos mismos. Se dirigió hacia la sección media del buque, donde habían abierto una puerta grande similar a la de un garaje. Era la bodega donde podían alojar cierto número de pequeñas embarcaciones, desde lanchas auxiliares semirrígidas con capacidad para ocho personas hasta kayaks de mar. La iluminación del espacio era como un faro para Cabrillo y su pasajero herido.

—Aguanta —dijo Juan de manera innecesaria, cuando se acercaron al final de la capa de hielo.

No se distinguía una clara delimitación entre el hielo y el mar, sino una gradual fragmentación de la superficie bajo el vehículo. Lo que antes era sólido se transformó en trozos oscilantes, y se fue adelgazando hasta que la máquina avanzó sobre una masa cuya consistencia era la propia de un helado industrial. Los tacos metálicos de la rueda no encontraron asidero. Era sólo la aceleración, y el escaso impulso que obtenía la oruga al correr casi rozando el lodo lo que les mantenía a flote.

Y entonces se encontraron sobre un agua transparente tan inmóvil como la de un estanque, enturbiada por vaporosos dedos de niebla. Aun así, la Lynx continuó funcionando, y su estela de neblina helada se convirtió en un rastro de agua cremosa. Juan se inclinó hacia atrás lo máximo que se atrevió para evitar que los esquís se hundieran en el agua, una posibilidad real que les haría volcar como muñecos de trapo. Vio que se estaban desviando de su destino y movió el cuerpo para compensar la desviación, consciente de que el peso de Yuri también influiría en la maniobra. Cabrillo había corrido sobre agua con una motonieve en algunas ocasiones, pero nunca con un pasajero detrás, y nunca con tanto en juego

El motor Rotax de la Lynx funcionó a la perfección, y se deslizaron sobre el agua sin apenas rozarla, no con los saltos erráticos de una piedra lisa lanzada por un niño, sino con la potencia de un motor fabricado presuntamente para dicha tarea. A medida que se iban acercando, el barco fue aumentando de tamaño hasta que Cabrillo ya no pudo ver el mar al otro lado. Cayó en la cuenta de que la velocidad se había convertido en un factor determinante. Iban demasiado deprisa para tomar la rampa revestida de teflón que daba acceso al garaje. A su velocidad actual, subirían la rampa como un esquiador acuático y se estrellarían contra la pared del fondo con tanta fuerza que la red de seguridad les haría pedazos. Pero si desaceleraba demasiado pronto, la Lynx volcaría y se hundiría como un ladrillo.

Desaceleró un poco para hacerse una idea de cómo reaccionaría el vehículo, y un segundo después, presa del pánico, aceleró de nuevo cuando los extremos de los esquís se hundieron con brusquedad. Era incapaz de efectuar cálculos. Eso no quería decir que se tratara de una tarea imposible, pero para ello necesitaría un superordenador o el cerebro de Mark Murphy. Se guiaba tan sólo por el instinto.

Los tripulantes del *Oregon* pensaban que el conductor de la Lynx era un suicida que corría a cincuenta millas por hora, lanzado hacia el costado de acero de un carguero que se elevaba sobre ellos como un castillo sobre un par de jinetes.

Juan pensó que había dejado transcurrir un segundo de más, y tensó el cuerpo instintivamente para el impacto. De hecho, había elegido el momento a la perfección. A tan sólo unos metros de la rampa, disminuyó la velocidad con cuidado y dejó que la Lynx se deslizara hasta que tuvo que remontar una pesada ola de proa que le robó todavía más impulso. El vehículo entró en el casco cuando empezaba a irse a pique, los patines tocaron la rampa sumergida, y la motonieve salió del mar con un control tan perfecto que Cabrillo apenas tuvo que tocar los frenos para detenerla con suavidad.

Siguió una pausa de medio segundo, mientras su mente se sosegaba, antes de que un equipo empezara a salir de detrás de los mamparos y maquinaria diversa, chapoteando en el agua revuelta que inundaba la rampa y seguía cayendo como una cascada de la motonieve, como un perro de caza que se sacudiera el agua después de atrapar a su presa. Se disparó una alarma, la cual indicaba que la puerta del garaje se estaba cerrando. Unos hombres procedieron a trasladar a Yuri Borodin a una camilla. En cuanto se quitó el mono, Juan se despojó del casco para examinar a su amigo.

Julia Huxley (Hux o Doc para casi toda la tripulación) ya estaba junto a Borodin, mientras un enfermero impedía que el ruso se cayera de la camilla. Vestida con bata de médico, indiferente al agua helada que mojaba sus pies, la doctora levantó el visor del casco de Yuri.

Como contenida por un dique, una muralla de sangre brotó al abrirse el visor y cayó como una ola sobre el pecho del herido. Llevaba el casco tan ceñido, que cada vez que Borodin expulsaba sangre de su pulmón perforado al toser, formaba un charco alrededor de su mandíbula y se elevaba con cada violento paroxismo. La mujer desabrochó las correas del casco, convencida de que el hombre se había ahogado. Pero en cuanto lo soltó, y más sangre se derramó sobre el agua que regaba sus pies, el ruso tosió y le salpicó la mascarilla y el pecho.

Juan les dejó espacio libre cuando un enfermero depositó un escalpelo en la mano de Julia. La doctora empezó a cortar el voluminoso mono, mientras otro enfermero preparaba una intravenosa, con la intención de inyectar en las venas casi vacías de Yuri solución Ringer lactato, como medida provisional hasta que le sometieran a una transfusión sanguínea del banco de sangre del barco.

El pesado mono ártico fue abriéndose bajo el escalpelo de Hux, hasta dejar al descubierto el delgado y pálido pecho de Yuri, y desnudar el brazo donde le practicarían la intravenosa. Del agujero abierto en la piel de Yuri brotaba espuma cada vez que su pecho pugnaba por expulsar aire del cuerpo, y daba la impresión de volver a sumirse en la obscena boca diminuta cada vez que inhalaba. El resto de su cuerpo era un mar de verdugones y cardenales moteados, el resultado de semanas de palizas.

Hux sacó del maletín rojo que descansaba sobre una bandeja sobre ruedas cercana un parche oclusivo y rompió el envoltorio. Este tipo de vendaje de combate permitía que el aire saliera expulsado de la herida, pero no dejaba que entrara, lo cual proporcionaba al pulmón herido de Yuri la oportunidad de volver a hincharse. Su equipo y ella acomodaron con cuidado a Yuri sobre su costado herido. Esta postura facilitaba que el pulmón ileso funcionara. Sólo entonces se quitó el estetoscopio del cuello y buscó el latido del corazón de Borodin. Lo movió sobre su pecho amoratado y surcado de cicatrices como alguien que peinara una playa con un detector de metales. Y del mismo modo, dio la impresión de que no encontraba lo que iba buscando.

—¿Tensión arterial? —preguntó.

—Apenas se registra —contestó el enfermero que controlaba el manguito del tensiómetro.

—Lo mismo sucede con el latido del corazón. —Julia levantó la vista y observó que la solución Ringer fluía con normalidad, y comprendió que allí ya no podía hacer nada más—. Muy bien, chicos, vamos a llevarle al quirófano de urgencias.

Su voz poseía el tono autoritario de alguien que detentaba el poder absoluto.

Intercambió una mirada con Cabrillo, y sus sombríos ojos oscuros le comunicaron todo cuanto necesitaba saber.

—*Nyet* —dijo con un hilo de voz Borodin. Consiguió abrir los ojos.

—Lo siento, no *nyet* todavía —dijo Hux, al tiempo que apoyaba la mano sobre el brazo de Yuri—. ¡Vamos a trasladarlo!

—*Nyet* —logró articular Borodin de nuevo—. ¿Ivan?

Llamó a Juan, utilizando su nombre en ruso.

Juan se acercó al cuerpo tendido de Yuri.

—Tranquilo, amigo mío. Vas a ponerte bien.

Borodin esbozó su sonrisa manchada de sangre, con los dientes teñidos de púrpura como los de un tiburón después de un banquete.

—*Nyet* —dijo por tercera vez Yuri—. Kenin.

—Lo sé todo acerca de Pytor Kenin —le tranquilizó Juan.

—Presidente —dijo Hux en tono crispado.

—Un segundo.

Juan no quería ver su mirada de reproche. Sabía tan bien como ella que cada segundo contaba. También sabía que Yuri Borodin comprendía este hecho todavía mejor que ellos.

Borodin tosió, y dio la impresión de que el esfuerzo desgarraba algo en el interior de su cuerpo. Se encogió, y cerró los ojos cuando una oleada de dolor le recorrió.

—Aral.

La palabra apenas fue audible.

—¿El mar de Aral? —preguntó Juan—. ¿Qué pasa con él?

—Barco misterioso.

—No entiendo.

Juan era consciente, como todos los demás, de que a Borodin le quedaban segundos de vida.

—¿Qué pasa con el mar de Aral y el barco misterioso?

—Busca a Karl Petrov: Pe-trov. —Las sílabas se iban distanciando cada vez más. Juan se agachó hasta que su oído quedó a escasos centímetros de la boca ensangrentada de su amigo—. Petrovski.

El esfuerzo de articular el nombre fue el último suspiro de un hombre agonizante. Su piel, si ello era posible, pareció más pálida, más translúcida, como la piel cerúlea de las estatuas de Madame Tussaud.

—¿Yuri? —llamó Juan desesperado, a sabiendas de que no obtendría respuesta—. ¿Yuri?

La nuez de Adán de Borodin se agitó por última vez, en un último intento de hablar. Con el pulmón tan lleno de sangre, apenas contaba con aire suficiente para formar la palabra. Un susurro surgió de sus labios inmóviles, ya invadidos por la caricia gélida de la muerte.

—Tesla.

Julia apartó a Juan de un empujón, acostó a Borodin sobre la espalda y saltó sobre la camilla para montarse a horcajadas sobre su paciente como un jinete sobre su caballo. Era una mujer curvilínea aunque menuda, pero cuando empezaba a practicar la reanimación cardiopulmonar lo hacía con fuerza y vigor. Los enfermeros tomaron posiciones para guiar la camilla sobre ruedas hasta el centro de urgencias del nivel 1, perdido en los laberínticos recovecos de los pasadizos secretos del *Oregon*.

Cabrillo les vio desaparecer a través de la puerta hermética, exhaló un largo suspiro, y se acercó a un intercomunicador montado en la pared. Apenas reparó en que los tripulantes aislaban el garaje de embarcaciones de los puestos de combate.

—Centro de operaciones —contestó la voz de Max Hanley. Como no conocía el estado de la situación, se guardó con prudencia su habitual repertorio de mal humor y comentarios sarcásticos.

—Max, sácanos de aquí —dijo Juan, como si abandonar el lugar de los hechos pudiera borrar lo ocurrido—. La misión ha fracasado.

—A sus órdenes, Presidente —respondió con delicadeza Max—. A sus órdenes.

4

Se quedó sentado, derrumbado contra la esquina de su escritorio, durante el siguiente cuarto de hora, con los ojos clavados en el suelo pero sin decir nada. Aquel espacio había sido su hogar durante años. Su inspiración era el decorado del Rick's Café de la película *Casablanca*, y lo habían construido algunos amigos de Kevin Nixon, que trabajaban como escenógrafos en Hollywood. Por lo general, era un lugar donde Cabrillo encontraba la paz. Hasta que sonó la voz, no fue más que un vacío.

La reproducción del teléfono de baquelita gorjeó, y descolgó antes de que acabara el primer timbrazo. No dijo nada.

—Lo siento, Juan. —Era Julia Huxley—. Acaba de morir.

—Gracias, Hux —contestó Cabrillo con voz inexpresiva—. Sé que has hecho lo que has podido.

Dejó el pesado receptor sobre su soporte.

Gracias al breve intercambio de miradas que había cruzado con la médico de a bordo en el garaje de embarcaciones, había comprendido que la muerte de Yuri era inevitable, pero no pudo decidirse a hacer nada hasta recibir la verificación. Había fracasado. Daba igual que hubiera sacado a Yuri de la prisión y lo hubiera traído al *Oregon*. Exhaló otro largo suspiro.

Cabrillo se quitó los restos de su mono y los embutió, junto con el uniforme carcelario y las botas ensangrentadas, en una bolsa de plástico para su incineración. Entró en un cuarto de baño de mármol verde y abrió los grifos de latón de una ducha multicabezas rodeada de cristal, tan grande que en ella podían caber seis personas. Cuando el vapor empezó a humear, se quitó la pierna artificial, dio un rápido masaje a la piel endurecida del muñón, y se puso bajo el chorro caliente.

Por lo general, sólo había dos cosas en su ducha, una pastilla de jabón ordinario y un champú genérico. Aunque le gustaba vestir bien, en lo tocante a los elementos de su acicalamiento personal era minimalista, como casi todos los hombres.

Hoy había un tercer elemento. Vertió un poco de gel amarillento en la palma de la mano y sintió que le quemaba. Se pasó la mano por la calva y empezó a masajearse la piel. Kevin Nixon le había explicado el proceso químico que disolvería los tatuajes falsos que había pintado sobre la mitad del cuerpo del Presidente, pero los coeficientes de fórmula y reactividad carecían de significado cuando la sensación que producía la solución era la de estar disolviendo no sólo la tinta, sino también la piel.

El agua que resbalaba de su cabeza viró al gris cuando la tinta empezó a correrse.

Fueron necesarios quince minutos de dolorosa agonía para eliminar los tatuajes, hasta que su apariencia fue la de tenues contusiones de una semana de antigüedad, que desaparecerían por completo en un par de días. Habría podido ahorrarse la agonía y dejar que se borraran por sí mismos, pero tenerlos en el cuerpo le hacía recordar la marca de Caín.

Se secó con la toalla y limpió un punto del espejo situado sobre el tocador, y decidió a primera vista que, al menos de momento, sería necesario un sombrero. La calvicie ya era bastante sorprendente (exhibía por lo general una mata de espeso pelo rubio, que el barbero del barco le cortaba con pulcritud), pero el tenue tono azul que había dejado la tinta residual le daba aspecto de artículo defectuoso salido del laboratorio del doctor Frankenstein.

Decidió que, si la línea del pelo retrocedía alguna vez (como les había sucedido a dos tíos suyos por parte de madre, un mal presagio), se lo afeitaría por completo. Con su espalda ancha de nadador y la estatura, pensó que le quedaría bien. Se parecería más a Yul Brynner que a Telly Savalas.

Se encaminó hacia el armario del camarote. La pierna que había utilizado en la misión iría a parar a la Tienda Mágica a efectos de limpieza y mantenimiento. Alineadas como botas en una zapatería, el fondo del armario empotrado contenía una selección de extremidades artificiales para un amplio abanico de ocasiones. Algunas estaban diseñadas para imitar su pierna verdadera hasta en el vello áspero, mientras otras eran monstruosidades metálicas de ciencia ficción. Escogió una extremidad de plástico color carne y la encajó sobre el muñón, tras comprobar que no había arrugas que pudieran rozar su piel.

Habían transcurrido más de cinco años desde que un proyectil disparado desde una cañonera china le había cercenado la extremidad por debajo de la rodilla, y no había día que no le doliera la parte inexistente de su pierna. Síndrome del miembro fantasma, lo llamaban los médicos. Los que lo padecían opinaban que no tenía nada de fantasmal.

Se puso unos tejanos, una sudadera del estado de Oregón y unas zapatillas deportivas. Había ido a la UCLA para cursar los estudios de licenciatura. La camiseta era un guiño al barco. Se tocó con una gorra de béisbol original de los L.A. Raiders que había pertenecido a su abuelo, socio del equipo durante los doce años que vivieron en Los Ángeles, y que sólo se ponía para los partidos jugados en casa. Hacía tanto tiempo que no la utilizaba que se vio obligado a remodelar la visera.

Fue al salir del armario empotrado cuando reparó en que la bolsa de plástico donde había guardado su ropa sucia había desaparecido, y que había un cubierto de plata sobre la barra blanca de alabastro situada en la esquina de su camarote. Al lado había una sola copa de vino que refulgía como rubí líquido a la tenue luz.

Lanzó una risita algo pesarosa.

Una hora antes había sido tan consciente de su entorno que todavía conservaba el recuerdo de cada giro, salto y estremecimiento del viaje desde el bosque, hasta el momento en que la motonieve paró en el garaje de embarcaciones del *Oregon*. Pero ahora, de vuelta en lo que había sido su hogar durante tantos años, había bajado la guardia hasta tal punto que no se había dado cuenta de que alguno de los camareros del barco, muy probablemente el septuagenario jefe de camareros, Maurice, había entrado en su camarote cuando se estaba duchando y cogido la ropa sucia, al tiempo que le llevaba la cena. De haber sido un asesino, Juan no habría tenido la menor oportunidad.

Levantó la tapa de plata de la bandeja y fue saludado por un aroma intenso y especiado. Se justificaba a sí mismo diciendo que, si había un lugar seguro para él en el planeta, era a bordo del *Oregon*, rodeado de su asombrosa tripulación. La tarjeta estampada en relieve que descansaba sobre el plato decía que la cena consistía en guiso de búfalo servido en pan *boule*, y el vino era un Philip Togni cabernet sauvignon.

Maurice, que había pasado su carrera en la Royal Navy como mayordomo personal de una docena de almirantes, como mínimo, era un soberbio sumiller, y Juan estaba seguro de que el vino sería perfecto para el plato, pero esta noche no era una noche de vino. Había un minibar encajado bajo la barra, y de él sacó un vodka Stolichnaya y dos vasos de chupito helados. Apenas los había llenado, alguien llamó a la puerta. Max Hanley entró sin esperar a que le invitaran.

—En la película —dijo Max, mientras cruzaba la habitación para sentarse en el taburete contiguo al de Cabrillo—, Bogie le pedía a Sam que tocara «As Time Goes By». Como sabes bien, yo ni siquiera soy capaz de tocar «Chopsticks».

Juan sonrió.

—La verdad es que aquí no había sitio para un piano. —Ofreció uno de los vasos a Max y se quedó el segundo—. Por Yuri Borodin.

—Por Yuri —coreó Max, y ambos vaciaron el vaso.

Max Hanley era la primera persona a la que Cabrillo había contratado cuando fundó la Corporación, siguiendo la recomendación de su mentor en la CIA, Langston Overholt IV. En aquel tiempo, Hanley estaba al frente de una chatarrería en el sur de California, y se lo pensó menos de un minuto antes de aceptar. Con anterioridad había trabajado en ingeniería y rescates marinos, y antes de eso había estado al mando de lanchas patrulleras del ejército en casi cada centímetro navegable de río en Vietnam del Sur.

Corpulento, de tez rubicunda, con una media luna de pelo rojo anaranjado que rodeaba la mitad posterior de su cráneo, y una nariz rota tantas veces que podrían haberle confundido con un boxeador profesional, Max era el hombre del equipo encargado de los detalles. Por demencial que fuera el plan urdido por Cabrillo, Max estaba allí para llevarlo a la práctica.

—Ya he dado la noticia a Misha Kasporov —dijo sin mirar a Juan a los ojos.

Dicha tarea le correspondía a él, pero se sentía agradecido por el hecho de que su número dos hubiera informado ya a Kasporov sobre la suerte corrida por su jefe. Volvió a llenar los vasos y vació el suyo con un leve estremecimiento.

—Pidió que diéramos sepultura a Yuri en el mar con honores militares rusos —continuó Max—. Encargué a Mark que buscara la ceremonia apropiada en Internet.

Entregó a Juan una hoja de papel.

Cabrillo examinó la ceremonia. Típicamente rusa, era sensiblera y bastante grandilocuente, pero con un diligente sentido del patriotismo que, supuso, resumía a Yuri.

—Dile a la tripulación que celebraremos la ceremonia a las siete y media de la mañana.

—Y supongo que esta noche te importa un bledo, pero Misha hizo honor al contrato para sacar a Yuri de la cárcel. El resto del dinero ha sido transferido a nuestra cuenta provisional de las Caimán.

Juan alzó el vaso.

—Honor entre ladrones.

—Amén. —Señaló la cena Max—. ¿Vas a comer eso?

Cabrillo acercó el plato.

—Pues sí. Me muero de hambre. Bébete mi vino si quieres.

Max fue al otro lado de la barra en busca de dos vasos de chupito helados más, y los rellenó con la botella de Stoli.

—Paso.

—Misha sabe que su vida no vale un centavo —dijo Juan, mientras hundía la cuchara en el guiso.

—Ya hemos hablado de eso. Conocía el paño y ya se ha puesto en movimiento. Dice que tiene un escondite en África donde Kenin nunca le encontrará.

El Presidente asintió sin comprometerse. Conocía docenas de fugitivos muertos o encarcelados que habían vivido convencidos de que nunca les encontrarían. Pero Kasporov no era responsabilidad suya.

—¿Alguna noticia de Linda?

Linda Ross era la número tres del *Oregon*. Una mujer con aspecto de elfa que había tocado techo en la Marina, en la actualidad estaba ocupada en otra misión con uno de los clientes habituales de la Corporación.

—El emir y ella han abandonado Mónaco a bordo de su yate en dirección a las Bermudas.

El emir de uno de los Emiratos Árabes Unidos insistía en viajar con miembros de la Corporación siempre que abandonaba su país nativo, aunque también iba acompañado de un ejército virtual de guardaespaldas. Por lo general, insistía en que el *Oregon* fuera la sombra de su megayate de noventa metros de eslora, pero Juan necesitaba el barco para el rescate de Yuri, de modo que se había tenido que conformar con tener a Linda de compañera de viaje.

Max continuó.

—No nos costará nada darles alcance en cuanto despejemos los restos de hielo que todavía flotan por aquí.

Cuando Juan transformó el *Oregon* en el híbrido buque de guerra/barco de recogida de datos que era hoy, las modificaciones incluyeron la capacidad de romper hielo de casi noventa centímetros de espesor. Sin embargo, en estas aguas septentrionales, los icebergs a la deriva suponían una amenaza muy grave, y el *Oregon*, incluso con su casco blindado, podría acabar destripado con tanta facilidad como el *Titanic* a causa de un golpe indirecto. Hasta que no dejaran atrás el peligro no podrían utilizar toda la potencia de los motores.

Sus revolucionarios motores magnetohidrodinámicos impulsarían el barco en el agua a una velocidad apenas inferior a la de algunas motos de agua.

—¿Se porta bien el emir? —preguntó Juan con preocupación paternal.

—Tiene ochenta años. Linda dice que, aparte de algunas insinuaciones puntuales, le recuerda a su abuelo. —Max tenía cara de bulldog, un lienzo de toda una vida de experiencias plasmado en ella. De pronto, dio la impresión de que sus mofletes se hinchaban y se le fruncía el entrecejo—. Algo me dice que Linda va a continuar sola un tiempo más, ¿eh?

—No estoy seguro. —Juan rompió un pedazo de pan *boule* crujiente y empapado en guiso y se lo metió en la boca—. Justo antes de que Yuri muriera, implicó al almirante Pytor Kenin...

—Nada sorprendente —le interrumpió Max.

—No. Kenin está detrás del montaje, pero no creo que Yuri estuviera hablando de eso.

—¿De qué, pues?

—Habló del mar de Aral y de alguien llamado Petrovski. Karl Petrovski.

Max se reclinó en su taburete, con la cabeza ladeada.

—No he oído hablar de él.

—Ni yo. Después, Yuri dijo algo acerca de un «barco misterioso».

—¿Un barco misterioso?

—Un barco misterioso. No tengo ni idea. Pero su última palabra fue «Tesla».

—¿Como Nikola?

—Tengo que suponerlo. El inventor serbio que, básicamente, creó la red eléctrica moderna.

—Y muchas cosas más. Todo el mundo conoce a Thomas Edison y sus contribuciones a la sociedad moderna, pero pocos han oído hablar de Tesla. Bien, aparte de los nuevos coches deportivos eléctricos que llevan su nombre. Tesla era un genio. Algunas de sus ideas...

Juan le interrumpió, un caso clásico de quién sabía más de los dos.

—Vi un documental por cable acerca de que Edison intentó convencer a la gente de que su teoría de la corriente continua era más segura que la corriente alterna de Tesla, a base de electrocutar elefantes en Nueva York.

—Era el albor de una nueva era. Había muchísimo en juego.

—No me fastidies. ¿Electrocutar elefantes para demostrar una teoría?

—Al final, el espectáculo rindió beneficios, en cierto modo. La corriente alterna se impuso al sistema de Edison, pero todos conocemos el nombre de Edison, y Tesla no es más que una nota a pie de página en la historia. A veces, la historia favorece más al activista que a la actividad.

—¿Dónde nos deja eso?

—Trondheim.

—¿Perdón?

—Trondheim, Noruega. He de ir al mar de Aral lo antes posible. Supongo que Trondheim es la ciudad más cercana con aeropuerto. Puedes dejarme allí en ruta al mar del Norte, para proseguir después al Atlántico y las Bermudas.

Max meditó la sugerencia de Juan durante un segundo, boquiabierto. Cuando habló, eligió las palabras con mucho cuidado.

—Barco misterioso. Mar de Aral. Karl Petrovski. —Esperó un segundo—. ¿Ves alguna relación?

—No, yo no. Pero Yuri sí.

Cabrillo se secó la boca con la servilleta y la dejó sobre la barra, al lado del plato casi vacío. Se encaminó hacia el teléfono del escritorio, consultó su reloj y marcó una extensión. Localizó a Eric Stone en su camarote, tal como había esperado.

—¿Qué pasa, Presidente?

Stone era otro veterano de la Marina, pero no era un marinero, sino un especialista en investigación y desarrollo.

—¿Tienes a Mark contigo?

Stone y Mark Murphy eran siameses a efectos prácticos.

—Sí, estamos moderando un debate en la Red entre fans de *Los juegos del hambre*.

Cabrillo era vagamente consciente de que se trataba de una serie de libros y películas, pero no tenía ni idea de cuál era su argumento ni de por qué aquellos dos tripulantes estaban implicados en un debate *online*. Tampoco era que le importara.

—Mark hizo el máster con el friki del estudio encargado de la promoción por Internet —explicó Eric.

—Mis más sinceras condolencias.

—Las necesitamos. He olvidado lo rencorosos que pueden ser los adolescentes, y además utilizan un lenguaje capaz de ruborizar a este marinero.

—Necesito que vosotros dos investiguéis algo para mí. En primer lugar, no obstante, quiero que me reservéis el vuelo más directo desde Trondheim al aeropuerto más cercano al mar de Aral.

—Eso sería el aeropuerto de Uralsk, en Kazajistán —intervino Eric.

Cómo atesoraba Stone una información tan esotérica constituía un misterio para Cabrillo, pero le convertía en uno de los mejores investigadores del negocio.

—A continuación, quiero que averigüéis todo cuanto podáis acerca de un tal Karl Petrovski. —Deletreó el apellido—. No será un apellido demasiado raro, de modo que concentraos en cualquiera relacionado con el mar de Aral, el almirante Pytor Kenin o Nikola Tesla.

—He introducido el nombre de Kenin en el ordenador, es el tío que provocó el arresto de Yuri Borodin. Pero ¿qué tiene que ver Tesla con todo esto?

—No tengo ni idea, pero fue lo último que Yuri dijo antes de morir.

Eric hizo una pausa para asimilar la información.

—Lo siento, Juan. Mark y yo sabíamos que le habían herido, pero no que había muerto.

—Estabais fuera de servicio y no podíais saberlo.

—Te informo de que con el estado de la mar no tendré un tiempo estimado de llegada a Trondheim antes de doce horas.

—Lo sé. Haz lo que puedas.

Cabrillo colgó y se reunió con Max Hanley ante la barra. Aceptó otro chupito de vodka.

—¿Qué te dice tu instinto? —preguntó Max.

—Uno, que si me atizo muchos más de éstos —vació el vaso— por la mañana lo lamentaré.

—¿Y dos?

—El momento elegido para encarcelar a Yuri no fue casual. Creo que descubrió algo sobre el almirante Kenin, y que está relacionado con Nikola Tesla y el mar de Aral.

—Pero ¿qué?

—Hasta que Stone y Murphy no obtengan más información, no tengo ni idea. Pero como Yuri me comunicó esta información al morir, intento averiguarlo.

Quienes conocían a Juan Cabrillo sabían que cuando su mente estaba concentrada en una tarea, nada en el mundo podía detenerle. Y cualquiera que lo intentara comprendería la verdadera naturaleza de la determinación.

5

Reinaba un silencio sobrenatural a bordo. Se hallaban a quince millas de la costa de California, y una patrullera de la Guardia Costera surcaba perezosamente las aguas en dirección sur, hacia San Diego. La patrullera se encontraba a menos de cuatro millas de distancia, y si bien el submarino tenía desactivado el sonar, la tripulación no podía evitar que la detectaran. Aunque estaban en aguas internacionales, la presencia de un submarino de ataque con motores diésel tan cerca de la costa norteamericana provocaría una respuesta veloz y mortífera.

Si bien la patrullera no contaba con armamento adecuado para hundir el submarino de clase Tango, podría seguirlo con el sonar hasta que un avión de ataque llegara desde alguna de las estaciones aéreas navales. Habían llegado demasiado lejos para pifiar la misión en el último momento. Si eso significaba una hora o dos de quedarse al acecho bajo la superficie hasta que el guardacostas estuviera fuera de alcance, lo harían. La paciencia y el silencio eran las dos virtudes cardinales de un submarino.

El viaje hacia el norte se había prolongado más de una semana, casi todo ese tiempo lejos de las rutas de navegación habituales y navegando a profundidad de periscopio, con el fin de que los tres motores diésel de la embarcación pudieran tomar aire de la superficie. Sólo cuando el sonar anunciaba la presencia de un barco cercano, por lo general procedente de Asia y en dirección a los puertos de las costas occidentales de Estados Unidos y México, bajaban el *snorkel* y se zambullían para desaparecer de vista.

Con una tripulación habitual de diecisiete oficiales y sesenta y un marineros, aquel submarino en particular sólo llevaba doce hombres a bordo, y el capitán no habría podido sentirse más orgulloso de ellos.

—Sonar, informe de la situación —susurró. Estaba detrás del hombre encorvado sobre el anticuado sistema de sonar pasivo.

El marinero apartó el auricular pegado al oído derecho.

—La patrullera continúa avanzando a ocho nudos. Calculo que se encuentra a cinco millas de distancia.

En términos relativos, cinco millas era una distancia engañosa. Eran sólo cinco minutos en coche o dos horas a pie. En el mar, como el sonido era capaz de viajar hasta muy lejos debido a la inmensidad de las aguas, cinco millas se consideraba a tiro de piedra.

—¿Alguna indicación de que remolque algo?

—No, señor —susurró a su vez el marinero—. En ese caso, habría apagado los motores. De lo contrario, no oiría nada por culpa de sus propias hélices.

De repente, el hombre se aplicó de nuevo el auricular al oído. Era como si hablar de ello lograra que sucediera.

—¡Capitán! Sus hélices acaban de enmudecer. ¡Está derivando!

El capitán apoyó una mano tranquilizadora sobre los hombros del joven.

—Tranquilo, hijo. No puede oírnos si no emitimos sonidos.

El muchacho pareció avergonzarse.

—Sí, señor.

—No somos otra cosa que un silencioso punto de noventa metros de largo en el océano. Aquí no hay nada que oír. Sigue avanzando.

El capitán miró al otro lado de la angosta sala de comunicaciones. El techo bajo era tan claustrofóbico como el de una cripta, y con las luces rojas de combate en funcionamiento, el aspecto de los hombres era demoníaco. En el centro del espacio el periscopio colgaba del techo como una estalactita metálica. A su alrededor se amontonaban el puesto de mando, el espacio de control de máquinas, la silla del capitán y varias terminales de trabajo más. El submarino era tan antiguo que sus lecturas aparecían en pantallas analógicas y cuadrantes sencillos, no muy distintos de los utilizados en barcos de la Segunda Guerra Mundial. Hacía bastante frío, y como habían desconectado las baterías, los amperios no dispensaban más calor. No obstante, algunos hombres exhibían sudor en la cara. La tensión se palpaba en el ambiente.

—El guardacosta continúa a la deriva, capitán.

—No pasa nada, muchacho. Deja que derive. No tiene ni idea de en dónde estamos.

Habían navegado en el mayor silencio posible desde hacía casi una hora, a partir del momento en que detectaron e identificaron la patrullera gracias a una base de datos de señales acústicas almacenada en cintas magnéticas, otro ejemplo de tecnología anticuada que documentaba los orígenes de la década de 1970 del clase Tango. De manera que cuando sonó una alarma interna, resultó especialmente estridente y aguda.

El marinero más cercano a la alarma se mostró digno de su entrenamiento. Casi todos los hombres se habrían quedado petrificados unos segundos cruciales mientras su cerebro procesaba la fuente del ruido, pero éste procedió con la agilidad de un gato y accionó un interruptor que enmudeció la bocina. La mitad de las lámparas de combate rojas empezaron a latir, como una indicación visual de que se estaba produciendo una emergencia.

Dio la impresión de que el tiempo se detenía, mientras los hombres intercambiaban miradas de nerviosismo. Ahora se enfrentaban a dos peligros: uno, el guardacosta norteamericano que había estado buscando sonidos en el abismo con un sonar remolcado capaz de captar el ruido más anómalo: una anécdota de la Guerra Fría contaba la historia de que habían seguido el rastro de un submarino soviético durante toda su travesía de cuatro mil millas porque un tripulante hacía explotar su chicle siempre que estaba solo; y dos, lo que habían detectado los sensores del submarino era lo bastante amenazador para la vida como para desencadenar una alarma.

La respuesta a ese segundo peligro llegó momentos después, cuando un hilillo de humo se elevó de uno de los ventiladores recalentados. Mientras la tripulación se volvía a mirar, el hilillo se convirtió en un torrente de un blanco opaco.

Más que la asfixia, los tripulantes de un submarino temían el fuego.

Y era evidente que se había declarado un incendio a bordo del submarino.

La mirada del capitán barrió el puente, y se detuvo tan sólo un brevísimo momento en una figura concreta antes de continuar adelante. No iban a recibir ayuda. Se concentró en el segundo de a bordo.

—XO, apague ese fuego cueste lo que cueste. Hay que mantener el silencio.

—Señor —dijo el hombre, y se precipitó hacia el punto donde el humo era más espeso.

—Sonar, informe de la situación —dijo el capitán con estudiada indiferencia. Tenía que demostrar a su tripulación que no debía ceder al pánico. Por dentro, no le llegaba la camisa al cuerpo.

—El contacto sigue a la deriva —informó el encargado del sonar, quien apretaba con tanta fuerza el auricular que sus dedos se habían puesto blancos.

—¿Nos ha oído?

—Nos ha oído, en efecto. Pero no sabe lo que ha oído.

—Usted en su lugar, ¿qué haría?

—¿Señor?

—Contésteme. Si estuviera escuchando en su radar pasivo y oyera esa alarma, ¿qué haría usted?

—Mmm... —vaciló el marinero.

—Una pregunta sencilla. Contésteme: ¿qué haría usted?

—Desviaría mi barco hacia nuestra posición y remolcaría de nuevo el sonar, con la esperanza de captar otra emisión transitoria.

El capitán sabía la respuesta correcta, la misma que le había dado el joven encargado del sonar, pero su instinto le decía que abandonara el puente y siguiera a su XO. El incendio era la emergencia inmediata. El guardacosta norteamericano era un problema secundario. Y, no obstante, el adiestramiento le decía otra cosa. Debía permanecer en el puente. Una de las habilidades de un buen líder era reconocer la desconexión entre el instinto y el adiestramiento que salva la vida de las tripulaciones. La amenaza más inmediata para el submarino no era el incendio: era el barco de la Guardia Costera.

Esperó con el resto de sus hombres, los ojos clavados en el enorme reloj que colgaba sobre el puesto del responsable de los hidroplanos. La patrullera continuaba derivando y escuchando mediante su sonar pasivo.

Transcurridos seis minutos, exhaló un pequeño suspiro que llevaba conteniendo desde que sonó la alarma. A los siete minutos, exhaló el resto de aire.

—Creo que lo hemos burlado, chicos —susurró.

Justo en aquel momento, el XO regresó.

—Señor, era un pequeño incendio debido a la grasa en la cocina. No se han producido daños.

—Capitán, los motores de la patrullera han vuelto a encenderse. Se adentra en el mar.

—¿Está dando la vuelta?

La espera se le antojó interminable, pero de repente el joven marinero se volvió a mirar a su capitán con una gran sonrisa en el rostro.

—Se dirige hacia el sur y ya ha alcanzado una velocidad de ocho nudos.

—Buen trabajo, todos —dijo el capitán, con un tono de voz casi normal. Echó un vistazo a la expresión estoica del almirante Pytor Kenin. No estaba seguro de qué debía esperar, por lo tanto se llevó una agradable sorpresa cuando vio que el hombre le dedicaba un breve cabeceo en señal de respeto.

Kenin estaba apoyado contra un mamparo, y de repente se irguió.

—Maniobra finalizada —gritó.

Las luces rojas de combate se apagaron, y las lámparas del techo bañaron la sala de control de una áspera luz blanca. Técnicos invisibles hasta aquel momento entraron en el espacio para comprobar los aparatos, mientras los marineros encargados de diversos puestos se levantaron de sus asientos. Sentían el cuerpo tan agotado y tenso como si el encuentro hubiera sido real, y no un simple ejercicio de entrenamiento. No obstante, existía una sensación generalizada de satisfacción por el trabajo bien hecho.

—Felicidades, capitán Escobar —dijo Kenin cuando llegó al lado del hombre, con la mano extendida para estrechársela. Hablaba inglés, el único idioma que ambos hombres compartían.

—Por un momento pensé que íbamos a fracasar —admitió Jesús Escobar—. Un momento de lo más inoportuno para un simulacro de incendio.

—Un buen capitán de submarino sabe cómo manejar una crisis en un momento dado; los grandes son capaces de ocuparse de varias a la vez.

Escobar se permitió una sonrisa ante el cumplido.

—Eso finaliza su entrenamiento, capitán —continuó Kenin—. Usted y sus hombres están preparados para hacerse a la mar.

—Al cártel le encantará saberlo. Ha invertido una gran cantidad de dinero en esta empresa, y ha llegado el momento de empezar a utilizar nuestro nuevo juguete.

—¿No me dijo cuando llegó aquí, a Sajalin, que sólo serían necesarios dos viajes desde Colombia a California para que su cártel obtuviera beneficios?

—Sí —contestó Escobar, mientras se alisaba el bigote oscuro—. Con una tripulación mínima y suficiente combustible para el trayecto de ida y vuelta, podremos cargar varios centenares de toneladas de cocaína en este submarino.

—Me ha demostrado que podrá hacer bastantes más de dos viajes, amigo mío. —Kenin pasó un brazo alrededor de la espalda de Escobar, lo cual subrayó la diferencia física entre los dos. Mientras el narcotraficante colombiano era el típico tripulante de submarino, metro sesenta y siete y sin un gramo de grasa, el almirante ruso rozaba el techo con su metro noventa. Era una especie de oso, corpulento y con una constitución de hierro—. Esta noche celebraremos una fiesta en honor a usted y a sus hombres, y a los tres largos meses que se han entrenado a bordo. Mañana dormirán hasta tarde, y por la noche, protegidos por la oscuridad, saldrán con su barco del muelle seco flotante y volverán a casa.

—Nos depara un gran honor, almirante.

—Informe a sus hombres, capitán, y ya nos veremos después.

Kenin se volvió para subir la escalerilla que conducía al castillo del Tango, donde uno de sus hombres esperaba para abrir la escotilla exterior. El simulacro había durado casi cinco horas, y Kenin estaba desesperado por respirar algo de aire puro, pero tendría que esperar un poco más. El submarino de noventa metros de eslora yacía en las entrañas de un dique flotante totalmente cerrado que lo triplicaba en tamaño, y que a su vez estaba atracado en una base naval casi en ruinas que Kenin utilizaba para sus negocios particulares. Dejó caer una escalerilla exterior y cruzó una rampa portátil que conducía a una plataforma, la cual corría a lo largo del dique seco. El espacio cavernoso olía al mar sobre el que flotaba el Tango, y a herrumbre. Las potentes luces del techo poco podían hacer para disipar las tinieblas.

Caminó a buen paso, como era su costumbre, y llegó a un tramo de escaleras que le conduciría a una escotilla exterior. Fue sólo después de cruzar aquella puerta y salir a la cubierta cuando sus pulmones se llenaron de aire. Hacía rato que el sol se había puesto, y la brisa era cada vez más fría. La temperatura se mantenía en unos cuatro grados, y sabía por experiencia que, en cuanto llegara el invierno, menos cuarenta sería lo normal.

Otra rampa conducía al antiguo muelle de la Armada. Era de hormigón desmigajado y pavimento agrietado a causa de la escarcha, con marañas de malas hierbas que crecían donde las grietas lo permitían. Almacenes destartalados, cuya pintura se había desprendido hacía mucho tiempo a causa de los vientos que llegaban aullando desde Siberia, no dejaban ver la tierra al otro lado. Un coche le estaba esperando, y el conductor se puso firmes en cuanto vio a Kenin salir del muelle.

El hombre le dedicó un saludo marcial y abrió la puerta de atrás. Kenin se deslizó en el mullido asiento de cuero y sacó al instante su móvil encriptado del bolsillo. No había cobertura dentro del submarino, y vio que había recibido una docena de llamadas. De momento, devolvió tan sólo la de su edecán, el comandante Viktor Gogol.

—Gogol, soy Kenin.

—¿Cómo ha ido, almirante?

—Zarparán mañana por la noche.

—Los estibadores me han asegurado que el aparato está preparado.

—No entiendo cómo es posible que los colombianos hayan llegado a suponer que les permitiría comprar un submarino de saldo para transportar cocaína a Estados Unidos. Escobar parece bastante capacitado, pero la Marina de Estados Unidos se les echaría encima a los cinco minutos de haber zarpado de Sudamérica. Son necesarios años para entrenar a una tripulación capaz de evadir los sonares norteamericanos. Estos idiotas creen que en tres meses han llegado a dominar el funcionamiento del submarino.

—Si hace memoria, almirante, al principio sólo querían una semana de instrucción antes de tomar posesión del submarino.

—Lo recuerdo. Ni siquiera sabían cómo salir del dique seco. Como ya he dicho, son unos idiotas. Mejor así. El cártel me entregará el pago final justo antes de que el submarino zarpe, y cuando se sumerja a la profundidad de sesenta metros los depósitos de lastre se abrirán y se hundirá en el fondo del Pacífico. Sin testigos, y sin represalias del cártel. Dime, Viktor, ¿para qué me llamaste?

—Tenemos un problema —dijo Gogol, en un tono tal que Kenin se inclinó hacia delante.

—Continúa.

—Borodin ha huido.

Kenin pasó de la complacencia a la rabia como si hubieran accionado un interruptor.

—¿Qué? ¿Cómo ha ocurrido?

—Llegó un nuevo prisionero, un traslado rutinario. Por lo visto, se trataba de un impostor enviado para liberar a Borodin. Entró a escondidas explosivos, no sabemos cómo. Se abrieron paso a tiros y huyeron de la prisión. Un helicóptero les estaba esperando para recogerles.

«Rabia» no era una palabra suficiente para describir el abanico de emociones que nació en el lugar vacío de su pecho donde los hombres normales tienen el corazón.

—Continúa —dijo con los dientes apretados.

—Un helicóptero de la prisión salió en persecución de los fugitivos y derribaron el primer aparato. Cuando investigaron, descubrieron que el helicóptero estaba pilotado por control remoto. No había ni rastro de Borodin ni del falso prisionero. Cuando volvieron sobre sus pasos, descubrieron un rastro de motonieves en dirección norte. Lo último que supimos de ellos fue durante la persecución.

—¿Qué quieres decir con eso?

—Señor, esto sucedió hace tres horas. No hemos recibido ninguna comunicación más de la tripulación. Otro helicóptero está investigando, pero no hay ni rastro. Temen que, o bien se estrelló, o lo derribaron sobre el agua y se hundió.

Pytor Kenin había alcanzado el rango de almirante y creado un ejército privado dentro del estamento militar ruso por ser audaz y despiadado, y siempre era rápido en tomar decisiones.

—Quiero que encarcelen de inmediato a los guardias que dejaron entrar explosivos en el recinto. Encerradlos con los presos comunes y dejad que éstos se tomen la justicia por su mano. Quiero que sustituyan de inmediato al alcaide, y quiero a ese hombre en mi despacho cuando regrese a Moscú.

—Sí, señor.

—Tenemos que suponer que Borodin embarcó en un navío que lo estaba esperando. Averiguad qué barcos se encontraban en la zona, de dónde procedían, quiénes son sus propietarios, todo.

—Sí, señor.

—Si Borodin está vivo, eso pone en peligro el Proyecto Espejismo. No tiene pruebas de nada, de modo que será su palabra contra la nuestra. Hemos de asegurarnos de que no encontrará pruebas. ¿Comprendes?

—Eso creo, almirante.

—Quiero que eliminéis todos los cabos sueltos, por más tenues que sean.

—¿Informamos a los chinos?

—De ninguna manera. Hemos de mantener esto en secreto. Necesitamos tan sólo unos días más. Después haremos la demostración, y luego les tocará a ellos mover ficha.

Kenin se permitió retreparse en el asiento, mientras el coche cruzaba la difunta base y se dirigía hacia la casa prefabricada donde se alojaba siempre que visitaba a los colombianos. Le pagaban treinta millones de dólares por el submarino y el entrenamiento de su tripulación; lo menos que podía hacer era aparecer en persona de vez en cuando. En cuanto el Tango zarpara, el dique seco sería remolcado hasta Vladivostok, y la casa prefabricada desmantelada y devuelta a esa misma ciudad.

—Una cosa más, Viktor.

—¿Señor?

—La próxima vez que recibas una noticia de este calibre, no me preguntes cómo ha ido el entrenamiento. Me haces perder el tiempo.

—Sí, almirante. Lo siento, señor.

—No lo sientas, limítate a no volver a hacerlo. —Otra idea asaltó a Kenin—. Supongo que el rescate de Borodin fue planeado por su pequeño lameculos, Misha Kasporov. Encárgate de que muera también.

—Di la orden en cuanto me enteré de la evasión. Ya ha desaparecido de la faz de la tierra, pero le encontraremos.

—Aún hay esperanzas para ti.

6

NUKUS, UZBEKISTÁN

Al final, los conocimientos dispersos de Eric Stone sobre los aeropuertos regionales de Asia Central se demostraron ineficaces. Cabrillo no iba a viajar a la nación, razonablemente estable, de Kazajistán, sino a su vecino del sur, más agitado. Uzbekistán poseía un récord abismal de derechos humanos, libertad de prensa cero, y cuando la abundante cosecha de algodón de la nación, su principal cultivo comercial, estaba preparada para ser trasladada desde los campos, en las faenas solían participar trabajadores forzados. Si bien no era más corrupto que los demás estados de la ex Unión Soviética de aquella parte del mundo, de haber podido elegir Cabrillo habría declinado el honor de visitarlo.

Según las investigaciones de Eric Stone, Karl Petrovski tenía cuarenta y dos años cuando murió en un accidente de tránsito en el que el conductor del coche se dio a la fuga, y era un respetado hidrólogo, licenciado en la Universidad de Moscú y en el Instituto Berlinés de Tecnología. Su contrato más reciente había sido con el gobierno de Uzbekistán, con el fin de copiar el éxito que Kazajistán estaba empezando a mostrar al invertir la devastación causada por los soviéticos y sus planes de irrigación de las décadas de 1940 y 1950, mal planteados y peor llevados a la práctica.

Antes de la intervención soviética, el mar de Aral era el mar interior o lago más grande del mundo, con una zona mayor que la de los lagos Hurón y Ontario combinados. El Aral mantenía una vibrante industria pesquera y turística, y era la savia de la región. En un esfuerzo por impulsar la producción de algodón en los desiertos circundantes, los ingenieros soviéticos desviaron agua de los dos ríos que alimentaban el Aral, el Amu y el Syr, hacia inmensas redes de canales, la mayoría de los cuales perdían más de la mitad del agua que recibían. En la década de 1960, el nivel del lago empezó a bajar de una manera radical.

Los soviéticos sabían que éste sería el resultado de sus proyectos hidrológicos, pero un gobierno centralista prestaba escasa atención al impacto ambiental de sus planes. Medio siglo después, el mar de Aral, que significaba el «Mar de las Islas», se había empequeñecido hasta tal punto que ahora consistía en varias extensiones de agua salobre separadas entre sí que apenas podían sustentar vida. De hecho, su actual salinidad triplicaba la de los océanos del mundo. Las flotas pesqueras, antaño numerosas, se hallaban ahora abandonadas y herrumbradas en un desierto estéril. La reducción del mar de Aral cambió las pautas climáticas locales, recalentó el aire y disminuyó las lluvias estacionales. Polvo, sal y pesticidas procedentes de los campos de algodón envenenaron más la tierra, hasta que sólo quedó un paisaje cuya desolación podía compararse con la de la Luna.

La única buena noticia de toda la triste historia de la zona era que el gobierno kazako estaba trabajando para desviar agua hacia el norte del mar de Aral en un intento de revitalizar el lago. En aquellos momentos, la orilla del lago ya se estaba extendiendo hacia la principal ciudad portuaria de Aralsk. La pesca comercial estaba empezando a recuperarse, y se estaban produciendo cambios en el microclima que contemplaban un aumento de la lluvia.

En un tardío intento de emular a sus vecinos del norte, los uzbekos estaban investigando la viabilidad de un proyecto similar. Karl Petrovski había sido miembro del equipo que obtuvo éxito en Kazajistán, y durante el año anterior había estado trabajando en el intento de reproducir el éxito de nuevo.

Cabrillo dudaba de que el trabajo de Petrovski en aquel campo hubiera sido la causa de su muerte. Debía ser algo relacionado con Nikola Tesla, lo cual parecía improbable, o bien con el enigmático barco misterioso, con respecto al cual ninguna investigación había logrado descubrir la menor pista.

Todo ello había llevado al Presidente hasta aquel desolado lugar, barrido por los vientos, que podía considerarse el culo del mundo. Cuando salió del aeropuerto con fachada acristalada, tras volar hacia el sur desde el aeropuerto de Domodedovo de Moscú, Cabrillo se topó con una muralla de aire abrasador y polvo salado. Se caló enseguida unas gafas de sol y se subió un poco más la bolsa de viaje a la espalda. El pasaporte que había utilizado para el viaje le identificaba como fotoperiodista canadiense, y los documentos que portaba afirmaban que trabajaba en un artículo que confiaba vender al *National Geographic*.

Durante su estancia en Rusia había vestido una chaqueta, una camisa blanca de cuello abierto y zapatos de vestir gastados, pero ahora había desechado aquella ropa y adoptado el atuendo *de rigueur* de los fotógrafos del mundo: pantalón caqui, botas y un chaleco equipado con incontables bolsillos. Cargaba con una segunda bolsa que contenía una Nikon SLR, algunas lentes y suficiente parafernalia para completar la tapadera.

Dicho disfraz tenía sus pros y sus contras. En una nación como Uzbekistán, donde los medios de comunicación estaban sometidos a una contumaz represión, tomar fotos hasta hartarse llamaba siempre la atención de las autoridades. Como Juan no albergaba la menor intención de sacar la cámara de su bolsa cerca de cualquier edificio gubernamental o base militar, no debería causarle problemas.

Por el lado positivo, los ladrones solían comprender que los fotógrafos raras veces llevaban encima algo que valiera la pena robar, aparte de sus cámaras, y las víctimas siempre denunciaban estos hurtos a la policía, que por lo general sabía quién era el responsable y, como no quería dar mala fama a su país, procedía a veloces detenciones.

A salvo del gobierno, a salvo de presuntos atracadores. Hizo caso omiso de los ofrecimientos de los taxistas, que prometían estupendas tarifas hasta la ciudad cercana, y se concentró en un baqueteado

UAZ-469. El todoterreno ruso habría salido de la línea de montaje más o menos al mismo tiempo que Cabrillo aprendía a utilizar el retrete. La carrocería era una combinación de parches metálicos, pintura mate de un tono parduzco y polvo, tan mellado y arrugado que parecía la piel de un perro Shar Pei.

El joven parado al lado, con un cigarrillo en una mano y un letrero con el apellido Smith escrito en la otra, observaba a las multitudes que salían de la terminal con la paciencia depredadora de un halcón. Cuando vio que Cabrillo se alejaba del grupo de viajeros que negociaban tarifas y se dirigía hacia él, tiró el pitillo y exhibió una sonrisa manchada de tabaco.

—¿Señor Smith, sí?

—Soy Smith —replico Cabrillo, y aceptó la mano extendida para intercambiar un entusiasta apretón.

—Yo soy Osman —anunció el joven con un acento casi impenetrable—. Bienvenido a Uzbekistán. Sea usted muy bienvenido. Me dicen que le esperara aquí con mi mejor camión del desierto y, como ve, es una belleza.

El ruso era la lengua universal entre las diversas tribus y subtribus de la región, y Cabrillo podría haberle ahorrado al representante de la compañía de alquiler de coches la tortura de hablar en inglés, pero había pocos fotoperiodistas canadienses que hablaran ruso con fluidez, de modo que se ciñó al inglés.

—Es una belleza —contestó Juan, mientras echaba una mirada de reojo al pequeño reguero de aceite que brotaba de debajo del chasis.

—No me dicen que fuera a necesitar un conductor, ¿sí?

Aquélla era la intención del individuo, comprendió Juan. Alquilar un todoterreno era una cosa, una tarifa innegociable que aparecía en la web arcaica de la empresa. Osman aspiraba al lucrativo contrato de ser su chófer y su guía turístico personal durante los cuatro días que había contratado el UAZ.

—No se lo dijeron porque no necesito un chófer.

Entonces Cabrillo le arrojó un hueso.

—Le pagaré con mucho gusto si me consigue algunas latas más de gasolina.

—¿Se va a internar en el desierto?

—No hasta el punto de no poder regresar.

El uzbeko pensó que era un chiste fantástico y rió hasta sufrir un acceso de tos. Encendió otro cigarrillo.

A Juan le gustaba fumar de vez en cuando un puro, de manera que no echaba en cara a nadie una pizca de nicotina, pero era incapaz de imaginarse fumando cigarrillos en un cuenco de polvo, atragantándose con tanta arenilla que sintiera los dientes como papel de lija y los pulmones como dos sacos de cemento medio vacíos.

—Está bien —replicó decidido Osman—. ¿Tal vez después de que me deje en mi oficina de la ciudad? —preguntó, con más timidez.

Era algo que a Cabrillo siempre le había gustado de Oriente Próximo y Asia Central: todo el mundo procuraba sacar siempre algo más de un trato. Daba igual que fuera insignificante, siempre que el otro cediera una fracción más que tú. Para la mayoría de occidentales, era algo propio de seres mentirosos y codiciosos, pero lo cierto era que tales negociaciones ponían a prueba el carácter de cada persona. Aceptar demasiado deprisa significaba ser catalogado de pueblerino; si insistías demasiado, caías en la categoría de pedante. El equilibrio definía el tipo de persona que eras.

—De acuerdo. —Cabrillo asintió y extendió una mano para cerrar el trato—. Pero sólo si me invita a una taza de té en su oficina —añadió cuando las palmas se tocaron.

La sonrisa de Osman regresó, y era mucho más sincera que la zalamería de vendedor que había desplegado antes.

—Me gusta usted, señor Smith. Es estupendo.

La distracción de tomar el té con Osman sólo le robaría unos minutos, pero que aquel joven buscavidas uzbeko le tildara de «estupendo» consiguió que Juan sonriera por primera vez desde la muerte de Borodin.

La carretera en dirección norte que conducía a la antigua ciudad marítima de Muynak era una cinta de asfalto agrietado capaz de reventar los riñones a cualquiera, experiencia que la suspensión inexistente del UAZ empeoraba todavía más.

El terreno era llano, un desierto barrido por el viento con ocasionales brotes de vegetación descolorida. Lo único interesante que vio Cabrillo fueron los camellos bactrianos de doble joroba. Eran más bajos que sus primos de una sola joroba, y tenían mechones de grueso pelo alrededor del cuello, así como encima de cada grasienta joroba. No estaba seguro de si pertenecían a alguien o eran salvajes, pero a juzgar por la manera pasiva en que les miraron cuando pasaron por la solitaria autopista, era evidente que estaban acostumbrados a la presencia humana.

Muynak se hallaba a tan sólo ciento ochenta kilómetros de Nukus, pero no obstante el viaje se prolongó durante casi cuatro horas. Aún faltaba rato para que cayera la noche, de modo que la atmósfera era cálida y acre, y cuanto más se acercaban a su destino, más sabía a sal, y no era el aire marino refrescante que disfrutaba en los alerones del *Oregon*, sino que poseía un amargor seco similar al vinagre.

La ciudad había sido en otro tiempo el principal puerto uzbeko en el extremo sur del mar de Aral. Ahora que el lago se encontraba unos cientos de kilómetros más al norte, Muynak era una manchita de civilización aislada sin derecho a existir. En otro tiempo floreciente debido al comercio, ahora estaba virtualmente muerta, y su población era una ínfima parte de lo que había sido. Tras pasar ante casas abandonadas y manzanas de comercios, Cabrillo llegó a lo que había sido el muelle principal. Una grúa torre que descansaba sobre raíles montaba guardia sobre una zanja invadida de malas hierbas que antes había sido el puerto.

Cascos herrumbrosos de barcos de pesca sembraban la cuenca, en la escena más surrealista que Cabrillo había presenciado en su vida. En cierta ocasión había descubierto un barco enterrado en las arenas del Kalahari, pero la yuxtaposición de un puerto sin agua y los cascos abandonados estremecía sus sentidos. Como en el cuadro de Salvador Dalí *La persistencia de la memoria*. La presencia de otro camello, el cual masticaba hierba que brotaba de un agujero en el costado de un remolcador de dieciocho metros de eslora, intensificaba la sensación surrealista.

Vio a su alrededor plantas de procesamiento de pescado abandonadas, edificios metálicos cuyos elementos se iban desprendiendo poco a poco. A cada uno le faltaban fragmentos de los costados, como sonrisas carentes de algunos dientes. Era evidente que la ciudad había muerto lentamente, como un paciente de cáncer que se va consumiendo hasta que sólo quedan la piel, los huesos y la desesperación.

Vio algunas personas, que caminaban con la apatía de zombis. Cabrillo no vio a ningún niño jugando en las calles, lo primero que se veía en cualquier ciudad del Tercer Mundo.

Por lo que fuera, el sol parecía más fuerte aquí, más agresivo, como si el luminoso astro fuera un martillo y el desierto un yunque, y estuvieran machacando a la ciudad entre los dos.

Al otro lado de la frontera, en Aralsk, Kazajistán, habían intentado mantener la ciudad comunicada con el lago a base de excavar un canal que al final había alcanzado una extensión de casi cuarenta kilómetros, pero aquí daba la impresión de que los ciudadanos de Muynak habían sucumbido a su sino sin oponer resistencia.

Había tan pocos edificios habitados que sólo tardó dos minutos en localizar su destino, el hogar de la viuda de Karl Petrovski, una mujer kazaka. Había llegado justo a tiempo, porque averiguó que iba a trasladarse la semana siguiente a vivir con su familia.

La casa era de cemento de un solo piso y antiguamente poseía un revestimiento de estuco, pero el viento lo había erosionado hasta darle la apariencia de piel escamosa. El patio estaba invadido de malas hierbas, aunque una cabra esquelética estaba haciendo lo posible por eliminarlas. El lugar parecía salido de una foto de los años veinte del siglo pasado, con la notable excepción de una antena parabólica montada sobre un poste clavado en el suelo. Cabrillo bajó del todoterreno y reparó en que hasta aquel elemento moderno se estaba degradando. Se veía una cuerda amarrada al poste, y pinzas de tender de madera revelaban cuál era ahora su función principal, hacer las veces de tendedero.

Se quitó las gafas de sol cuando se acercó a la puerta, que se abrió antes de que pudiera llamar con los nudillos.

Mina Petrovski había sido una mujer hermosa en su tiempo, se notaba en la estructura de su rostro, y todavía conservaba un cuerpo esbelto y firme, pero el simple esfuerzo de vivir le había pasado factura. Ya no se tenía erecta, sino que estaba encorvada como una mujer que contara treinta años más. Tenía la piel cetrina y el rostro surcado de profundas arrugas. Su pelo era canoso, y poseía la textura seca y quebradiza de la paja vieja.

—Señora Petrovski, me llamo John Smith —dijo Cabrillo en ruso—. Creo que un tal señor Kamsin le dijo que vendría a visitarla.

Arkin Kamsin había sido el jefe de Petrovski en la recién formada Agencia de Reclamaciones del mar de Aral. Eric Stone había localizado a la viuda por mediación de la agencia que dirigía. Como carecía de teléfono, negociar su encuentro había planteado serias dificultades.

Apareció un hombre al lado de la mujer, mayor que ella, de intensos ojos oscuros y bigote manchado de tabaco. Llevaba el uniforme de funcionario gubernamental típico de aquella parte del mundo, pantalones negros hechos de alguna mezcla de poliéster indestructible y camisa blanca de manga corta, con el cuello y las axilas tan manchados que ni siquiera un baño de lejía podría limpiarla.

—¿Señor Kamsin? —preguntó Cabrillo.

—Sí, soy Kamsin. Mina me pidió que viniera hoy.

—Quiero darles las gracias a los dos por dedicarme parte de su tiempo —dijo Juan con una sonrisa cordial. La presencia de Kamsin era un comodín. Como hombre que habría podido ganarse bien la vida jugando al póquer, Cabrillo detestaba cualquier cosa que alterara las probabilidades.

—Por favor —lo instó Mina Petrovski con voz tímida—, haga el favor de pasar. Lamento el aspecto de la casa…

—Mi socio me explicó que va a mudarse pronto —comentó Juan para paliar la vergüenza de la mujer, en una salita atestada de cajas de embalar y muebles cubiertos con plásticos protectores. En cualquier caso, hacía más calor en aquella sala que bajo el sol abrasador de fuera.

—Permítame manifestarle mi más sentido pésame.

—Gracias —replicó Mina con sequedad.

Sólo entonces, dos niñas pequeñas entraron en la sala desde algún lugar del fondo. Una tendría alrededor de ocho años, la otra seis. Por el desgaste y descoloramiento de la ropa que llevaba la más pequeña era obvio que se veía obligada a utilizar la ropa desechada por la mayor. Ambas se quedaron boquiabiertas y estupefactas al ver al desconocido calvo.

—Sira, Nila, volved a la cocina —ordenó con brusquedad Mina Petrovski.

Las niñas se demoraron unos segundos, lo cual concedió a Cabrillo su oportunidad. Introdujo la mano en la bolsa colgada al hombro y sacó dos barras de Hershey semiderretidas, con sus distintivos envoltorios marrones y plateados. El poder de la publicidad norteamericana había llegado hasta aquel lugar remoto, y las niñas abrieron los ojos de par en par hasta dimensiones imposibles cuando reconocieron las chocolatinas.

—¿Puedo? —preguntó Juan, y supo de inmediato que la investigación a fondo de Eric Stone, que había sacado a la luz la existencia de las dos hijas de Karl Petrovski, había dado sus frutos.

La desconsolada viuda esbozó una sonrisa demostrativa de que no había ejercitado aquellos músculos desde hacía meses.

—Por supuesto. Gracias.

Entregó una barra a cada una de las niñas y le dieron las gracias sin volverse mientras desaparecían de vista a toda prisa. Derretidas o no, hasta la última molécula de chocolate desaparecería en cuestión de momentos. Si existía algo similar a un átomo de chocolate (*chocosium*, quizás), el último desaparecería a lametazos del envoltorio.

—Siéntese, por favor —le invitó Mina—. ¿Le apetece una taza de té?

—He descubierto que el té me altera el estómago —contestó Juan. Era mentira, pero no quería que la mujer se tomara molestias por él, y un rechazo directo sería una grosería—. Además, acabo de terminar una botella de agua.

Mina asintió con aire neutral.

Arkin Kamsin le ofreció un paquete de cigarrillos fabricados en Pakistán. Rechazar aquello no sería una grosería, sino una demostración de escasa hombría. Con el fin de colocarse en una situación de superioridad, Juan sacó un paquete de Marlboro, una divisa tan universal como el oro. Cogió uno y entregó el paquete al uzbeko, y después lo rechazó con un ademán cuando Kamsin se lo quiso devolver tras sacar un cigarrillo. El gesto logró que el funcionario sonriera cuando se guardó el paquete en el bolsillo de la camisa.

Cabrillo dejó que el cigarrillo se consumiera entre sus dedos, mientras Kamsin le daba profundas caladas y expulsaba el humo por la nariz.

Una vez cumplimentados los rituales de la hospitalidad, el hombre se inclinó hacia delante, de modo que su estómago se desparramó sobre el cinturón de semipiel.

—Su socio se mostró algo vago acerca de por qué usted quería encontrarse con la viuda de Karl.

Dicha realidad aún no había sido asimilada por la mujer, porque se encogió al oír la palabra.

—¿Por qué estaba Karl en Moscú?

Juan se escabulló de la pregunta con otra.

—Investigaciones —contestó Kamsin.

—¿De qué tipo?

—Investigaciones técnicas sobre el antiguo sistema soviético de canales. Gran parte de dicha información está archivada en Moscú.

Cabrillo tenía que arriesgarse. Ignoraba si Kamsin había venido para proteger a la viuda de su empleado o de motu proprio, y sin dejar las cartas sobre la mesa el uzbeko y él podían pasarse horas sin llegar a ninguna parte.

—¿Puedo ser franco? —preguntó. Kamsin hizo un gesto de invitación con las manos y se reclinó en el sofá cubierto de plástico. Crujió como papel de periódico viejo—. Represento a un grupo ecologista canadiense. Creemos que el marido de la señora Petrovski fue asesinado de manera deliberada por algo que descubrió aquí y fue a investigar a Moscú.

Cabrillo había jugado su mano. Le tocaba a Kamsin terminar la partida.

Mina y él intercambiaron una mirada, y Juan supo de inmediato que ya habían hablado de aquella posibilidad, que debía ser la verdad.

—¿Cómo es que habla tan bien el ruso, señor Smith? —preguntó Kamsin cuando volvió a mirar al Presidente.

—Tengo oído para los idiomas —fue la sincera respuesta de Juan—. Concédame unas semanas y hablaré uzbeko.

Eso también era cierto.

—Pero ¿ahora no habla nuestro idioma?

—No.

—Confiaré en usted.

Se volvió hacia Mina y los dos hablaron durante varios minutos. Estaba claro que la conversación estaba afligiendo a la viuda. Lo que estaba menos claro era el tono y las intenciones de Kamsin. ¿Le estaría diciendo que mantuviera la boca cerrada y echara al extranjero de casa, o ella le estaba convenciendo de que al fin contaban con un aliado, el cual creía que la muerte de su marido no había sido nada accidental?

Por fin, fue Mina quien retomó el hilo de la conversación.

—No sabemos qué descubrió Karl. Pocos días antes de ir a Moscú había estado inspeccionando el lecho del lago al norte de aquí como parte de su trabajo. Volvió muy agitado por algo, pero no quiso decirme lo que había encontrado hasta haber verificado su descubrimiento.

—A mí tampoco me lo dijo —añadió Arkin Kamsin—, pero sí logró convencerme de que le autorizara los gastos del viaje. Karl era así. Yo confiaba en él por completo. Cualquier hombre que pasaba cinco minutos con él lo hacía.

—¿A qué distancia hacia el norte? —preguntó Juan. Con el mar de Aral reducido a una cuarta parte de su tamaño, había decenas de miles de kilómetros de lecho marino al aire libre entre allí y la frontera kazaka.

—No lo sabemos.

Aquella afirmación flotó en el aire recalentado durante varios segundos.

—Pero es posible que alguien lo sepa —dijo Mina.

Juan enarcó una ceja en su dirección.

—Viajaba a menudo con el viejo Yusuf —explicó la viuda—. Pescaba en el Aral antes de que se secara. Ahora no es más que un anciano, pero Karl afirmaba que Yusuf conocía tan bien el lecho del lago como antes había conocido la superficie.

—¿Le preguntó adónde había ido Karl?

—Por supuesto —intervino Kamsin—. Pero como muchas personas chapadas a la antigua, fue vago en sus indicaciones. Habló de ciertas islas, y de vientos, y de la textura de la tierra. No nos proporcionó nada concreto.

—¿Y no quisieron ir a echar un vistazo en persona? —preguntó Juan, aunque ya sospechaba la respuesta.

—Si lo que Karl descubrió fue la causa de su muerte… —contestó Kamsin, y su voz enmudeció.

—Comprendo —dijo Juan a los dos. Kamsin tenía un trabajo, una vida que no quería poner en peligro, y era probable que viviera en el temor de que su ignorancia no fuera suficiente para garantizar su seguridad. El motivo de que Mina no deseara seguir investigando eran sus hijas, que estaban devorando chocolate en la cocina—. ¿Y Yusuf? ¿Estaría dispuesto a volver?

Kamsin tuvo que reflexionar un momento.

—Es posible. No quiso ofrecerse voluntario cuando Mina y yo le interrogamos la primera vez, pero tampoco le pedimos que diera la cara, exactamente.

—Por supuesto —dijo Juan, a sabiendas de que ambos se sentían avergonzados por no haber seguido la pista de lo que había causado el asesinato de Karl Petrovski.

Los uzbekos se habían independizado de Rusia hacía tan sólo veinte años. Aquellos dos eran lo bastante mayores para recordar cómo era la vida bajo el régimen estalinista. La gente no hacía preguntas, no establecía contacto visual con desconocidos, y siempre procuraba pasar desapercibida. Era la única manera de garantizar la propia seguridad. Por más que sintieran Mina y Kamsin la muerte de Karl, no querían (no podían) hacer otra cosa que aceptar la versión oficial de Moscú y seguir adelante.

—¿La expresión «barco misterioso» significa algo para alguno de ustedes? —preguntó Cabrillo para romper el incómodo silencio.

Ambos intercambiaron una mirada de perplejidad.

—Hay muchos barcos en el fondo del lago —contestó Kamsin—. No conozco ninguno llamado *Misterioso*.

—Karl nunca me habló de ningún barco misterioso —añadió Mina—. ¿Fue por eso que murió?

—No lo sé, y tal vez sea mejor que se olvide de mi pregunta.

Ambos asintieron.

—¿Quiere que le lleve a ver a Yusuf? —se ofreció Kamsin—. Lo siento, pero sólo habla uzbeko. Sería un placer para mí ser su intérprete.

—Es usted muy amable —dijo Juan, al tiempo que se ponía en pie. Sacó dos barras más de Hershey de la bolsa y se las dio a Mina Petrovski—. Para sus hijas. Para después.

Fuera cual fuera el lugar al que condujeran sus investigaciones, ella no podía acompañarle. Karl había muerto. Averiguar el motivo no le devolvería la vida. La ideología era para los demás, le dijo su mirada. He de ser pragmática.

En cuanto salieron, Arkin Kamsin asió el brazo de Cabrillo y le miró a los ojos.

—¿Se hará justicia?

Juan se limitó a echar un vistazo a la casa, una cáscara ya vacía, sólo que sus ocupantes aún no se habían trasladado.

—¿Para Mina?

—Para alguno de nosotros.

—No.

—Entonces, ¿para qué ha venido?

Juan tardó un segundo, cosa que le sorprendió.

—Porque un amigo murió en mis brazos y pensé que, al menos, podría hacerle justicia. ¿Le parece suficiente?

—¿Para nosotros? ¿Aquí? Supongo que con eso bastará.

Los dos guardaron silencio durante casi todo el trayecto hasta la casa de Yusuf. Las únicas palabras que intercambiaron fueron indicaciones de Kamsin mientras Cabrillo conducía por la ciudad vacía. Los edificios parecían poco más que fachadas y cascarones carentes de vida.

Yusuf vivía junto al puerto, en el caparazón oxidado que había sido una vez un barco de pesca. Arkin Kamsin no creía que el hombre fuera su propietario, pero de todos modos se había mudado a él. El barco, como todos los demás del puerto, estaba apoyado en el suelo, con arena apilada hasta las bordas en algunos lugares. Juan examinó dos embarcaciones cercanas y supuso que el viejo pescador había elegido aquélla porque estaba un poco más equilibrada que las demás, muchas de las cuales estaban inclinadas sobre los costados.

Cabrillo se detuvo al lado del barco. Los dos hombres bajaron del coche.

Kamsin gritó un saludo en dirección al decrépito barco, y Cabrillo distinguió movimientos a través de una portilla de la cabina, bajo la timonera. Matusalén era un adolescente comparado con el hombre que salió a la amplia cubierta trasera del barco. Llevaba una bata y un pañuelo en la cabeza, y se apoyaba en un bastón hecho de madera nudosa. Mechones de pelo blanquísimo se escapaban por debajo del pañuelo, mientras la parte inferior de la cara estaba cubierta por una barba digna de un mago de cuento de hadas. Tenía las mejillas y los ojos hundidos. Un ojo era de color marrón oscuro, casi negro, mientras que el otro estaba cubierto de la película lechosa de las cataratas. Llevaba un anticuado AK-47 colgado de un hombro similar al de un buitre.

No fue hasta que Yusuf llegó a la barandilla y escudriñó el espacio que le separaba de sus dos visitantes cuando reconoció a Arkin Kamsin. Le dedicó una sonrisa desdentada, y los dos hombres se pusieron a hablar en uzbeko. Cabrillo sabía cómo funcionaban las cosas en aquella parte del mundo, de modo que esperó con paciencia durante el largo intercambio de saludos, con preguntas acerca de las familias respectivas, comentarios sobre el tiempo, recientes habladurías que corrían por la ciudad y cosas por el estilo.

Transcurrieron diez minutos antes de que Juan captara un cambio en el tono de la conversación. Ahora estaban hablando de él y de los motivos de su presencia allí. De vez en cuando, Yusuf miraba en su dirección, con su rostro curtido por la intemperie tan impenetrable como un jeroglífico.

Por fin, Arkin Kamsin se volvió hacia Cabrillo.

—Yusuf dice que está dispuesto a colaborar, pero ni él mismo está seguro de en qué estaba interesado Karl.

—¿Le ha hablado del barco misterioso?

—Sí.

—Haga el favor de preguntarle de nuevo.

Kamsin siguió interrogando al anciano. Yusuf no paraba de sacudir la cabeza y extender sus palmas vacías. No sabía nada, y Juan empezó a comprender que aquel viaje había sido una completa pérdida de tiempo. Se preguntó si el significado se habría perdido con la traducción. Estaba bien versado en técnicas de interrogación, y sabía cómo extraer detalles de los recuerdos más vagos, pero como no sabía hablar uzbeko, se sentía impotente. Y entonces recordó, y por un momento se encontró de nuevo a bordo del *Oregon*, acunando a Borodin mientras articulaba sus últimas palabras.

Había hablado en inglés.

—Barco misterioso —dijo Juan en el mismo idioma. Yusuf le

dirigió una mirada de incomprensión—. *Lodka* misterioso —continuó, utilizando la palabra rusa para «barco».

De repente, la sonrisa desdentada volvió a dibujarse en el rostro del anciano, y el ojo bueno brilló como el de un pirata.

—*Da. Da. Lodka* misterioso.

Se volvió hacia Kamsin y se enfrascó en un largo monólogo en uzbeko. Esta vez, sus brazos esqueléticos se agitaron como si un enjambre de avispas los estuvieran atacando, y el extremo de su bastón describía arcos que se acercaban peligrosamente a sus dos invitados.

Por fin, Arkin Kamsin pudo traducir la andanada verbal.

—El barco misterioso está en el mar de Aral, un cascarón como los demás, pero Karl dijo a Yusuf que tenía algo especial, algo «mágico», así lo describió. Un par de días después de que exploraran los restos, Karl me pidió ir a Moscú.

—¿Me lo podría enseñar Yusuf? —preguntó Cabrillo.

—Sí. Me ha dicho que, si parten antes de que amanezca, podrán llegar por la tarde.

A Juan no le hacía demasiada gracia pegarse una paliza en el desierto, pero comprendió que no había otro remedio. Se le ocurrió una contrapropuesta, y preguntó por mediación de Kamsin si podían marchar ya y acampar de camino. El viejo no parecía muy convencido, hasta que Juan sacó un fajo de billetes del bolsillo. El ojo bueno de Yusuf se iluminó de nuevo, y asintió con la cabeza de tal forma que pensó que se le iba a desprender del esquelético cuello.

Veinte minutos después, con la ayuda de Kamsin para comprar provisiones, que incluían una botella de lo que pasaba por ser vodka de la mejor calidad, y cuyo precio calculó Cabrillo en unos ochenta centavos, los dos hombres se dispusieron a atravesar un desierto que había sido el fondo de un lago, mientras dejaban atrás una estela de polvo, que no de agua.

7

Tal como el nombre implica, el mar de Aral, el «mar de Islas», contó en otro tiempo con miles de ellas, que salpicaban las olas levantadas por el viento. Hoy, se elevaban de lo que había sido el lecho marino como colinas del sudoeste de Estados Unidos, solitarios centinelas en la desolada llanura. Tras una noche casi de insomnio, en que la temperatura descendió por debajo de los cinco grados y Cabrillo se vio obligado a embutirse en la zona de carga posterior, porque Yusuf se había dormido en el asiento trasero, con la botella de vodka aferrada en una garra similar a la de un ave, se levantaron de nuevo poco después de que saliera el sol.

Yusuf se orientaba aprovechando sus inmensos conocimientos de las islas. Había sido pescador cuando los niveles de agua descendían, y reconocía la forma de cada una incluso ahora, cuando tenía que mirarlas desde la base. Cuando pasaban ante cada isla, señalaba una nueva dirección, tan seguro de sí mismo como si estuviera consultando un plano o una brújula. No había necesidad de GPS en tu patio trasero, y durante más de sesenta años todo el mar de Aral había constituido los dominios del viejo pescador.

Una vez más, Juan se quedó admirado por el surrealismo de la situación cada vez que pasaban junto a lo que quedaba de un barco hundido. Con frecuencia, se encontraban rodeados por campos de restos de equipos de pesca y utensilios de cocina. Uno de los barcos naufragados era un transbordador y, a juzgar por la forma de los coches oxidados que descansaban todavía sobre la cubierta y se hallaban diseminados alrededor de la quilla, se había hundido en las décadas de 1960 o 1970. Los vehículos poseían aquel utilitarismo cuadrado y despojado de todo adorno que tanto les gustaba a los soviéticos. Yusuf indicó que debían ir más despacio, de modo que Cabrillo guió el UAZ hasta que se detuvieron ante un coche concreto, un sedán que había sido de color tostado, pero que ahora exhibía más herrumbre que otra cosa. Sus neumáticos eran charcos desinflados alrededor de cada rueda, si bien, cosa curiosa, todos los cristales continuaban intactos.

Yusuf descendió del todoterreno e indicó a Cabrillo que le siguiera. Como desconocía qué le interesaba al hombre, avanzó con cautela, mientras escudriñaba el lejano horizonte y el montecillo que había sido una isla, a unos dos kilómetros al oeste. El sabor amargo de la sal que el viento revolvía era todavía más intenso que en Muynak. Dio un trago a la botella de agua antes de bajar del vehículo, y tuvo que escupirla. Sabía a mar. El segundo trago fue salobre, y sólo el tercero le supo a agua fresca.

El viejo uzbeko se había parado al lado de la ventanilla del conductor del coche. Había utilizado la manga de la bata para limpiar un poco el polvo que se adhería como una costra al cristal y mirar dentro. Se quedó inmóvil un minuto antes de indicar a Cabrillo por gestos que ocupara su sitio. Sintió que un escalofrío supersticioso recorría su espina dorsal. Apretó la cara contra el cristal caliente. Se filtraba suficiente luz por el sucio parabrisas para poder ver los restos de un cuerpo derrumbado en el asiento del pasajero. No quedaba gran cosa, salvo fragmentos de ropa y huesos blanqueados. El cráneo estaba intacto, pero situado en un ángulo tal que sólo se veía la protuberancia redondeada del lóbulo occipital.

Cabrillo interrogó a Yusuf con la mirada. Dijo algo en su idioma nativo, y después recordó la palabra rusa equivalente.

—Hermano.

Juan Cabrillo gruñó, y pensó en el golpe que debía significar perder un hermano en el mar para encontrar su cadáver años después, cuando las aguas que le habían reclamado se habían evaporado hasta desaparecer. También se preguntó por qué Yusuf no había enterrado los restos según los ritos musulmanes, pero cayó en la cuenta de que aquélla había sido su tumba durante décadas, y removerlos ahora equivaldría a un sacrilegio. Como no había palabras que decir, dio un apretón al huesudo hombro del anciano y volvió hacia el todoterreno. Yusuf se reunió con él un minuto después, mientras dirigía a su hermano lo que Cabrillo consideró una postrera mirada, y señaló hacia el norte.

Durante seis horas más, en tanto la temperatura subía y el sol abrasaba cada vez más, fueron avanzando hacia su destino, zigzagueando de isla en isla, siguiendo el plano que Yusuf tenía grabado en la mente. Al menos una vez cada hora tenían que parar el UAZ y dejar que el motor se enfriara. En una de tales paradas, Cabrillo tuvo la prudencia de añadir un galón de agua al radiador, al tiempo que llenaba el depósito de gasolina con las latas de reserva que llevaban.

No entendía ni una palabra de lo que Yusuf iba diciendo mientras conducía, pero el anciano estaba enfrascado en un monólogo interminable. Sólo podía suponer que el uzbeko estaba contando historias de excursiones de pesca que había hecho a las islas que estaban dejando atrás. El hombre señaló una gran depresión en el suelo, que en otro tiempo había sido una fosa submarina. En el fondo había docenas de rocas, y desde ellas se esparcían en abanico los restos de incontables redes de pesca, como telarañas caídas en el suelo.

Yusuf habló con pasión del lugar, la voz restallante de ira hasta que ya no pudo reprimirse, lanzó una última maldición y escupió. Juan Cabrillo comprendió que debía haber perdido más de una red de arrastre en el traicionero fondo de la fosa. No pudo disimular una sonrisa. El viejo se dio cuenta y su entrecejo se arrugó todavía más, hasta que él también comprendió lo absurdo de maldecir a rocas invisibles por capturas perdidas tanto tiempo atrás.

La carcajada que compartieron fue agridulce, ante la perspectiva de que ningún pescador volvería a perder redes allí.

El desierto se extendía sin límites.

Un poco después de mediodía, una forma empezó a definirse en el horizonte, rielando en el calor del desierto. Al otro lado había una isla más, una empalizada de roca que se elevaba en vertical como los muros de una fortaleza. Cuando se acercaron, la imagen pasó de ser un bulto amorfo sobre el suelo del desierto a adquirir la forma de otro barco, un poco más grande que los típicos barcos de pesca con los que habían topado hasta entonces, aunque más pequeño que el transbordador. A juzgar por su estado, era mucho más antiguo que otros. El mar había tenido más tiempo para erosionar el acero, y los seres submarinos habían contado con muchísimo tiempo para abrirse paso a través de las cubiertas de madera del barco. Yusuf señaló con determinación los restos del naufragio.

—¿*Lodka* misterioso? —preguntó Cabrillo.

—*Da*.

Maniobró hasta detener el todoterreno al lado del viejo barco, cuya eslora calculó en unos treinta metros, era ancho de manga. Habría surcado bien los mares, y se preguntó cuál habría sido la causa de su hundimiento. La isla estaba lo bastante cerca para que en una noche sin luna un timonel descuidado lo hubiera empotrado contra el pico de una roca que asomaba sobre la superficie con la consiguiente perforación del casco.

El lado donde estaba Cabrillo no mostraba daños. Algunas planchas estaban combadas de cuando golpeó el fondo marino, pero eso era todo. Conservaba los restos de un cabrestante en la cubierta de popa, que remataba con una inclinación para lanzar las redes, y después recuperarlas. El puente era un cubo encorvado sobre las amuras y los marcos abiertos de las ventanas parecían bocas paralizadas en un terrible chillido.

Apagó el motor del UAZ y descendió del vehículo. A sus pies, empotrada en la sal y el polvo, había una taza de café de cerámica, una pieza de loza importante que documentaba la dura vida a bordo de un pesquero y las grandes manos de los hombres que trabajaban en él.

Yusuf se reunió con él, y ambos hombres dieron la vuelta al barco para inspeccionar el casco. Al otro lado, Cabrillo vio la prueba que sospechaba, una larga hendidura bajo la línea de flotación que recorría casi una tercera parte de la longitud del barco. Había golpeado algunas rocas cerca de la isla, y como resultado habría zozobrado en cuestión de segundos. Era posible que algunos miembros de la tripulación hubieran conseguido nadar hasta la isla, que se hallaba a un cuarto de milla de distancia. Todo dependía del tiempo. Un mar encrespado los habría aplastado contra las rocas implacables.

De repente, el viejo uzbeko alzó las manos al aire y emitió un sonido gutural estrangulado. Apuntó con el pulgar al pesquero.

—*Nyet lodka misterioso.*

Señaló una larga depresión en el suelo, unos cien metros más adelante. Como un monstruo mítico que surgiera de la tierra, los restos de otro barco daban la impresión de alzarse de la fosa poco profunda, como si el borde fuera una ola y el barco se estuviera esforzando por coronarla.

—*Lodka misterioso* —anunció Yusuf.

Este barco parecía mucho más viejo que el que habían dejado atrás. Era imposible determinar su eslora, porque sólo los primeros diez metros se elevaban por encima del borde de la fosa. Era estrecho de manga. La cubierta de proa era bastante amplia, lo cual resultaba sorprendente en un pesquero, porque todo el trabajo tenía lugar en la popa, y su superestructura era más propia de un yate que de un buque comercial.

En lugar de dar otra vez la vuelta para regresar al todoterreno, Cabrillo cruzó el desierto en dirección al otro barco. Yusuf le siguió, utilizando el bastón para compensar su cojera.

El barco antiguo tenía una proa afilada y dos anclas, todavía inmovilizadas contra sus calabrotes. Todo su revestimiento era de un color herrumbroso uniforme, pues no quedaba ni una mota de su pintura original. Juan llegó al borde de la fosa y miró hacia abajo. La única chimenea se alzaba de la arena a unos tres metros de donde el casco se hundía en ella, el metal carcomido a causa de la erosión. Cabrillo utilizó la chimenea como referencia y calculó que mediría unos veintiún metros de eslora en total. Poseía las líneas rectas y verticales de un barco mucho más antiguo que el pesquero cercano. Le recordó un crucero de lujo creado en las postrimerías de la era victoriana.

No era un barco para faenar de la industria pesquera local, ni un transbordador que trasladara pasajeros de un lado a otro del Aral. Era el juguete de un hombre rico, tal vez perteneciente a un miembro de la antigua familia real que pasaba las vacaciones en las orillas del mar interior. Pero eso era absurdo. ¿Por qué el zar y la zarina irían de vacaciones a este lugar apartado de su reino?

¿Algún oligarca local? ¿Un personaje de antes de la revolución, que había ganado un montón de dinero y encargado la construcción del barco en el Aral? El buque era demasiado grande para haber sido transportado hasta aquí entero, incluso por tren, y no quedaron oligarcas después de que los bolcheviques terminaron con ellos.

De repente, Juan Cabrillo consideró el barco una anomalía. Algo en su presencia había despertado el interés de Karl Petrovski, y él también lo notaba. No era el tipo de buque adecuado para surcar estas aguas. Paseó la vista a su alrededor. Tampoco debería estar en este desierto, pensó.

La proa estaba incólume, de modo que, en teoría, las partes del casco que la arena había engullido revelarían las causas de su hundimiento.

Yusuf se acercó por fin arrastrando los pies y dio unos golpecitos a Cabrillo en el brazo para guiarle alrededor de la proa, donde alguien, probablemente Petrovski, había apilado piedras contra el casco, a suficiente altura para poder saltar por encima de la borda. Cabrillo escaló la pila y aferró el esqueleto metálico que quedaba de la barandilla, para luego izarse, pasar una pierna por encima y pisar la cubierta.

Quedaba muy poco de la madera original (teca, supuso), de manera que se vio obligado a pisar las costillas metálicas que habían sobrevivido a las inclemencias del tiempo. Bajo él vio un espacio vacío que en otro tiempo habría albergado la carga, o quizás había sido un camarote de proa. Ahora era un montón de polvo agitado por el viento.

Un estrecho pasadizo entre la barandilla y la superestructura le permitió acceder a una puerta estanca arrancada de sus goznes, apoyada como un borracho contra su jamba. Pudo atravesarla a duras penas, y cuando se encontraba a mitad del barco, Cabrillo hizo una pausa, con la espalda apoyada contra el suelo arenoso. Yuri Borodin era muchas cosas, pero no prestaba atención a los detalles. Se hacía una idea general, y punto. Se fijaba en la estrategia, no en la táctica. Las minucias le aburrían. ¿Por qué demonios malgastaría sus últimas palabras en animarle a ir en busca de un barco abandonado en un desierto?

Era todo tan absurdo en tantos sentidos que volvió a salir, hasta apoyarse de nuevo contra la borda. Yusuf le miró con su ojo bueno desde el suelo.

El disparo fue perfecto, e impactó en el cuello del anciano, de manera que su cabeza cayó sobre el pecho, y después volvió a desplomarse de una manera obscena, como si nada la sujetara al cuerpo. Una nube de sangre quedó suspendida en el aire. Yusuf se desplomó. Era como si se hubiera puesto de rodillas para rezar, pero con la cara plantada en la arena no había forma de suplicar a Alá. Estaba muerto mucho antes de tocar el suelo.

Entonces se oyó la seca detonación del disparo de un rifle y el eco de la bala, cuando atravesó la garganta de Yusuf y rebotó en el casco del barco.

8

Un segundo después, Juan Cabrillo había rehecho sus pasos, toda duda disipada. El estado contemplativo y analítico dio paso al modo de supervivencia, en el instante que tardó el estímulo auditivo al percibir el disparo en sincronizarse con el visual.

Se encontraba en un espacio estrecho no mayor que una cabina telefónica, dotada de una escalerilla de hierro que subía al puente. La luz del sol se filtraba desde arriba, señal indudable de lo expuesto que estaría en lo alto, pero como no tenía otra alternativa subió. Una capa de arena impregnaba la cubierta cuando emergió en la timonera. Hacía mucho tiempo que habían robado casi todos los accesorios. La rueda del timón y la bitácora habían desaparecido, así como el aparato del telégrafo y la mesa de derrota. Los pocos ornamentos de latón y bronce que quedaban estaban ennegrecidos y sembrados de agujeros, y lo que habrían sido paneles de teca no eran más que una chapa fina como el papel que el tiempo había teñido de gris.

Cabrillo se quedó agachado bajo los amplios ventanales que abarcaban tres lados del puente. La cuarta pared carecía de adornos, salvo unos soportes metálicos, que tal vez habían sostenido un extintor o algún aparato similar, y una puerta que conducía a popa. Se arrastró hacia ella y echó un vistazo al pasillo, forrado también de madera blanqueada, y en el que todavía quedaban fragmentos de una alfombra podrida adheridos a la línea divisoria entre la pared y el suelo. A tan sólo un metro a popa de la puerta del puente, todo el espacio estaba invadido de arena hasta el techo.

Estaba atrapado.

Volvió al puente y miró con cautela por encima del marco de una ventana, con la esperanza de localizar al francotirador. Una bala se hundió en el metal a unos dos centímetros de su cabeza, y abrió un agujero en el acero erosionado como si no fuera más sólido que una gasa. Aparecieron cuatro agujeros más en el punto donde había estado agachado un segundo antes. Y cuatro diminutos géiseres de arena brotaron del suelo al lado de su forma encorvada, cuando más balas se estrellaron en la cubierta.

Cabrillo adoptó una nueva posición, a sabiendas de que el francotirador no podía verle, porque había calculado que se hallaría a mitad de la ladera de la cercana isla/colina, aunque no estaba seguro del emplazamiento exacto.

Otra ráfaga barrió el puente y practicó agujeros en su revestimiento metálico, pues el tirador confiaba en que un disparo fortuito alcanzara a su presa. Juan Cabrillo se había aplastado contra la pared de proa, donde el marco de la esquina ofrecía mejor protección. El aire caliente del puente estaba impregnado de polvo, levantado por las balas que llovían sobre el suelo.

Permaneció inmóvil, sin pensar todavía en el motivo de la situación en que se encontraba. Eso vendría después. Ahora, lo único que ocupaba su mente era la supervivencia. Las balas llegaban desde el lado de babor del barco, de manera que podría saltar por la ventana de estribor y esconderse detrás de la mole del barco, pero cien metros de desierto despejado le separaban del todoterreno. Le abatirían en cuanto abandonara el refugio de la sombra del barco.

No tenía nada con qué distraer al tirador. Su bolsa estaba en el UAZ, y la pierna artificial que llevaba era un modelo comercial, pues pensó que no valía la pena correr el riesgo de entrar un arma de contrabando en Moscú.

Pensó en esperar hasta que cayera la noche. Cabrillo era un tirador excelente, pero carecía del entrenamiento especial de un francotirador. Sabía por conversaciones sostenidas con Franklin Lincoln, el antiguo miembro de los SEAL que era francotirador de la Corporación, que un tirador avezado podía permanecer inmóvil en su escondrijo durante días. El hombre que le acechaba no tiraría la toalla, y con una mira térmica, el cuerpo de Cabrillo se vería como una aparición vaporosa contra el fondo del desierto. En cualquier caso, un blanco más fácil de noche que de día.

· Tres balas impactaron en el puente, aplastaron el acero y levantaron más arena.

El tirador no sabía si había alcanzado su objetivo. Intentaba mantener inmovilizado a Cabrillo, lo cual debía significar que iba acompañado de más hombres, que se estarían acercando bajo la protección de sus disparos.

Juan no podía moverse y tampoco podía quedarse quieto.

Se quitó las gafas de sol espejadas y las alzó justo por encima del antepecho de la ventana. Después las movió muy despacio para que dieran la impresión de ser tan sólo una sombra. En su reflejo convexo vio la llanura que separaba su posición de la del tirador. Exhaló un pequeño suspiro de alivio. No había ningún equipo de ataque atravesando el desierto. Sonó otro disparo. La bala se incrustó en la pared a espaldas de Cabrillo. El tirador no había visto las gafas y estaba disparando sólo para obrar efecto, pero él había localizado su escondite gracias a una diminuta chispa del cañón del arma.

El tirador estaba un poco por encima del primer lugar calculado por Cabrillo, agazapado en un pliegue de la ladera. Se preguntó cuánto tiempo llevaría allí. La situación era una prueba evidente de que el barco misterioso de Karl Petrovski era importante, aunque él no había descubierto todavía nada significativo. Era otro casco oxidado más de los que sembraban el lecho marino.

Si no iban a llegar más tropas, ¿de qué servía mantener inmovilizado a un hombre desarmado? ¿Por qué no atacar de una vez y acabar el trabajo?

Una explicación se abrió paso en su mente y le impulsó a entrar en acción. El tirador estaba a punto de consumar su deseo, pero Cabrillo se guardaba un as en la manga. Estaba convencido de que habían sembrado de explosivos el barco. El tirador había ido a borrar todas las huellas del descubrimiento de Petrovski. Desde el punto de vista del tirador, o su presa moría cuando detonaran las bombas, o huiría y el tirador la abatiría desde su escondite. Misión cumplida.

—Ni hablar —masculló Cabrillo, cuando llegó a la puerta que conducía a los compartimientos de popa.

Las bisagras estaban dentro del pasillo, de modo que tuvo que reptar a través de la puerta metálica y cerrarla en parte. Protegido del viento, el acero seguía tan duro como el día que lo habían forjado. Los pernos de la bisagra tenían topes bulbosos que facilitaban la tarea de extraerlos, si alguna vez se presentaba la necesidad. El del centro salió de la bisagra con tanta facilidad como una mala hierba del suelo. El siguiente se resistió mucho más, pero Cabrillo logró extraerlo también. Fue el perno de abajo el que se negó a moverse, por más fuerza que empleó, y el sudor no tardó en empaparlo, de modo que se quedó sin asidero.

Maldijo, se subió la pernera del pantalón y se quitó el calcetín que sujetaba la prótesis. La parte superior de la pierna, donde se encontraba con la carne, era lisa y redondeada para impedir las rozaduras, pero había una rugosidad dura junto a la parte articulada del tobillo. Encajó esta rugosidad bajo el testarudo tope del perno y golpeó el talón de la pierna con la mano. El perno continuó encajado en su sitio como si lo hubieran soldado.

No tenía ni idea de cuánto tiempo le quedaba, pero recreó en su mente la imagen típica de un temporizador digital desgranando los segundos, hasta que sólo quedaron unos cuantos. Golpeó de nuevo con la palma de la mano el talón. Y otra vez.

—Vamos.

Otra vez. Y otra.

Partículas de óxido se desprendieron del perno, y después se elevó apenas. Cada golpe en la pierna lo levantaba un poco más. Medio centímetro. El siguiente golpe lo empujó otro medio centímetro. Y después uno entero.

La palma de Cabrillo estaba entumecida cuando el perno recalcitrante se soltó por fin y cayó sobre la cubierta.

La puerta se desplomó contra él y golpeó su espinilla con fuerza suficiente para agrietarle la piel. Calculó que la puerta pesaría, como mínimo, unos setenta kilos.

Se sentó sobre la cubierta y se volvió a colocar la pierna artificial.

La puerta suelta se cernía sobre él, un peso muerto que estaba a punto de convertirse en su mejor amigo y su peor pesadilla.

Agarró el metal caliente y depositó la puerta sobre el puente, con cuidado de mantener su escudo improvisado entre el tirador y él. El pistolero sólo tardó unos segundos en concluir que algo estaba pasando, porque un par de rápidos disparos impactaron en la puerta. La sensación fue la de que alguien la hubiera golpeado con una almádena. La fuerza de los impactos obligaron a Cabrillo a retroceder un paso, de manera que se aplastó de nuevo contra la pared de estribor de la timonera.

Se arrastró y empujó la puerta sobre el alféizar. El tirador hizo otros dos disparos, pero no alcanzó a su presa. Juan Cabrillo empujó su escudo con más fuerza y saltó a la cubierta principal. Tal como era su intención, la puerta golpeó la barandilla exterior del barco y la desgajó, para caer a continuación sobre el suelo del desierto.

No tenía ni idea de cuánto tiempo tardaría el tirador en adivinar su plan, de modo que procedió con celeridad y saltó los tres metros que le separaban del suelo. Giró la puerta para poder arrastrarla, acuclillado bajo su protección. Sus dedos apenas podían sujetarla, y la puerta hundió su borde en la grava suelta.

Al cabo de escasos segundos, el ácido láctico ya se estaba concentrando en los muslos y la espalda de Cabrillo, y se le estaban quedando entumecidos los dedos. Continuó avanzando centímetro a centímetro, arrastrando la puerta detrás de él y agachado, para no quedar expuesto al tirador. Un momento después de salir por debajo del costado del barco abandonado, el tirador disparó tres balas en rapidísima sucesión. Cada una alcanzó la puerta casi en el mismo lugar exacto.

La fuerza cinética de los proyectiles logró que Cabrillo soltara su presa, y la puerta cayó sobre él. Se puso en pie a toda prisa y sostuvo la puerta casi en vertical. El tirador disparó de nuevo, y una vez más la bala rebotó en la puerta. Cada impacto abollaba el metal, y la transferencia de energía ponía el acero al rojo vivo, pero las balas no lo penetraban.

Juan Cabrillo comprendió que la carrera había empezado de verdad. El tirador no podía alcanzarle, de modo que tendría que tratar de atraparlo. Él tenía que recorrer cien metros para llegar al todoterreno. El francotirador debía salvar casi cuatrocientos metros, pero la mayor parte era cuesta abajo y nada le estorbaba. Sin embargo, el Presidente tenía que arrastrar el escudo hasta el todoterreno, pues de lo contrario el tirador dejaría de correr, alzaría el rifle y le dispararía mientras huía.

Arrastró la pesada puerta como un ancla que no pudiera soltar. Grava y arena saltaban donde el metal arañaba el suelo, y experimentó la sensación de estar arrastrando la mitad del desierto tras de sí. Su espalda chillaba de dolor cuando hubo recorrido las tres cuartas partes de la distancia que le separaba de su destino, y sus piernas temblaban como taladradoras, pero no se detuvo en ningún momento. El dolor era la forma que empleaba el cuerpo para informar a una persona de que dejara de hacer algo. Acercar una mano a una vela dolía, de modo que la retirabas por instinto, pero a la postre la mente controlaba el cuerpo, y podías dejar la mano sobre la llama hasta que la carne se asaba.

El cuerpo de Cabrillo le estaba diciendo que dejara caer la puerta y descansara, pero su mente ordenaba al cuerpo que no lo hiciera. Si abandonaba su escudo, moriría, de modo que se impuso al dolor y continuó arrastrando la puerta. Mientras tanto, el pistolero habría salido ya de su escondrijo y estaría corriendo hacia él a toda la velocidad que le permitían sus piernas.

Como para verificar sus sospechas, el francotirador disparó de nuevo. El sonido del rifle se oyó mucho más cerca, demasiado cerca, y notó el impacto mucho más violento, puesto que la bala había perdido muy poco de su impulso al haber disminuido la distancia.

Volvió la cabeza. El pesquero que al principio había considerado el barco misterioso se hallaba a sólo veinte metros de distancia. ¿Y el pistolero? ¿A cien? ¿A doscientos? No podía saberlo, y corría el riesgo de perder la cabeza si la asomaba por la puerta.

Tal vez por décima vez, levantó un poco la puerta sobre sus hombros para salvar la montaña de escombros que se estaban acumulando en su base mientras la arrastraba. Decidió cambiar de posición, bajó la puerta para que se deslizara con más facilidad sobre la arena, pero sobre todo para aplacar la tensión sobre sus brazos, piernas y espalda. Le dolían los dientes de tanto apretar la mandíbula, pero consiguió acelerar el paso.

El francotirador intuyó que su presa se iba a escapar, de modo que disparó una ráfaga. Varias balas se estrellaron en la puerta, pero la mayoría impactaron en el suelo a ambos lados del Presidente.

Como en cualquier carrera, el último tramo era el más difícil, y ambos hombres estaban dando el máximo de sí. Cabrillo lanzó un grito primal mientras arrastraba la pesada puerta, con las piernas ejerciendo presión contra el suelo de piedra. Volvió a mirar y vio la proa del pesquero a sólo cinco metros de distancia.

Dejó caer la puerta al suelo y se puso a correr. El francotirador se hallaba a cuarenta metros de distancia, y el repentino cambio de táctica de su presa le pilló desprevenido. No tuvo tiempo de alzar su rifle, de modo que disparó desde la altura de la cadera cuando Cabrillo rodeó la proa del pesquero y se perdió de vista.

Sintió una punzada de dolor en el cuello cuando la bala se estrelló contra el casco de acero en el momento en que lo rodeaba y fue alcanzado por fragmentos de metal sueltos. El todoterreno se encontraba a una docena de metros de distancia.

Se lanzó sobre el capó del UAZ segundos antes de que el francotirador llegara al barco y volviera a disparar contra él. La ventanilla del lado del conductor saltó en pedazos. Juan Cabrillo cayó al suelo al otro lado del todoterreno, se puso en pie de un salto y pasó la mano a través de la ventanilla bajada del pasajero, con los ojos clavados en el tirador por primera vez desde que empezara su enfrentamiento. El hombre iba vestido de caqui de pies a cabeza, pero no llevaba la ropa típica de un uzbeko o un kazako. Tenía el aspecto de haber salido de un catálogo de ropa Beretta.

Su atacante se detuvo a menos de veinte metros de distancia y empezó a apoyar el rifle contra el hombro para disparar a matar.

La mano de Cabrillo palpó la forma familiar del viejo AK-47 de Yusuf, el arma que había insistido en llevar porque los contrabandistas utilizaban el antiguo lecho marino para sacar y entrar material del país. Lo levantó lo suficiente para girar el cañón hacia el tirador.

La culata del rifle del tirador se encontraba tan sólo a quince centímetros y medio segundo de la posición de tiro óptima, cuando Cabrillo apretó el gatillo y lanzó una andanada de veinte balas por la ventanilla destrozada del conductor. Varios disparos no llegaron a salir del todoterreno, pero sí los suficientes, y tanto la ráfaga como sus oraciones surtieron efecto.

El francotirador se estremeció como si hubiera agarrado un cable eléctrico cuando ocho balas taladraron su cuerpo de pies a cabeza. Juan Cabrillo ya no tenía fuerzas para impedir que el cañón del AK se alzara, de manera que los últimos disparos perforaron el techo del UAZ. Por fin, consiguió separar el dedo del gatillo cuando el pistolero se desplomó sobre la arena.

Soltó el AK y cayó al suelo como un saco, la espalda apoyada contra el todoterreno. Engulló bocanadas de aire. No se sentía preocupado por el francotirador que le había atacado. No era una película. El hombre estaba muerto. Aun así, se concedió sólo noventa segundos antes de ponerse en pie.

Dio la vuelta al vehículo, y después avanzó tambaleante hacia el tirador. Al igual que su ropa, no poseía los rasgos faciales de un nativo. Miró…

La explosión le lanzó por los aires, y la onda de choque desprendió hojuelas de herrumbre del viejo pesquero como si hubiera sido alcanzado por un huracán. El sonido despertó ecos y rodó sobre el desierto como un trueno, y segundos después, fragmentos de roca y piedra llovieron desde el cielo. Cabrillo se tiró al suelo, con las manos alrededor de la cabeza para protegerla, hasta que el chaparrón de restos diversos amainó, y sólo cayeron sobre él polvo y humo.

Se puso a cuatro patas, se acercó al pesquero y miró al otro lado. La proa del barco misterioso había desaparecido. Sólo quedaba un hueco humeante en el suelo del desierto, un cráter del tamaño de una piscina olímpica. Termita, pensó. El tirador había utilizado termita y un detonador temporizado para causar tantos estragos. Cayó en la cuenta de que el fragmento de barco más grande que quedaba intacto era la puerta que había utilizado como escudo.

Se acercó a ella y le dio una palmada afectuosa.

—No sabía que te estaba salvando la vida mientras tú me salvabas la mía.

Sólo entonces reparó en la pequeña placa de latón que había estado sujeta a la parte inferior de la puerta. No la había visto cuando soltó los goznes porque el pasillo estaba a oscuras, y la parte interior de la puerta había estado de cara al francotirador todo el rato que la había utilizado como escudo. Tuvo que limpiar un poco de tierra para leer lo que estaba grabado en la vieja placa.

Eran un par de palabras. Pasarían días antes de que comprendiera las implicaciones de lo que leía, y algunas semanas antes de que pudiera desentrañar las ramificaciones, pero durante aquellos primeros segundos sólo experimentó una gran confusión.

**ASTILLEROS C. KRAFT & SONS
ERIE, PENSILVANIA**

9

En otro tiempo, Manhattan había estado sembrada de muelles, como radios proyectados desde el eje de un neumático de bicicleta, y casi hasta el último centímetro de la costa de la isla estaba dedicado al comercio marítimo. La llegada de los contenedores y el valor cada vez más elevado del suelo de la ciudad habían cerrado casi todos los fondeaderos, y los que quedaban estaban reservados a los cruceros. De modo que, para el *Oregon*, no hubo viaje triunfal río Hudson o East arriba para amarrar ante el perfil urbano más famoso del mundo.

En cambio, después de pasar bajo el puente Verrazano-Narrows, atracó en Newark, Nueva Jersey, entre hectáreas de contenedores metálicos y filas de coches enviados desde las fábricas de Europa. Según los patrones comerciales actuales, era una flor marchita entre los gigantes oceánicos. Con ciento setenta metros de eslora, se veía empequeñecido entre los barcos de clase Panamax y Post-Panamax alineados en los muelles, y su apariencia era la de una vieja bruja al lado de un grupo de reinas de la belleza.

Su casco era una mescolanza de colores que no hacían juego, y que se estaba desprendiendo como si la piel del barco sufriera alguna enfermedad gravísima. Sus cubiertas estaban sembradas de basura y maquinaria antigua que ya no funcionaba. Tenía una superestructura central, con una larga chimenea justo a popa de la sección media del barco. Los alerones se dirigían hacia babor y estribor a partir de ella. El cristal de la timonera estaba sucio a causa de la sal incrustada, y un cristal había sido sustituido por una capa de madera contrachapada deslaminada. Tres grúas se hallaban al servicio de sus seis escotillas de carga de proa, mientras que otro par de grúas a popa cargaban y descargaban las dos bodegas restantes. El castillo de popa exhibía cierta elegancia de copa de champán, mientras que la proa era una hoja despuntada, como si más que surcar el mar lo embistiera. El *Oregon* tenía toda la pinta de un mercante de servicio irregular que habría debido ir al desguace mucho tiempo antes.

Mientras Carrillo atravesaba el muelle tras llegar en taxi desde JFK, no podía imaginar un barco más bonito en todo el mundo. Sabía que su estado ruinoso era pura decoración, un truco que le confería tal anonimato que pasaba desapercibido en todos los puertos del Tercer Mundo donde atracaba con frecuencia.

Los papeles del *Oregon* estaban en orden, y una inspección de aduanas no descubrió nada sospechoso. En los conocimientos de embarque figuraba que transportaba bobinas de papel desde Alemania a diversos puertos del Caribe, y cuando se abrieron las escotillas, los inspectores vieron las enormes bobinas, cada una de las cuales pesaba más de ocho toneladas.

Por supuesto, las bobinas, como la ruinosa apariencia del barco, eran sólo eso: una fachada. Tan sólo tenían un pie de espesor y eran como el falso fondo de una maleta de espías. Y pesaban menos de quinientos kilos.

Subió la pasarela y miró a popa, un ritual siempre repetido. Por lo general, el barco ondeaba la bandera de la República Islámica de Irán, una añagaza más que sumar a las otras, y la tradición incluía saludarla con una peineta. Para que su estancia fuera menos problemática, el *Oregon* llevaba matrícula de Panamá, y la bandera de ese país dividida en cuatro cuarteles, de color blanco, azul y rojo, con una estrella azul y otra roja, colgaba en su asta.

El interior de la superestructura del barco hacía juego con el exterior, con sus pasillos lóbregos, pintura desconchada y suficiente polvo para llenar la caja de arena de un niño. Los suelos eran en su mayoría de metal desnudo o losas de vinilo barato. Sólo el camarote del capitán contaba con alfombra, pero ésta servía tanto para exteriores como para interiores, y era tan afelpada como la arpillera. Disimuladas dentro del bloque de alojamientos había puertas que conducían a espacios ocultos y mucho más opulentos, donde la tripulación vivía y trabajaba.

Juan Cabrillo se acercó a una de dichas puertas, atravesó la cocina impregnada de grasa y el desastrado comedor. La puerta secreta se abría utilizando un escáner retiniano oculto en el ombligo de una belleza en bikini que adornaba un cartel de viajes pegado a la pared, junto con otros adornos baratos típicos de una tripulación de marineros misóginos.

Cuando la puerta se abrió, entró en el lujoso interior del *Oregon*. Aquí, las alfombras eran mullidas, la iluminación discreta y agradable, y las obras de arte estaban firmadas por unos cuantos maestros mundiales. Éste era el secreto que ocultaban sus disfraces exteriores, éste y el hecho de que el barco iba armado hasta los dientes.

Llevaba lanzaderas para misiles tierra-tierra y tierra-aire, así como ametralladoras Gatling de 20 milímetros y un monstruoso cañón de 120 milímetros escondido en la proa, que se desplegaban a través de puertas de apertura inversa. De la docena de bidones de aceite viejos que descansaban sobre la cubierta, seis contenían ametralladoras de calibre 30 accionadas por control remoto desde el centro de operaciones de alta tecnología del *Oregon*. Las utilizaban para repeler piratas, y más de uno procedente de la costa de Somalia había probado su eficacia.

El *Oregon* disponía también de un sofisticado equipo de sensores que lo convertían en un instrumento óptimo para operaciones de recogida de datos en lugares a los que Estados Unidos no podía enviar barcos espía. En el pasado se había apostado cerca de naciones adversarias, como Irán y Libia, y recogía señales de inteligencia que los satélites no podían detectar. Una misión reciente les había enviado a la costa de Corea del Norte, armados con un láser experimental de alta energía, que les había «prestado» el Laboratorio Nacional Sandia. El resultado había sido el espectacular, aunque inexplicable fracaso, al menos para el aislado régimen, de un lanzamiento de prueba de su misil de largo alcance Unha-3.

Conversó con algunos hombres mientras se encaminaba a su camarote para darse una ducha después de casi veinticuatro horas de viaje. Aún conservaba mugre de Uzbekistán bajo las uñas. Se puso pantalones negros, camisa a rayas con cuello de botones y zapatos hechos a medida de Otabo.

Tuvo tiempo de saborear una ensalada Cobb en el comedor, rodeado de muebles de cuero rellenos en exceso y de la atmósfera acogedora de un club de caballeros, antes de encaminarse a la sala de juntas del *Oregon* para una reunión informativa con el estado mayor.

La habitación era rectangular y acabada en un estilo moderno y de buen gusto, con una mesa de cristal y butacas de cuero negro. De haber estado en el mar, los portillos estarían abiertos para bañar la estancia de luz natural, pero como estaban atracados en el muelle de Newark, no querían que los estibadores vieran el verdadero interior del barco.

Sentados a la mesa estaban Max Hanley, Eddie Seng (otro veterano de la CIA como Cabrillo), quien dirigía las operaciones en tierra junto con el ex SEAL sentado a su lado, Franklin Lincoln. Frente a ellos se encontraban Eric Stone y Mark Murphy. Stone se había enrolado después de acabar los estudios en Annapolis y conservaba el porte de un hombre de la Marina, aunque todavía estaba atrapado en el cuerpo desgarbado de un friki. Murphy era uno de los escasos civiles de la tripulación. En posesión de varios doctorados, de una memoria casi fotográfica y de la paranoia de un verdadero teórico de las conspiraciones, solía vestir como si hubiera recogido del suelo la ropa de la última lavadora de anoche, y su pelo oscuro alborotado era una mata desastrada. Había sido diseñador de armas para uno de los grandes contratistas de defensa, y se había unido a la Corporación siguiendo la sugerencia de Eric Stone.

Ausente de la reunión se encontraba Linda Ross, que continuaba con el emir en su yate, y la médico jefe del barco, Julia Huxley, que había ido a ver a su hermano a Summit, Nueva Jersey.

—Bienvenido —dijo Max, al tiempo que alzaba una taza de café—. ¿Buen vuelo?

—¿Por qué preguntáis siempre lo mismo? —interrumpió Murph—. La pregunta carece de importancia porque volar ya no es algo tan raro en estos tiempos. El avión aterrizó. Bueno o malo, ¿qué más da?

Max le fulminó con la mirada.

—Por la misma razón que la gente descuelga un teléfono que suena lo antes posible: la cortesía es una convención social.

—Es una pérdida de tiempo —replicó Mark.

—Casi todas las convenciones sociales lo son —contestó Max con un ademán desdeñoso—. Sólo que tu generación va demasiado acelerada para apreciarlas.

—Que conste en acta —dijo Juan Cabrillo en voz alta para hacerse con el control de la situación—: el vuelo fue bien, mucho mejor que intentar salir del desierto uzbeko siguiendo las huellas de mis viejos neumáticos.

—Buen trabajo —terció Linc, con la voz cavernosa que salía de su enorme pecho—. Te convertirás en un SEAL honorable cualquier día de éstos.

—¿La viuda de Petrovski ha padecido alguna consecuencia? —preguntó Stone—. Está claro que alguien estaba difundiendo una versión aséptica del descubrimiento de su marido, y ella sería otro cabo suelto.

—Cuando volví a Muynak —dijo Juan—, le conté a Arkin Kamsin lo sucedido. Prometió sacarla a ella y a sus hijas del país lo antes posible. En cuanto se marcharan, iba a ver a unos amigos de Astana, la capital. Es lo mejor que podemos hacer.

Continuó.

—Ponedme al día sobre vuestras investigaciones.

Mark Murphy llevaba guantes sin dedos con cables enchufados en su ordenador portátil, que a su vez estaba conectado con el superordenador Cray del buque. Movió las manos en el aire, y en la gran pantalla plana sus movimientos barrieron a un lado ventanas de datos, como en una película de ciencia ficción. Era tecnología de ultimísima generación de Slide Screen, que estaba probando para un amigo que iba a fundar una empresa.

—Allá vamos —anunció, cuando una fotografía aérea de un terreno industrial situado junto a una extensión de agua apareció en la pantalla—. Esto es una foto de los astilleros de C. Kraft & Sons tomada en 1917, sólo tres años antes de que fueran destruidos por un incendio. La empresa fue fundada en 1863 por Charles Kraft con el propósito de construir casamatas de hierro para la flota de acorazados de la Unión. Después de la Guerra Civil, empezaron a construir buques para los Grandes Lagos, sobre todo para transportar mineral de hierro. En 1899, cuando estaban en pleno apogeo, era el principal constructor de buques de los lagos.

—Tras la muerte de Charles Kraft, sus dos hijos, Alec y Benjamin, lucharon por el control. Alec, el hijo mayor, compró al fin las acciones del hermano, pero la deuda en la que había incurrido acabó con la empresa. En lugar de expandirse, fue disminuyendo de tamaño cada vez más, mientras Alec se esforzaba en vender activos para cubrir gastos. No contribuía a la tarea que tuviera serios problemas con el alcohol.

»El incendio que destruyó el astillero fue considerado sospechoso, aunque la compañía de seguros no pudo demostrar que fuera intencionado. Alec Kraft murió en 1926 de cirrosis hepática. Benjamin Kraft no se había quedado en Erie después de la venta de sus acciones, sino que se trasladó a Pittsburgh con su familia. Vivió una existencia tranquila, gracias a los beneficios de la venta. No les ha sobrevivido ningún hijo, pero hay cuatro nietos y once bisnietos, sobre todo en Pensilvania o en el norte del estado de Nueva York.

—¿Algún registro de que la empresa vendiera un barco a Rusia?

Juan formuló la pregunta grabada a fuego en su mente desde que descubriera que el barco misterioso de Karl Petrovski había sido construido en Erie.

—No hay datos de ventas al extranjero —dijo Mark. Movió las manos, y surgió una lista de barcos que la empresa había construido—. Encontré esto en una base de datos del Museo Marítimo de los Grandes Lagos.

Después subrayó varios nombres de la larga lista y fue dando explicaciones.

—Siguiendo tu descripción, he ido reduciendo la lista de los barcos que podrían ser el que encontraste.

Las páginas mostraron más de dos docenas de barcos que coincidían con las dimensiones y antigüedad aproximada del barco que Juan Cabrillo había visto.

—¿Alguna foto? —preguntó.

—Sí, espera un momento.

Murph volvió a obrar su magia, y al cabo de poco estaban mirando fotografías en tono sepia que databan de hacía más de un siglo.

La mayoría de los barcos estaban diseñados para transportar algún tipo de carga. Uno de ellos era un transbordador construido para izar vagones de tren sobre vías dispuestas sobre la cubierta. Desfilaron más fotografías.

—¡Alto! —gritó Cabrillo—. Retrocede una. Es ése.

—El *Lady Marguerite* —dijo Murph después de consultar su ordenador portátil—. Construido en 1899 para, no te lo pierdas, George Westinghouse, y bautizado con el nombre de su esposa.

Cabrillo estudió la foto, sin prestar demasiada atención al comentario de Mark. No se trataba de un buque comercial, sino más bien de un barco de placer. Estaba pintado de un blanco inmaculado, con una franja de color oscuro alrededor de su gallarda chimenea. Casi toda la cubierta de popa estaba abierta al aire libre, aunque protegida en parte por un toldo que resguardaba a sus pasajeros de los elementos. En la foto, estaba fondeado lo bastante cerca de la orilla para ver un árbol al fondo. Era difícil apreciar los detalles, pero imaginó sus elegantes muebles.

—¿Qué sabemos de él? —preguntó mientras se imaginaba cruzando los Grandes Lagos al tiempo que escuchaba música en un gramófono—. ¿Y qué tiene de especial que George Westinghouse fuera propietario de un yate de placer? Fue uno de los industriales más ricos de su tiempo.

Eric Stone había estado limpiando sus gafas de montura metálica, y se las volvió a calar sobre la nariz.

—Para contestar a tu pregunta: Westinghouse es relevante aquí porque se asoció con Nikola Tesla para construir la central eléctrica de las cataratas del Niágara, y ambos inventaron básicamente la red eléctrica que utilizamos hoy.

Tesla, pensó Cabrillo, la última palabra de Yuri Borodin. No se trataba de una coincidencia. Daba la impresión de que habían desprendido la primera capa de la cebolla de su críptica confesión antes de morir. El chiflado ruso no había muerto en vano, de eso estaba seguro, pero en aquel momento no tenía ni idea de con qué se había topado su amigo.

—¿Señor Murphy? —le urgió.

—Hiram Yager, de la NUMA, me facilitó las contraseñas maestras de su ordenador principal. En este momento estoy accediendo a él, pero no hay gran cosa en sus archivos sobre el *Lady Marguerite*. Vamos a ver. Dice aquí que fue trasladado desde los Grandes Lagos a Filadelfia en 1901, y se perdió en el mar en el verano de 1902.

—¿Estaba asegurado?

—Sí, aquí tengo la demanda a la Lloyd's de Londres. Se hundió con cinco personas a bordo. No existe lista, pero no hubo supervivientes.

—¿Una tormenta?

—No lo pone. Estoy investigando la fecha por si hubo otros naufragios… No, no se perdió nada más… Espera. Estoy inspeccionando los archivos de la NOAA para comprobar las condiciones meteorológicas. La noche del uno de agosto de 1902 estuvo despejado en todo el Atlántico.

—¿Qué otra cosa podría haber hundido el barco? —preguntó Eddie Seng, con la barbilla apoyada sobre los dedos.

—¿Qué tal una ballena blanca? —bromeó Linc.

—Una ballena blanca no —intervino Eric Stone, al tiempo que alzaba la vista de su ordenador portátil—. Una nube azul.

—¿Perdón? —le azuzó Cabrillo.

—Hay un informe de un carguero, el *Mohican*, acerca de una extraña nube azul, como un aura eléctrica, que envolvió su barco cuando se acercaban a Filadelfia. Se prolongó una media hora, y desapareció tan misteriosamente como había aparecido. El capitán del *Mohican*, un tal Charles Urquhart, informó de extrañas anomalías magnéticas mientras el barco estuvo rodeado. Los objetos metálicos se adherían a la cubierta como pegados con cola, y la brújula del barco se puso a girar sin ton ni son.

—¿Algún otro barco informó de este fenómeno? —preguntó Cabrillo.

—No. Sólo el *Mohican*.

Mark Murphy lanzó una exclamación ahogada cuando le llegó una súbita revelación.

—No hables todavía —le advirtió Cabrillo, pues sabía cuándo Murphy estaba a punto de desviar una conversación hacia el terreno de las teorías conspiratorias—. No nos precipitemos. Esto me huele a timo a la aseguradora. Westinghouse afirma que el barco se hundió, se embolsa el dinero, y después lo vende a un ruso que lo aparca en el mar de Aral. Y si alguna vez existió un lugar en el que la aseguradora no iba a buscar, era ése.

Mark Murphy estaba dando saltitos en la silla.

—Vale —concedió el Presidente—, adelante.

Murphy exhibió una sonrisa de lobo.

—Según el informe de la Lloyd's, el seguro no era más que una cantidad simbólica para complacer a un banco por problemas de deudas. El barco en sí no estaba cubierto. —Como nadie hizo comentarios, continuó a toda prisa—. Venga, chicos. Todo está ahí. El dinero de Westinghouse, el genio de Tesla, una misteriosa aura azul con extrañas propiedades magnéticas, y un barco encontrado a dieciséis mil kilómetros del lugar en que desapareció.

—¿Estás hablando de teleportación? —preguntó Linc escéptico.

—¡Exacto! ¿Qué decía Sherlock Holmes?: «Si eliminas toda solución lógica ante un problema, lo ilógico, aunque imposible, es invariablemente lo cierto».

—¿Cómo sabemos que hemos eliminado todas las soluciones lógicas? —preguntó Eddie.

Mark Murphy carecía de respuesta inmediata para aquello.

—Dejando aparte asuntos de seguros —continuó Seng—, creo que lo más probable es que vendieran el barco. Los nuevos propietarios pusieron proa hacia el mar Negro, donde fue desmontado, transportado al Aral y vuelto a ensamblar.

Cabrillo se volvió hacia Murphy con las cejas arqueadas.

—Has de admitir que eso tiene mucho más sentido que tu idea de ciencia ficción.

Mark parecía un niño al que acababan de robar su juguete favorito.

—Detesto ser quien lo diga —intervino Max Hanley con una sacudida resignada de su cabeza de bulldog—, pero es posible que Mark no ande errado.

—¿Perdón?

—A principios del siglo veinte, la única forma de llegar al mar de Aral era por caravana, probablemente utilizando camellos en lugar de caballos. Se halla a miles de kilómetros de cualquier corriente de agua navegable, y estamos hablando de un barco que pesaba doscientas toneladas y no estaba diseñado para poder ser desmantelado con facilidad. ¿Alguien sabe lo que es capaz de cargar un camello de dos jorobas normal? Poco más de cien kilos, y punto. Un poco más arrastrando una carreta. ¿Cuántos viajes serían necesarios? ¿Cuántos animales? Sería más sencillo, y barato, que nuestro ficticio amigo ruso construyera un barco en el Aral antes que transportar uno. Pero la cuestión es la siguiente: ¿dónde lo ensamblaría? Necesitaría un dique seco o un astillero grande, y estoy dispuesto a apostar lo que queráis a que no encontraréis ninguno en esa región hacia 1902.

Eddie intervino de inmediato.

—Podrían haberlo utilizado durante años en el mar Negro, y transportarlo con posterioridad al Aral.

—Esa ventana se cierra después de la Revolución rusa —replicó Max—. Se acaban los ricos y, por añadidura, los juguetes de los ricos.

Mark puede seguir investigando, pero dudo que las instalaciones que acabo de mencionar existieran en 1917. —Miró de hito en hito a los socios de la Corporación—. Yo también creo que la idea de Murphy es demencial, pero no hay que descartarla así como así.

Juan Cabrillo asintió, pero no estaba para nada convencido.

—Murphy, ¿algo en tus investigaciones sobre Tesla indica que estuviera trabajando en la teleportación?

Esta vez, fue el turno de Mark de componer una expresión de frustración.

—Nikola Tesla es una figura muy vaga, sobre todo en sus últimos años, cuando se convirtió en un paria, y no hay forma de saber en qué estaba trabajando en realidad. Se habla de rayos mortíferos, máquinas de provocar terremotos y control de la mente. Es imposible saber qué hay de cierto y qué son especulaciones.

—¿Quién lo sabría?

—Me alegro de que lo preguntes.

Mark agitó sus manos enguantadas en el aire, apartó a un lado la información sobre el *Marguerite* y la información del seguro, e hizo aparecer en pantalla la foto de un hombre calvo y anciano, que encajaba con el estereotipo del profesor despistado. En la foto, llevaba una chaqueta de *tweed* y gafas grandes de montura negra. Sus facciones eran poco pronunciadas y su expresión perpleja. Intentaba disimular su calvicie con una cortinilla, que era la única concesión a la vanidad.

—Éste es el profesor Wesley Tennyson, físico teórico que trabajaba en el MIT. Se jubiló hace cinco años y se fue a vivir a Vermont. Es el autor de la biografía definitiva de Tesla, *El genio de Serbia*.

»Eric y yo hemos investigado la vida de este tipo de todas las maneras posibles. Desde que abandonó el MIT, vive prácticamente recluido. Su número no consta en el listín telefónico y no tiene cuenta de correo electrónico, tan sólo un apartado de correos. Pero localizamos una dirección actual en la capital de Vermont, Montpelier. Según las convenciones actuales, está desaparecido en combate.

—¿Por qué nos cuentas esto?

—Es nuestra excusa por no haberle interrogado todavía —explicó Eric.

Cabrillo se reclinó en su silla ergonómica y enlazó los dedos detrás de la cabeza.

—Así que el dúo dinámico ha fracasado.

—Utilizar la tecnología para localizar a un ludista es como intentar capturar una mariposa con un yunque.

Max lanzó una risita cuando Juan Cabrillo no encontró la réplica adecuada.

—Da la impresión de que alguien va a ir a Vermont —dijo, con la vista fija en el Presidente—. No olvides traernos jarabe de arce.

—Ah, y helado de Ben y Jerry —añadió Eric—. A Hux le encanta su Cherry Garcia.

Juan paseó la vista alrededor de la sala.

—Creo que Vermont es famoso también por el granito. ¿Alguien quiere un poco? —Nadie se ofreció voluntario—. Muy bien, iré al norte. Mark y Eric, quiero que los dos encontréis alguna explicación más plausible de cómo el barco terminó en el mar de Aral. Max, dijiste algo acertado sobre un dique seco o un astillero. Bucea en todos los archivos que puedas, a ver si encuentras alguna mención al respecto en el mar de Aral. Para curarnos en salud, abarca desde 1902 hasta que empezaron los trabajos de irrigación que, al final, secaron el lago. Hablando de otra cosa, Max, ¿cuándo acabaremos de aprovisionar el barco?

Max se había puesto unas gafas de leer y le miró por encima de ellas con expresión de desdén burlón.

—¿Quieres investigar lo que podría ser el descubrimiento científico más grande de la historia desde que el hombre inventó el fuego, y me preguntas por las provisiones? ¿Tanto te repele la idea?

—La verdad es que sí. Linda nos está esperando. ¿Cuál es nuestro tiempo estimado de llegada a las Bermudas?

Max se quitó las gafas y estudió a Juan. Esperó un momento antes de hablar.

—Cuando Nikola Tesla inició sus estudios, no tenía competencia. Nada estaba vedado porque, bien, porque el campo recién nacido de la electricidad era tan nuevo que nadie sabía que existieran límites. Montones de científicos modernos se abstienen de investigar ciertas cosas porque se aferran a la idea preconcebida, basada en sus predecesores, de que algunas cosas son imposibles. La cuestión es que Tesla carecía de tales limitaciones porque fue el primero. Fue el pionero que fijó los límites. ¿Quién puede negar que investigó la teleportación, los rayos mortíferos y la máquina de provocar terremotos? El que jamás publicara sus hallazgos no quiere decir que no tuviera éxito. —Miró a Mark y Eric—. ¿Quién fue el tipo que dijo que la teleportación era imposible?

—Werner Heisenberg —respondieron al unísono, y ambos añadieron—: El principio de la incertidumbre de Heisenberg.

—Exacto. Puedes saber dónde está una partícula subatómica o su espín, pero no ambos. —El tono de Max era el de una pregunta, y cuando obtuvo un par de asentimientos de los genios residentes, continuó—. Esto sucedió décadas después del marco temporal del que estamos hablando. Tesla no conocía el principio de incertidumbre, de modo que su pensamiento carecía de constreñimientos.

—Pero, Max —terció Juan Cabrillo—, el principio se aplica a Tesla, con independencia de que lo conociera o no. Por ejemplo, nada jamás superó la velocidad de la luz antes de que Einstein demostrara que era imposible, y nada lo ha hecho desde entonces.

Max Hanley había tendido una trampa lógica, y Cabrillo había caído en ella. El segundo de a bordo remachó.

—Hace un par de meses recibiste una llamada telefónica de un ordenador basado en el entrelazamiento cuántico que depende de que las partículas subatómicas se comuniquen entre sí a una velocidad mayor que la de la luz. «Imposible», dijiste, pero recibiste la llamada. Lo único que estoy diciendo es que, en lo tocante a la tecnología, la imposibilidad de ayer es la interacción persona-ordenador de mañana. Ve a Vermont con mentalidad abierta, y Murphy, Stone y yo elaboraremos una teoría alternativa que se acomode a tu *gestalt*.

—¿*Gestalt*? —sonrió burlón Cabrillo.

—Es una forma de decirlo —rió Max—, no te burles. Intenta ser objetivo, tu teléfono móvil tiene más capacidad informática que la sonda espacial que puso al hombre en la Luna. Y ambas cosas se consideraban imposibles menos de diez años antes de que fueran inventadas.

—Estupendo, estaré abierto a todas las posibilidades. Volviendo a mi pregunta original, ¿cuándo terminará el aprovisionamiento del barco?

—A las diez de esta noche. Estamos esperando un cargamento de un mayorista de licores, y el vuelo desde Anchorage con nuestras patas de cangrejo aterriza en Newark a las ocho y media.

—Un ejército viaja sobre su estómago —comentó Linc.

—Y el hígado, por lo visto —añadió Eddie Seng—. Será agradable volver a saborear *bourbon* de verdad. Max, esa bazofia africana que compraste en Madagascar era peor que matarratas.

—¿Qué esperas a dólar la botella?

—Sólo me siento agradecido de que esa basura no nos dejara ciegos.

—Si te quedas ciego, será por otros motivos —replicó Hanley. Miró al Presidente—. El práctico subirá a bordo a las once. ¿Vas a reunirte con Linda y el emir en las Bermudas pasado mañana?

—De hecho, se han adelantado. Tendremos que poner este cascarón de nuez a toda máquina para llegar a las Bermudas dentro de veinte horas si queremos pillarlos.

Juan Cabrillo pensó un momento en la sincronización de las diversas actividades.

—Una vez que haya hablado con el profesor Tennyson, viajaré en un vuelo comercial hasta Hamilton y avisaré a Gomez para que me recoja con el helicóptero. Seremos la sombra del emir tal como dice el contrato, pero quiero que el barco esté preparado para salir pitando en cualquier momento. —Miró de hito en hito a sus hombres—. Yuri Borodin murió por revelar un secreto que obra en poder de Pytor Kenin. No vamos a parar hasta descubrir qué es.

10

Vio venir el puñetazo por la forma en que su contrincante torció las caderas. Eso le proporcionó la tercera pieza del rompecabezas. En cualquier pelea, un buen boxeador podía deducir de dónde iba a llegar el golpe y cómo. Los grandes descifraban la gran pregunta: cuándo iba a llegar. Cuando percibían el cambio, tenían tal vez medio segundo para reaccionar. El izquierdazo salió lanzado contra su cabeza con todas las fuerzas del hombre. No era un golpe para dejar sin sentido. Era un golpe asesino.

Para él, aquel medio segundo fue toda una vida, y utilizó una parte para admirar la osadía de su contrincante.

Propinar tal golpe significaba saber que, cuando alcanzara su objetivo, la pelea habría terminado. Era un acto de confianza suprema.

O, en este caso, de arrogancia.

Movió la mano derecha lo suficiente para desviar el golpe y retrocedió, mientras el guante de su rival se llevaba una capa de piel de la punta de su nariz. Era todo cuanto su contrincante podría reclamar para sí, un ínfimo fragmento de piel, porque su izquierda se elevó en un martillazo que se estrelló con la fuerza de un huracán. Ya no le quedaban fuerzas para un combate prolongado, la edad le había robado eso, pero podía aprovechar la oportunidad. Su golpe, propinado desde cerca y a la defensiva, partió aun así la nariz de su *sparring* como si estuvieran luchando con los puños desnudos. Un arco de sangre salió disparado cuando el otro hombre se derrumbó sobre la lona, con el cerebro tan cortocircuitado que fueron necesarias ocho barras de amoníaco para reanimarle.

El cirujano empleó tres horas en restaurar su apariencia.

Pytor Kenin no esperó a que los empleados del ring despertaran al contrincante de aquella mañana. Se agachó bajo las cuerdas y levantó los guantes para que un entrenador los desanudara de sus manos. Sólo había estado en el ring unos minutos, pero, como parte de su programa de entrenamiento, el propietario del gimnasio mantenía la instalación cerca de los treinta grados. El sudor resbalaba entre los espesos rizos del vello que cubría su pecho, espalda y hombros.

—¿Dónde encontraste a ese hombre?

Kenin echó hacia atrás la cabeza para indicar la figura que yacía todavía sobre el suelo de lona.

Su entrenador, un veterano de las Olimpiadas cuando la Unión Soviética dominaba los Juegos, se encogió de hombros.

—Afirmó que era el campeón de boxeo en la fábrica de camiones donde trabajaba. Nunca había oído hablar de él, pero creí en su palabra.

—Fatídica jactancia —comentó el almirante mientras le quitaban el segundo guante y su entrenador se puso a trabajar con los vendajes—. Tenía potencia, pero telegrafiaba sus movimientos como Samuel Morse.

Al entrenador le hizo gracia la frase y se rió.

—Le superaba por cinco centímetros y nueve kilos, pero, tal como hemos descubierto a lo largo de los años, juventud y vigor no son digno rival de edad y maña.

Esta vez fue Kenin quien sonrió.

—Muy cierto.

El almirante estaba inclinado sobre un lavabo del cuarto de baño del gimnasio, afeitándose con una toalla envuelta alrededor de la cintura, cuando un ayudante recién nombrado entró con uniforme de gala. Kenin enarcó una ceja al tiempo que miraba al joven marinero, quien estaba viendo por primera vez la cicatriz que le recorría toda la caja torácica. Era un recuerdo del accidente de helicóptero ocurrido a principios de su carrera.

—Lo siento, señor —tartamudeó el ayudante—. Saludos del comandante Gogol. Le gustaría que le telefoneara ahora mismo.

Kenin tenía una buena idea de cuál era el motivo de la llamada, de modo que enjuagó a toda prisa la escasa espuma que quedaba en su cara.

—Gracias. Vuelva al coche y dígale al chófer que iremos a mi apartamento en lugar de a la oficina.

Kenin se puso el uniforme, ajustó varias de las condecoraciones que cubrían una buena parte de su chaqueta, y salió del cuarto de baño, con un teléfono encriptado pegado al oído. En el ring, los entrenadores habían sentado a su contrincante en un taburete, con una pila de toallas ensangrentadas a sus pies y una limpia apretada contra su cara.

Sólo reparaba en el olor del gimnasio cuando se adentraba en su atmósfera calurosa o salía a las calles de Moscú. El aire de la ciudad no estaba limpio por más que alguien quisiera imaginarlo, pero llenó sus pulmones de él para purgarlo del olor a sudor, sangre y cuero viejo.

—Viktor, soy Kenin. ¿Están los hombres en sus puestos?

—Acaban de llamar. Están preparados.

El almirante subió al asiento trasero de la limusina, y su veterano chófer cerró la puerta. El joven ayudante se sentó delante de él. Kenin se sentía tan seguro en el puesto que ocupaba en el gobierno que no se molestaba en circular con un grupo de guardaespaldas.

—Bien. Voy a casa para hacer la llamada. Reúnete conmigo allí para llevar a la práctica el plan.

—Estaré allí dentro de media hora, almirante.

El lujoso apartamento de Kenin se encontraba a tan sólo diez minutos en coche del gimnasio donde se entrenaba. El piso palaciego contaba con su propia sala de ejercicios, equipada con los últimos aparatos, pero prefería entrenarse en el húmedo gimnasio rodeado de otros hombres, cuya dedicación única a las artes pugilísticas era una inspiración.

Jamás habría podido permitirse la planta de novecientos metros cuadrados en el edificio que dominaba el río. Al fin y al cabo, su sueldo era de almirante. No, el apartamento había sido un regalo de uno de sus numerosos benefactores, un oligarca que había hecho su fortuna en los días del Salvaje Oeste posteriores a la caída de la Unión Soviética, y que ahora apoyaba a varios políticos y militares arribistas con el fin de conservarla.

En el vestíbulo del edificio, introdujo la llave en los controles del ascensor, y ordenó que subiera a su planta privada. Al llegar, las puertas se abrieron al vestíbulo de entrada del apartamento, una sala de mármol y pan de oro que daba la impresión de haber sido arrancada del palacio de Versalles. Kenin hacía caso omiso de la opulencia. Era un hombre al que sólo interesaba uno de los adornos de la riqueza, y ése era el poder. La faceta material de la ecuación no significaba nada para él.

Un momento después se encontraba en su despacho, contemplando el monitor de pantalla plana montado en la pared a la izquierda del escritorio. Casi toda la pantalla estaba en negro, aunque una esquina mostraba una imagen de sí mismo tomada desde una cámara situada de tal manera que le confería un aspecto imponente detrás del escritorio. Oprimió un botón de su ordenador portátil cuando su aspecto en el monitor le dejó satisfecho.

La pantalla cobró vida. Al fondo estaba sentado un hombre ante su propio escritorio. Detrás de él había una ventana a bisagra que daba al mar. El tiempo parecía nuboso en aquel lugar; el cielo plomizo, y el mar revuelto cuando se precipitaba hacia la orilla. Kenin había hablado con este hombre lo bastante a lo largo de los años para conceder importancia a su físico.

Nadie sabía el origen del incendio que le había robado tantas cosas. Algunos afirmaban que fue un intento de asesinato, otros que su madre le había prendido fuego de manera deliberada cuando era niño. Había quien decía que fue un accidente de cuando fabricaba bombas para los separatistas turcos de Chipre. Su mano izquierda no era más que unas pinzas de langosta, aunque la derecha había salido indemne. No tenía pelo. El tejido cicatricial que cubría su cráneo poseía el brillo terso de una máscara de Halloween demasiado apretada. Ambas orejas se habían consumido, al igual que la nariz. La piel de su cuello parecía el pellejo escamoso de un lagarto del desierto. Llevaba un ojo cubierto con un parche negro, aunque la inteligencia brillaba en el otro.

—Almirante Kenin, es un placer que me haya llamado en esta hermosa mañana —dijo quien era conocido en los círculos de la inteligencia como L'Enfant.

Kenin estaba seguro de que Yuri Borodin y su lameculos, Mijail Kasporov, no habían utilizado un equipo ruso para sacarle de la cárcel. Conocía a todos los grupos capaces de llevar a cabo una operación tan sofisticada, y todos le rendían cuentas. Lo cual significaba que Kasporov había acudido a agentes extranjeros para la evasión. Existían pocos grupos de ese calibre, y todos mantenían en secreto su identidad. No se trataba de los grandes contratistas de seguridad que habían obtenido fama durante las incursiones norteamericanas en Irak y Afganistán. No, eran fuerzas de élite más pequeñas que operaban con suma discreción. Pero existía una constante en el mundo de las sombras, y era que si alguien necesitaba información discreta, acababa tratando con L'Enfant.

—¿Cómo está, viejo amigo?

No eran amigos, y la frivolidad que Kenin imprimió a su voz era sólo a efectos de impresionar. L'Enfant estaba tan contento de recibir aquella llamada como de hablar con el director de pompas fúnebres de los preparativos de su funeral.

—Podría quejarme, querido almirante, pero ¿de veras tiene ganas de escucharme?

El fuego y el humo habían dañado los pulmones de L'Enfant, de modo que hablaba con una voz rasposa y seca. Una cánula de oxígeno corría bajo los restos de su nariz, sujeta por un esparadrapo, y cada pocos minutos aspiraba por una mascarilla de plástico transparente. Las secuelas de las heridas también falseaban cualquier acento con el que el hombre hablara. Los detalles de su nacionalidad eran tan escurridizos como la causa del incendio que le desfiguró.

Kenin le dedicó una sonrisa falsa.

—Siempre me he sentido interesado por su bienestar.

L'Enfant inclinó su cabeza deforme.

—Qué curioso —graznó—. Su nombre salió a colación el otro día.

—Vaya.

L'Enfant tenía espías esparcidos por todo el globo, que absorbían más información que la CIA. Kenin no tenía ni idea de en qué contexto habría aparecido su nombre de forma que L'Enfant se interesara en él, aparte de la evasión de Borodin, y era demasiado pronto para hablar del verdadero propósito de su llamada.

—En efecto. Al parecer, unos caballeros colombianos compraron un submarino retirado del servicio activo, y la tripulación ha dejado de enviar dos informes programados durante el viaje de regreso.

La expresión de Kenin no se alteró. Era demasiado bueno para eso, pero por dentro estaba echando chispas por el hecho de que aquel sapo estuviera enterado de la operación. La filtración se habría producido por parte de los colombianos, pero el hecho significaba un golpe tremendo.

—No me había enterado de que Colombia quería comprar un submarino para su armada —replicó.

—Ah, no me ha entendido bien, almirante. No era su armada. Tan sólo unos hombres de negocios que habían formado un… Vamos a llamarlo un sindicato. Creo que querían transportar un cargamento poco habitual, y pensaron que un submarino les facilitaría la labor. Sólo menciono esto porque un miembro del sindicato, responsable de la compra del submarino, fue asesinado por sus socios como consecuencia de la pérdida, y antes de morir dijo algo muy extraño. Dijo que usted le facilitó el submarino.

Kenin sonrió.

—No me extraña. ¿Cómo se puede confiar en alguien sometido a coacciones? Debió oír mi nombre cuando ayudé a cerrar el trato con los chinos para que compraran algunos de nuestros antiguos submarinos Kiloclass y, hace muy poco, el portaviones *Varyag*.

—Seguro que sí —admitió L'Enfant—. Recuerdo su papel trascendental en la transacción, y apuesto a que ese pobre individuo soltó su nombre por equivocación.

Ambos hombres asintieron, como aceptando las respectivas mentiras. Era la forma de L'Enfant de demostrar sus conocimientos y recordar a Kenin que sabía dónde estaban enterrados todos los cadáveres, y en qué armarios estaban escondidos los esqueletos.

—Vamos al grano —invitó al almirante.

—Muy bien.

La falsa afabilidad desapareció del rostro de Kenin, y su voz se endureció.

—Antes de que diga nada —aclaró L'Enfant—, permítame asegurarle que no tuve nada que ver con la evasión de Borodin.

—De modo que está enterado.

L'Enfant no se dignó contestar.

—Creo que no intervino en su rescate, pero apuesto a que sabe quién lo llevó a cabo. —Como el otro no protestó, Kenin continuó—. En señal de cortesía por el tiempo que llevamos colaborando juntos, le rogaré que me lo diga.

Era una línea que nunca habían cruzado. L'Enfant había tenido éxito durante tantos años porque respetaba las confidencias con la tenacidad de un banquero suizo. Sólo pedir que divulgara algo semejante era una falta de respeto, y ambos hombres sabían muy bien que su relación iba a terminar a partir de aquel momento.

L'Enfant aspiró por su máscara de oxígeno, y su pecho se hinchó para llenar sus pulmones dañados.

—Una petición inusual, pero no inesperada. ¿Cómo desea que responda?

—Contestando antes a otra pregunta.

—Por supuesto.

—¿A quién teme más? ¿A mí o al hombre que maquinó la evasión de Borodin?

—No temo a ninguno, si bien debo admitir con toda sinceridad que a él le admiro y respeto más.

—Respuesta equivocada. —Kenin bajó la vista y tecleó un veloz mensaje instantáneo. Cuando habló, había recuperado algo de su anterior concisión, pero ahora era más sincero—. El secreto de su éxito se ha basado siempre en dos cosas. Su discreción, sobre la que poco puedo hacer, y su paradero físico, sobre el que sí puedo intervenir. —Hizo una pausa, como si se le hubiera ocurrido algo—. De hecho, son tres las cosas en las que se sustenta su éxito. Es lo que se llama comúnmente «sistema del hombre muerto». Después de su muerte, la información que ha ido recogiendo a lo largo de los años será distribuida a las partes interesadas. Imagino que provocará una oleada de asesinatos, y hasta es posible que desencadene algunas guerras. Supongo que tendría que haber dicho «muertos», porque hay cuatro personas distintas encargadas de llevar a cabo sus órdenes finales si algo le sucede.

Si las facciones surcadas de cicatrices de L'Enfant hubieran sido capaces de mostrar emociones, el miedo se habría reflejado en su rostro. Que tenía un hombre muerto como protección contra la traición era algo sabido por todos. Que tenía cuatro no.

El monitor de vídeo que ambos hombres veían se dividió en cuatro cuadrados a una orden de Pytor Kenin. En cada uno, un hombre vestido con uniforme táctico negro y una máscara oscura apretaba una pistola contra la cabeza de otra persona, tres hombres y una mujer. Dos iban vestidos con traje, y daba la impresión de que estaban en su despacho o de camino a él. De los otros dos, la mujer llevaba indumentaria de ejercicio, y detrás de ella había varias prendas de entrenamiento en un gimnasio casero. El tercer hombre estaba al lado de su cama y sólo llevaba los calzoncillos, sobre los cuales se desbordaban unos doce centímetros de tripa.

Los cuatro eran abogados. Ninguno de ellos vivía en el mismo continente o conocía a los demás, pero todos habían sido contratados en secreto por L'Enfant para divulgar después de su muerte toda la información acumulada sobre sus clientes y enemigos.

—El único peligro real que corro —dijo en tono despreocupado Kenin— es que no estoy seguro de que estas personas tengan a otras personas que ejecutarán su orden final. Pero creo que estoy a salvo. —Compuso una expresión siniestramente seria—. En cuanto a su paradero, amigo mío, vive en la actualidad en la esquina sudeste del piso ciento dieciocho de la torre Burj Khalifa. La vista del mar que hay detrás de usted es de una cámara que transmite en directo desde la costa de Amalfi, y si bien es propietario de los pisos inmediatamente superiores e inferiores al de usted, he llenado la suite ciento dieciséis con suficientes explosivos para derrumbar todo el edificio.

»Repetiré ahora la pregunta. ¿A quién teme más, a mí o al hombre que organizó la huida de Borodin? Permítame recordarle que haré estallar las cargas dentro de, digamos, veinte segundos.

L'Enfant absorbió oxígeno por su máscara.

—Si estuviéramos en igualdad de condiciones, seguiría temiéndole a él más que a usted.

—Ya no estamos en igualdad de condiciones —replicó Kenin, y señaló el monitor para indicar que sus hombres apuntaban sus armas contra la gente de L'Enfant.

—Ya me he dado cuenta.

—Vamos a hacer lo siguiente: usted va a decirme el nombre de la persona que liberó a Borodin y el nombre de su organización, y nunca más volveremos a hablar. Usted no le pondrá sobre aviso. Puede que su traición se haga pública y puede que no. Es posible que sea capaz de salvar algo de su carrera después de esto. Usted elige, y ahora le quedan cinco segundos.

L'Enfant vaciló tanto tiempo como se atrevió, y después, por primera vez en su vida, delató a uno de sus clientes.

—Juan Cabrillo. Es el presidente de la Corporación. Su base se halla en un barco llamado *Oregon*, aunque no suele llevar el nombre pintado en popa.

—¿Lo ve? No ha sido tan difícil.

—Que le jodan, Kenin.

Éste hizo caso omiso del comentario.

—Ahora, mi buen amigo, cuénteme todo lo que sepa sobre este tal Cabrillo y su barco.

11

Una de las cosas que a Juan más le gustaban de Nueva York era que podías comprar cualquier cosa con tal de tener dinero suficiente, ya fuera de día o de noche. Así, se encontró en dirección norte a las siete de la mañana siguiente al volante de un Porsche Cayman S. Como se pasaba todo el año en el mar, tenía pocas oportunidades de conducir, de modo que cuando la noche anterior tuvo claro que tardaría lo mismo en ir a Vermont en avión o en coche, optó por alquilar el deportivo. La agencia de coches exóticos habría podido conseguirle un Lamborghini o un Porsche GT3, pero todos aquellos alerones y adornos eran como una capote rojo de torero para las patrullas de la policía de carreteras.

Los radares no le preocupaban gran cosa, puesto que los detectores de radares que había tomado prestados de los almacenes del barco concederían a los frenos de cerámica del coche tiempo suficiente para aminorar la velocidad.

Antes de partir había consultado el GPS del Cayman para encontrar la ruta más eficaz, y cuando vio que en su mayor parte era por autopista, lo programó para recorrer plácidas carreteras secundarias. Una vez que salió de la congestión que rodeaba Nueva York y sus inmediaciones, se encontró en una carretera asfaltada de dos direcciones con escaso tráfico, salvo algún tractor de granja y algunos coches de las localidades vecinas.

El motor de seis cilindros situado justo debajo de su asiento vibraba de entusiasmo mientras cambiaba de marcha y tomaba las curvas, primero en Connecticut y después en las colinas de Berkshire de Massachusetts. La prudencia le impulsaba a tomárselo con calma cuando atravesaba pequeñas poblaciones que se aferraban a la carretera formando grupos de cansados escaparates, con tan sólo algunas calles perpendiculares, antes de abrirse de nuevo a las tierras de labranza desiertas. Vacas Holstein con manchas negras y blancas salpicaban los campos, como colocadas a posta para que los turistas las fotografiaran.

Aunque estaba concentrado por completo en mantener el Cayman pegado al asfalto, aún le daba vueltas a ideas sobre en qué se había metido exactamente la Corporación. Era un secreto por el que Pytor Kenin estaba dispuesto a matar, eso sí que lo sabía. Yuri, Karl Petrovski y el anciano Yusuf habían muerto por esa causa. Por lo que él sabía del almirante Kenin, tenía que estar relacionado con algún proyecto de defensa ruso. Si Yuri complementaba su magro sueldo de la Marina vendiendo tecnología militar, estaba convencido de que Kenin también lo hacía. El otro hecho del que estaba bastante seguro era de que dicha tecnología se basaba en algo que Nikola Tesla había inventado hacía más de un siglo.

Concedía escasa relevancia a la teoría de Mark Murphy sobre la teleportación, pese al tibio apoyo de Max, que al menos no rechazaba de plano la idea. Juan Cabrillo estaba seguro de que sus investigaciones proporcionarían una explicación más plausible sobre cómo el yate de George Westinghouse había ido a parar al otro lado del globo.

Montpelier se halla situado en una cuenca montañosa a orillas del río Winooski, la arteria central de Vermont. Cabrillo cruzó el río por uno de los numerosos puentes de la ciudad de ocho mil habitantes, y se encontró enseguida ante el impresionante edificio estilo neogriego que era la sede del gobierno estatal, con su fachada de granito y el techo abovedado dorado. Un poco más adelante llegó a un barrio del centro salido de un cuadro de Norman Rockwell. Ningún edificio tenía más de cuatro pisos, y cada uno contaba con detalles arquitectónicos propios. Se apiadó de cualquier constructor moderno que tuviera que enfrentarse a comités encargados de revisar los diseños.

Cuando aún se hallaba a dos calles de su destino, frenó en el aparcamiento de un pequeño edificio de apartamentos, y utilizó el capó del coche para ocultarse mientras se ponía una pistolera, y después un traje negro recto hecho a medida para disimular el bulto de la pistola semiautomática FN Five-seveN. Debajo llevaba una camisa de tela Oxford blanca. Ciñó la trabilla inferior de la funda alrededor del cinturón para sujetarla, y cerró con cuidado el capó del Porsche.

Un minuto después, llegó a una casa estilo Reina Ana de color jengibre, con estrechos tejados con claraboya y torrecillas picudas. Si hubiera estado hecha de pan de jengibre, no le habría sorprendido. La casa centenaria tenía un garaje anexo que era un evidente agregado, pero el responsable de la obra había conseguido que armonizara con la delicada arquitectura del edificio original. En una palabra, la casa era «encantadora». Y daba la impresión de ser el refugio perfecto para un profesor del MIT jubilado.

Cabrillo bajó del coche y cruzó el sendero de piedra que conducía al porche delantero y a la puerta. Había un timbre eléctrico, pero le pareció más adecuado utilizar la decorada aldaba de latón.

—Un momento —dijo desde dentro una voz ahogada.

Si Juan hubiera podido calcular con exactitud lo que duraba un momento, eso tardó la puerta en abrirse.

—¿Sí?

El profesor Tennyson había engordado algunos kilos. Su cara era más carnosa, pero con un brillo saludable. Se tocaba con un sombrero de paja de ala ancha, calzaba botas de goma y llevaba guantes de jardinero sujetos al cinturón. No se había dado cuenta de que había dejado un rastro de pisadas desde el suelo de cerezo de la sala de estar hasta la puerta principal.

—¿Profesor Tennyson?

—Sí. ¿Puedo ayudarle en algo?

—Eso espero, profesor. Me llamo John Smith, y me gustaría hablar con usted sobre Nikola Tesla.

Tennyson parpadeó, un poco a la defensiva.

—¿Está escribiendo un libro?

—No, señor. Estoy llevando a cabo una investigación personal.

—¿Y a qué se dedica usted, señor, mmm…?

—Smith, profesor Tennyson. John Smith. Soy analista de un gabinete estratégico que colabora con el gobierno en materias de política extranjera y seguridad.

Había dos posibilidades, pensó. O Tennyson aborrecía todo cuanto estuviera relacionado con el gobierno y le echaba con malos modos, o aprovecharía la oportunidad de hablar con alguien sobre su tema favorito, fuera quien fuera el interlocutor.

—Seguridad, ¿eh? ¿Es usted una de esas personas convencidas de que algún aspecto de los descubrimientos de Tesla podría convertirse en un arma?

—La verdad, señor, he venido para asegurarme de que nadie lo haya hecho todavía.

Eso pareció despertar el interés de Tennyson. Abrió la puerta de par en par.

—Claro, podemos hablar un ratito, pero eso le costará caro.

A juzgar por el tamaño y antigüedad de la casa, no daba la impresión de que Tennyson necesitara dinero, de modo que el comentario intrigó a Cabrillo hasta que el hombre continuó.

—He talado un pequeño olmo ahí atrás, pero me temo que no estoy a la altura de la tarea de arrancar el tocón. Un joven fornido como usted podría hacerlo en un periquete.

Juan Cabrillo sonrió.

—Creo que el trato está hecho, si me deja utilizar su lavabo antes. El viaje ha sido largo.

—¿Ha venido directamente desde Washington?

—Nuestra sede está en Nueva York —dijo Cabrillo, mientras entraba en la casa. Los muebles estaban inmaculados, y daba la impresión de que eran los originales de la casa. Una adornada barandilla tallada ascendía hasta el segundo piso. Observó que, como en muchas casas de aquella época, había chimeneas de sesenta centímetros cuadrados situadas entre los pisos para permitir que el calor de la chimenea principal llegara a los dormitorios de arriba. A la derecha de la entrada había un vestíbulo con una mesa auxiliar junto a la puerta que conducía al garaje. Vio que el cuenco que descansaba sobre la mesa de patas delgadas parecía un Tiffany auténtico.

Tennyson se fijó en el interés de Cabrillo por los muebles.

—Esta casa perteneció primero a mis abuelos, y después a una tía soltera —explicó—. La conservó exactamente igual, como si fuera un altar personal dedicado a sus padres, y cuando falleció hace unos años, no me decidí a introducir cambios.

—Es muy hermosa.

—Y una pesadilla en lo tocante al mantenimiento —replicó Tennyson con una risita—. A veces me pregunto si soy el propietario de la casa o el criado.

Los complementos del cuarto de baño parecían salidos de un museo de fontanería. Después de utilizar el retrete, con el depósito montado en lo alto de la pared, se quitó la chaqueta y la funda de la pistola. No había forma de arrancar un tocón sin que Tennyson se fijara en ella, y por experiencia sabía que las armas de fuego ponían nerviosos a los civiles. Guardó la pistola en la chaqueta, la cual se puso debajo del brazo y se reunió con Tennyson en el pequeño patio de ladrillo. Los jardines estaban empezando a florecer, y en verano se convertirían en un espectáculo de colores y aromas.

—¿Es aficionado a la jardinería? —preguntó.

—No. La aficionada era mi tía. Yo, personalmente, la detesto, pero ¿qué puedo hacer?

Condujo a Cabrillo hasta el lado izquierdo de la parcela vallada, donde un tocón de un metro aproximado de diámetro sobresalía entre la hierba. Al lado había una pala y un hacha. Un par de petirrojos estaban construyendo su nido en un árbol cercano, y graznaron cuando los hombres se acercaron.

Juan Cabrillo dejó la chaqueta en la que había escondido la pistola a escasa distancia y levantó la pala.

—Dígame, señor Smith…

—John, por favor.

—Yo soy Wes. ¿Qué clase de arma cree que inventó Nikola?

A Cabrillo le gustó que Tennyson utilizara el nombre de Tesla, como si fuera un amigo, y no un desconocido muerto mucho tiempo atrás.

—Ésa es la cuestión. No estamos seguros. Creemos que sus investigaciones están relacionadas con un programa militar, pero no sabemos nada en concreto.

—Era un hombre notable. Me refiero a Tesla. Loco al final, y en la miseria, pobre hombre, pero un genio sin paliativos. Estoy seguro de que no hace falta que le hable sobre sus logros en el campo de la investigación eléctrica: el motor de inducción, el control por radio, comunicaciones sin hilo, bujías. Dicen que sus ideas e invenciones le llegaban desarrolladas por completo en destellos de inspiración.

—¿Qué sabe sobre sus investigaciones sobre armas?

—Se habla de que a finales de su vida quería construir un «rayo pacificador» de energía directa, pero se conoce más como el rayo de la muerte. Su tratado sobre el tema, *The Art of Projecting Concentrated Non-dispersive Energy through the Natural Media*, se encuentra en el museo de Tesla de Belgrado. Lo he leído y es un completo disparate. Sus teorías son interesantes, pero el aparato no podía funcionar. Dedicó tiempo a desarrollar un avión que volaba ionizando el aire. Tal vez sea eso lo que anda buscando.

Mientras cavaba, Cabrillo no veía la relación entre un avión movido por energía iónica y el barco de George Westinghouse que había acabado en Uzbekistán.

—¿Westinghouse y él fueron amigos?

—Oh, sí —asintió vigorosamente Tennyson—. Aunque ya era rico, Westinghouse aumentó su cuantiosa fortuna gracias a su colaboración con Nikola.

—¿Se le ocurre algún experimento que Tesla hubiera podido llevar a cabo a bordo del yate de Westinghouse, el *Lady Marguerite*?

—No —se apresuró a contestar Tennyson.

Demasiado deprisa para el oído entrenado de Cabrillo.

—¿Algo hacia el uno de agosto de 1902?

—Nikola estaba trabajando en la Torre Wardenclyffe en 1902, en Long Island. Su objetivo era transmitir electricidad sin cables.

—Un mes antes se retiraron los fondos para ese proyecto —replicó Cabrillo, y dio gracias mentalmente a Murph y Stone por la información que le habían preparado—. Por favor, profesor Tennyson, esto es importante. Hace unos días localicé el *Lady Marguerite* enterrado en el desierto en que ahora se ha convertido el mar de Aral.

Tennyson palideció y apoyó una mano sobre el pecho, mientras retrocedía dos pasos.

—Dios mío.

—¿Qué ocurrió aquella noche? —insistió Juan—. ¿En qué estaban trabajando?

Tennyson se acercó a una silla Adirondack y se sentó.

—Sólo era una información de segunda mano. Por eso no la añadí a mi libro.

—¿Qué intentaba hacer?

Juan Cabrillo dejó la pala a un lado para conceder a Tennyson toda su atención.

—Era un experimento que iban a enseñar a la Marina estadounidense, de haber salido bien. La idea era utilizar el magnetismo para curvar la luz alrededor de un barco, de tal manera que cualquiera que lo mirara no viera la luz reflejarse en su casco. Su campo de visión pasaría por encima del barco al otro lado.

—¿Camuflaje óptico?

—Exacto. Montaron el sistema en el *Marguerite* y zarparon de Filadelfia, donde se había llevado a cabo el trabajo en un almacén del muelle propiedad de Tesla. Otro barco les acompañaba, donde iban los observadores. Todo esto lo sé por lo que narró uno de los observadores, un tal capitán Paine, del Departamento de Guerra.

—¿Qué pasó?

—Nadie estaba seguro. Todavía estaban esquivando las rutas de navegación, cuando una extraña aura azul surgida del *Marguerite* iluminó el cielo nocturno. Duró unos treinta minutos, y después se apagó. Cuando fueron a investigar, el yate había desaparecido. Dedujeron que se había hundido.

—¿Informaron de alguna anomalía en su barco? ¿Algo relacionado con campos magnéticos?

—¿Se refiere a la historia del *Mohican*?

Cabrillo asintió.

—Investigué lo mejor que pude el incidente, por supuesto. Nada de lo que aquella tripulación experimentó sucedió en el barco de los observadores, pero, para ser sincero, debo decir que iban a bordo de un balandro con casco de madera. ¿El mar de Aral, ha dicho?

—Sí. ¿Qué cree que sucedió?

Tennyson guardó silencio. Sus ojos, detrás de las gafas de montura de concha, se habían quedado abstraídos, clavados en la lejanía.

—¿Qué pasa, profesor? ¿En qué está pensando?

—No estoy seguro —admitió por fin Tennyson—. El *Lady Marguerite* desapareció aquella noche. De eso no cabe la menor duda. Y usted dice que lo localizó en Uzbekistán.

—En el lado uzbeko del Aral —le corrigió Juan Cabrillo.

Con la mirada todavía fija en un objeto que sólo él podía ver, Tennyson continuó.

—Nikola murió en enero de 1943. Aquel mismo año corrió un rumor propagado desde Filadelfia, en octubre, para ser preciso. Se refería a otro proyecto de la Marina, que había utilizado el barco USS *Eldridge*.

Cabrillo sabía bastante sobre el tema, gracias a Mark Murphy.

—No estará hablando del Experimento Filadelfia, ¿verdad? —dijo—. Fue desacreditado por completo.

Tennyson se volvió hacia él con mirada feroz.

—¿Desacreditado? ¿Acaba de localizar el *Lady Marguerite* en Uzbekistán, y está dispuesto a descartar la historia de un barco de la Marina que desapareció en Filadelfia y reapareció en Richmond, Virginia? La historia dice que el barco volvió a su puerto de origen con parte de la tripulación pegada a la cubierta, formando grotescos retablos, mientras otros habían enloquecido a causa de la experiencia.

—Hizo una pausa para controlar sus emociones—. Lo siento, John. Esto es abrumador. Podría haber escrito muchas cosas más sobre Nikola. Era un genio del mismo calibre que Einstein, pero la historia le ha olvidado por completo porque gran parte de sus logros fueron desechados como especulaciones y rumores.

—¿Qué sucedió en Filadelfia? —preguntó con suavidad Cabrillo, para dar ánimos al profesor.

—Eso... Filadelfia. No mucho después de la muerte de Nikola, el FBI se incautó de parte de sus propiedades por orden directa del mismísimo J. Edgar Hoover. Entraron a saco en el hotel de Manhattan donde vivía, y también se apoderaron de sus propiedades en el puerto de Filadelfia. La historia del USS *Eldridge* es un cuento chino, pero constituye la base de lo que descubrieron en aquel almacén del puerto. Lo que le sucedió al *Eldridge* no es la historia, sino lo que encontraron en el almacén de Tesla.

No cabía duda de que Tennyson había recabado toda la atención de Cabrillo.

—¿Qué encontraron?

—Otro barco. Uno modificado. Era un antiguo dragaminas de la Marina que Tesla había adquirido con la ayuda de Westinghouse. Había afirmado que tenía una nueva idea para que el camuflaje óptico funcionara esta vez. Pero nunca contó con el dinero suficiente para terminar el proyecto, de manera que el barco languideció en el puerto hasta que el FBI asaltó la instalación.

—Se llevaron hasta el último pedazo de papel que pudieron encontrar, pero se desentendieron del barco. Nikola murió dejando muchas deudas fiscales, de modo que el barco fue entregado al Departamento de Guerra como chatarra, con el fin de pagar su deuda.

—¿Cómo sabe todo esto, y por qué no he leído nada al respecto? Tennyson sonrió.

—Debido a un pacto muy poco conocido suscrito durante la Segunda Guerra Mundial entre el gobierno estadounidense y la mafia.

—¿Cómo dice?

—Me ha oído bien. La mafia controlaba las instalaciones portuarias del noreste, desde Boston a Wilmington, Delaware. Con el fin de que los muelles funcionaran sin problemas en vistas al esfuerzo bélico, se hicieron ciertas concesiones a figuras del crimen organizado, incluido Lucky Luciano, quien salió en libertad condicional de la cárcel después de la guerra por su colaboración.

—¿Y qué relación tiene todo esto con el barco de Tesla?

—En primer lugar, los estibadores intentaron encender las calderas del barco para transportarlo a unas instalaciones de chatarra en el río Delaware. Lo consiguieron, y uno de ellos accionó sin querer el equipo que Tesla había dejado conectado al casco del barco. Dos hombres se encontraban en la sala de máquinas cuando el ingenio cobró vida. Uno de ellos quedó partido por la mitad a causa de una fuerza desconocida, y sus extremidades inferiores se desintegraron. De ahí surge el rumor de los hombres fundidos en la cubierta del *Eldridge*. Se dice que el torso del hombre muerto fue encontrado erecto y apoyado sobre las manos, como si se estuviera levantando de la cubierta.

»El segundo hombre estaba entero, pero también había muerto, con la piel tan blanca como una sábana. Fue más tarde cuando determinaron que el hierro de su sangre se había liberado de su proteína protectora, y el choque tóxico le mató. Da la casualidad de que estos dos hombres estaban bien relacionados con el jefe de la mafia local, no recuerdo su nombre en este momento, pero, como es natural, los estibadores estaban asustados y se negaron a trabajar en el barco. Discutieron si convocaban una huelga general en todo el noreste, hasta que la Marina accedió a remolcar el barco hasta el Atlántico y hundirlo.

—¿Lo hicieron?

—No les quedaba otra alternativa. La de Filadelfia era una de las instalaciones más importantes de la Marina, tanto para construcción de buques como para su reparación. No valía la pena poner en riesgo eso por un viejo dragaminas sin valor.

—¿Por qué la Marina no investigó la máquina que causó la muerte de esos hombres?

—Estoy seguro de que ése era su deseo, pero con veinte mil estibadores amenazando con dejar de trabajar, al mismo tiempo que los Aliados estaban avanzando por la bota itálica hacia el norte del país, y se estaba concentrando material para una eventual invasión de Normandía, adoptaron la prudente medida de mantener la paz en casa.

—¿Cómo se convirtió lo que me acaba de contar en la historia del USS *Eldridge* y el Experimento Filadelfia?

—En 1953, el autor de un oscuro libro sobre ovnis llamado Morris Jessup recibió una carta de un hombre que se identificaba como Carlos Allende. Éste eligió a Jessup porque en su libro especulaba con que los ovnis funcionaban a base de electromagnetismo, y con que durante la guerra la Marina había experimentado con tales fuerzas en un barco en Filadelfia. Allende afirmaba que la investigación se basaba en la teoría del campo unificado de Einstein, si bien Einstein nunca fue capaz de combinar todas las fuerzas de la naturaleza en una fórmula elegante, como había hecho con la relatividad.

»Se cartearon durante una temporada, hasta que Jessup se dio cuenta de que Allende era un poco excéntrico, e interrumpió todo contacto. Nunca se ha demostrado quién era en realidad Allende, pero creo que iba a bordo del viejo dragaminas de Nikola cuando aquellos dos hombres murieron de una forma tan misteriosa, y se inventó una historia todavía más fantasiosa para engatusar a un crédulo.

»Es interesante destacar que la Oficina de Investigaciones Navales se puso en contacto con Jessup unos años después, acerca de un ejemplar anotado de su libro que les había sido enviado. Les informó de que las crípticas notas estaban escritas por Allende. Después, en 1959, Jessup concertó una cita con el doctor Manson Valentine, el hombre que más adelante descubrió la formación de piedra caliza llamada el Camino de Bimini, en aguas de las Bahamas. Jessup nunca llegó a la reunión. Fue encontrado muerto en Miami dentro de su coche, con una manguera de goma que se extendía desde el tubo de escape a la ventanilla cerrada. Este último detalle es el sustento vital de los teóricos de las conspiraciones de todo el mundo. Dicen que no fue suicidio, sino que fue asesinado por agentes franceses.

—¿Franceses? —se burló Cabrillo.

—Es una teoría conspirativa, al fin y al cabo —rió Tennyson—. ¿Por qué no los franceses?

—¿Dónde descubrió la historia del dragaminas, y por qué no la incluyó en su biografía?

Antes de contestar, el académico jubilado se puso en pie.

—Estoy sediento. Vamos a beber algo, y después ya nos encargaremos de ese tocón. Casi lo ha arrancado del suelo.

Cabrillo recogió la chaqueta y sujetó la pistola enfundada cuando Tennyson le dio la espalda, y después le siguió a través del césped y el patio. La cocina de la casa estaba encajada en la esquina que daba al jardín, y si bien había aparatos «modernos», daba la impresión de que la nevera era un refrigerador reciclado, y una caja de cerillas extralargas al lado de los fogones significaba que había que encender a mano el piloto.

Tennyson sacó dos coca-colas de la nevera y le dio una.

—Estoy seguro de que prefiere una cerveza, pero yo no bebo.

—Ningún problema.

Cabrillo abrió la lata y dio un largo sorbo, pues hasta ese momento no se había dado cuenta de que tenía la garganta seca.

Zumbó el timbre de la puerta, y su sed se desvaneció cuando su mente reprodujo la bala que había alcanzado a Yusuf en el desierto, donde ningún asesino tenía que estar.

—¿Espera a alguien?

—No. Pero mi cumpleaños es esta semana, y estoy recibiendo regalos de estudiantes y colegas —dijo Tennyson mientras salía de la cocina. Cabrillo se le adelantó y miró por la ventana de delante. Una furgoneta de reparto estaba aparcada en la calle al lado de su Porsche, con un ramo de flores grabado en el costado. Su pulso se calmó.

—Parece que alguien le ha enviado flores.

—Debe de ser mi antigua secretaria. Me envía peonías cada año.

Cabrillo cambió de ángulo y vio al conductor parado en el pórtico. Vio tan sólo un fragmento del hombre, y un atisbo del color de las flores que llevaba. El nombre que había debajo del ramo pintado era FLORES EMPIRE.

Las conexiones se produjeron a la velocidad máxima de las sinapsis. Vermont era el estado de la Montaña Verde. Era su vecino, Nueva York, el que tenía el mote de Empire. Ningún florista entregaría un ramo en un punto tan alejado del estado. Habrían llamado a un comercio local para entregar el ramo en cuestión. Alguien procedente de Nueva York no venía a entregar flores. El nombre de Pytor Kenin destelló en su cabeza, y supo que si Kenin recurría a elementos locales para matar al experto en Nikola Tesla más importante del mundo, su base sería Brighton Beach, Nueva York, también conocida como Little Odessa.

—¡Wes! —gritó Cabrillo, y cuando se volvió vio que el profesor ya había llegado a la puerta—. ¡No!

12

Tennyson empezó a tirar del pesado pomo de latón, cuando la puerta se estampó contra su cara, debido a que el florista le había propinado una patada. El profesor cayó al suelo sólo segundos antes de que el cañón con silenciador de una pistola automática invadiera el vestíbulo, seguida de dos detonaciones apagadas de la pistola de Cabrillo, que enviaron al falso florista hacia un macizo de rosales.

La caída de Tennyson le había salvado. La ráfaga de balas había pasado sobre él. Cabrillo se maldijo por llegar dos segundos demasiado tarde para frustrar el ataque contra el profesor, pero agradeció el hecho de que pareciera ileso. Apenas tuvo tiempo de decirle que se hiciera el muerto.

En el ominoso silencio que siguió, oyó a dos hombres hablar en ruso mientras atravesaban corriendo el patio trasero y entraban en la cocina. Cuando llegaron al vestíbulo, estaba desierto salvo por el cuerpo de Tennyson y una pequeña alfombra amarilla de narcisos esparcidos. Sólo la puerta de entrada destrozada mostraba rastros de manchas púrpura. Sin que los hombres lo supieran, Cabrillo estaba escondido en el armario del vestíbulo, y les miraba a través de una rendija en la puerta.

—¿Es él? —preguntó uno de los asesinos.

Su cómplice asintió.

—Ahí lo tienes. Permiso de conducir de Vermont a nombre de Wesley Tennyson.

Cabrillo contuvo el aliento en el armario, confiando en que el profesor hiciera una buena interpretación de cadáver. El único problema era que no había sangre en su ropa.

Como si de repente se le hubiera ocurrido algo, uno de los asesinos se irguió y miró hacia la puerta.

—¿Dónde está Vladimir?

—Es probable que haya ido a la furgoneta a buscar las latas de gasolina para incendiar la casa.

—No le veo a través del parabrisas.

—Iré a echar un vistazo —murmuró el que estaba parado en la puerta—. Tú ve arriba y registra los dormitorios. Yo me ocuparé del sótano cuando encuentre a Vladimir.

—No te olvides de encender el gas de la cocina.

El hombre salió por la puerta delantera, mientras su cómplice subía la escalera.

Apenas había dado cinco pasos, cuando vio el cadáver de Vladimir caído en el rosal, con sus ojos muertos clavados en el sol. Giró en redondo y volvió corriendo a la casa, mientras llamaba a su compañero a gritos. En cuanto atravesó la entrada, vio a un hombre sentado en un diván cercano. La sorpresa le costó los tres microsegundos que Cabrillo necesitaba para meterle un balazo en la frente, justo entre los ojos.

Demasiado tarde, el tipo de la escalera cayó en la cuenta de que algo iba mal. Cabrillo disparó por segunda vez, y un agujero rojo apareció en el cuello del ruso.

Contempló el cuerpo caído a los pies de Tennyson. Después, levantó el cadáver y lo dejó caer encima del otro. Sólo entonces se arrodilló al lado de Tennyson.

—¿Se encuentra bien, profesor?

El hombre levantó la cabeza y miró a Cabrillo a los ojos.

—No, no me encuentro nada bien. He vivido con tranquilidad y dignidad, y en menos de cinco minutos tengo a tres hombres muertos en mi rosal y en la entrada. ¿Qué voy a decir a la policía?

—No hay nada de qué preocuparse. ¿Tiene una carretilla?

—Hay una en el cobertizo de las herramientas.

—¿Puedo cogerla prestada?

Tennyson le miró.

—¿Para qué?

—Voy a llevar los cuerpos a la furgoneta para esconderlos. ¿Se le ocurre alguna zona apartada?

Tennyson pensó un momento.

—Hay una vieja gravera llena de agua. Los aficionados al submarinismo no se sumergen en ella debido a los agentes químicos dejados cuando la abandonaron.

—¿Dónde está?

—A unos quince kilómetros al sur de la ciudad. El camino es difícil. Atraviesa una zona muy boscosa. Hace treinta años que no se utiliza la carretera.

—Parece perfecto. —Entregó a Tennyson las llaves de su coche—. Guíeme hasta la gravera en cuanto haya hecho las maletas.

—¿Las maletas?

—Sí, las maletas. Su vida no valdrá ni dos centavos si se queda aquí. Mi corporación posee un bonito edificio de apartamentos en la isla de Antigua. Vaya allí y relájese en la playa hasta que yo le diga que no corre peligro y que no habrá más atentados contra su vida.

Tennyson formuló la pregunta lógica.

—¿Por qué quiere matarme esta gente?

—Sabe demasiado sobre Tesla.

Sin decir nada más, Cabrillo cargó la furgoneta con los cadáveres, mientras Tennyson tiraba ropa y un estuche de afeitar en una maleta.

Tardaron cuarenta minutos en recorrer los quince kilómetros. Cabrillo abría la marcha, seguido de Tennyson en su Porsche alquilado. El profesor tocaba la bocina una vez para girar a la derecha y dos para girar a la izquierda. En cuanto abandonaron la carretera principal y se internaron por una pista de tierra apenas visible que atravesaba el bosque, su velocidad descendió a veintitrés kilómetros por hora. Tres veces se vieron obligados a parar para apartar ramas caídas de la vieja carretera. Por fin, llegaron a la gravera abandonada.

Había aparatos oxidados dispersos alrededor del borde de la gravera. Edificios de madera decrépitos y podridos era todo cuanto quedaba de las oficinas y el comedor de los trabajadores. El agua presentaba un tono marrón amarillento y olía a sulfuro. Ignoraba la profundidad del pozo, pero confió en que fuera suficiente para sumergir la furgoneta.

Apretó una roca contra el acelerador, puso en marcha el vehículo y vio que la furgoneta daba un brinco hacia delante, saltaba por el borde e impactaba en el agua con una salpicadura informe, para después hundirse poco a poco en el agua.

Después Cabrillo se sentó sobre una piedra grande, absorto en sus pensamientos, mientras esperaba a que la furgoneta desapareciera de su vista. Sabía quién había contratado a los asesinos y por qué, pero había otras preguntas.

Aficionados, se dijo. ¿Por qué Pytor Kenin enviaba a un trío de aficionados?

13

Cuando el mástil surgió del mar como la aleta de un tiburón, apenas surcó el agua y no dejó el menor rastro de fósforo oceánico revuelto, ninguna presencia salvo una diminuta señal luminosa indetectable hasta para los observadores más avezados. Leviatán se hacía visible, pero permanecía oculto en el reino de las aguas.

A doce metros bajo aquel delgado tallo metálico se hallaba una de las armas más destructivas jamás inventadas por el hombre. Akula, o tiburón, un submarino ruso de ataque rápido, era un verdadero depredador del mar. Medía más que un campo de fútbol de longitud y desplazaba sumergido unas doce mil toneladas. El cazador/asesino poseía múltiples tubos para torpedos, lanzacohetes y una serie de sonares capaces de detectar el menor sonido a enormes distancias. Su tripulación consistía en setenta y tres hombres al mando del capitán Anton Patronov.

Patronov tenía el pelo y la piel tan claros que casi parecía albino, y con la nariz respingona que semejaba los cañones dobles de una escopeta, su aspecto era porcino. Tenía los labios muy gruesos, y orejas de soplillo de sus días de boxeador en la antigua academia naval soviética. No era particularmente alto, pero sí contaba con una espalda ancha que ascendía hasta una cabeza de bala con el pelo rapado casi al cero. Compensaba su carencia de atractivo masculino con su capacidad y su crueldad sin límites. Había rechazado ascensos en dos ocasiones para quedarse en el mar, y como hacía muchos años había sido el capitán de submarinos más joven en la historia de la Rusia moderna, tenía más experiencia en submarinos que cualquier otro oficial de la Marina.

Patronov acababa de salir de su camarote de tamaño cubículo, cuando una luz parpadeó en el comunicador. Por megafonía se oyó un mensaje.

—Capitán, vaya a la sala de comunicaciones. Transmisión confidencial.

—Apártense —gruñó, mientras se dirigía hacia la popa, a la sala de radio. Su voz era grave y rasposa, con una oscura inflexión que exigía respeto instantáneo. Marineros y oficiales por igual se apretaron contra las paredes de la estrecha escalerilla para dejarle pasar.

La sala de radio era un angosto espacio más adecuado para aparatos electrónicos que para hombres. No obstante, dos jóvenes técnicos estaban embutidos en la habitación, uno con auriculares alrededor del cuello, y el otro sentado lo más lejos que permitía el espacio, encargado de traducir la transmisión.

—Teníamos un Ohio en pantalla —dijo Patronov cuando entró en el espacio—. Díganme que esto es más importante.

El Akula había estado siguiendo a un submarino de clase Ohio, una de las patas de la tríada defensiva estadounidense de disuasión nuclear, cuando les ordenaron por ultra baja frecuencia que ascendieran a la superficie para una descarga de datos inmediata.

—Está cifrado —dijo el encargado de la radio sin mirar al capitán. Extendió el delgado papel sobre el hombro con la esperanza de que se lo arrebatara, y se olvidara así de que era culpable de dar por finalizada la persecución del submarino.

—Maldición. —Patronov se apoderó de la hoja de papel para ver el mensaje cifrado y volvió a jurar—. Kenin. No ha parado de fastidiarme desde la academia.

—¿Señor?

Era evidente por su tono que el joven operador de radio no esperaba tal falta de respeto de su capitán hacia el almirante que se hallaba al frente de la flota.

—Relájese, Pavel. Cuando llegue el momento de que le cosan los galones de capitán en las hombreras, me maldecirá peor que yo al almirante.

—Sí, señor. Quiero decir, no, señor. Quiero decir...

El joven operador tuvo la prudencia de dejar de hablar y mantuvo la mirada fija en su equipo. El segundo operador se volvió en su silla.

—¿Volvemos a perseguir a los norteamericanos?

Patronov le dirigió una mirada que obligó al operador a dar media vuelta y fijar la vista también en los aparatos.

—Nos llevó una semana de búsqueda la primera vez —dijo mientras salía de la habitación—. Es probable que tarde lo mismo en descifrar el maldito mensaje.

Tardó casi una hora en descifrar la misiva de una página. Como se trataba de un comunicado privado entre los dos hombres y no una orden oficial, tuvo que utilizar un libro de códigos privado que Kenin sólo entregaba a sus seguidores más leales. Patronov sabía que tal libro se hallaba en posesión del capitán Sergei Karpov, quien se encontraba ahora a bordo de un barco lanzamisiles de clase Typhoon, con un complemento de veinte misiles balísticos intercontinentales equipados con cabezas nucleares. Patronov conocía bien a Sergei, y sabía que si Kenin ordenaba un lanzamiento secreto, Karpov apretaría el botón cuanto antes.

Para ser sincero, admitió Patronov, él también.

Con China en camino de convertirse en líder mundial, y Estados Unidos sin ejercer su papel de superpotencia, se estaba abriendo un vacío que un hombre como el almirante Kenin podría aprovechar. El dragón y el águila acabarían enfrentados de una forma u otra, pero sería el oso quien saldría victorioso.

Patronov releyó el mensaje descifrado antes de oprimir el botón de comunicaciones de su escritorio que le conectaba con el puente.

—Orden de emergencia. Segundo de a bordo a camarote del capitán. Timonel, siga rumbo dos tres-cinco. El rumbo se corregirá más tarde, después de revisar los datos del radar. Velocidad máxima. El submarino norteamericano ya no es un objetivo. Repito, el norteamericano ya no es un objetivo.

Siete segundos después, el segundo de a bordo llamó con los nudillos al camarote de Patronov.

—Entre.

Paulus Renko atravesó la puerta y se quedó tieso como un palo hasta que el capitán le indicó con un gesto que tomara asiento. En lo tocante al físico, el joven era todo lo contrario de Patronov. Era tan atractivo como un modelo de cartel de reclutamiento, a escasos milímetros de la estatura máxima permitida en un submarino, con una constitución de esgrimista, espalda ancha y cintura y caderas estrechas.

Patronov le miró un momento, sin que sus feas facciones revelaran nada. Suspiró como si estuviera sopesando una decisión.

—Me han encargado que le diga, comandante Renko, que nunca más volverá a ejercer de segundo de a bordo.

Los ojos azules de Renko se abrieron de par en par, al tiempo que su boca se distendía.

—El almirante Kenin me ha comunicado que, al finalizar esta misión, tendrá un barco a sus órdenes. —Patronov se levantó y extendió la mano sobre el pequeño escritorio que ocupaba una cuarta parte del suelo de su camarote—. Felicidades.

La expresión de Renko pasó del miedo al júbilo en un abrir y cerrar de ojos. Estrechó la mano del capitán, su sonrisa se ensanchó hasta que ya no pudo contenerse y lanzó un grito de alegría.

—No puedo creerlo —dijo, cuando pudo hablar al fin—. Ni siquiera sabía que estaba propuesto para el ascenso.

—No lo estaba —dijo Patronov mientras volvía a sentarse. Su tono gélido bajó la temperatura de la habitación unos veinte grados, y la sonrisa de Renko palideció un poco.

Se sentó de nuevo con movimientos inseguros.

—¿Señor?

—Déjeme contarle una historia —dijo Patronov en tono plácido, como si su frialdad de unos segundos antes no hubiera existido—. Hace dieciocho meses, antes de que se integrara en esta tripulación, se nos encomendó la misión de actuar como plataforma de buceo de un trabajo de rescate. Tuvo lugar cerca de la Costa Este de Estados Unidos, aunque no en sus aguas territoriales. Estuvimos en nuestro puesto durante una semana, y los buzos recuperaron objetos de naturaleza técnica de un barco hundido. —Se adelantó a la pregunta de su subordinado—. El almirante Kenin nunca me dio explicaciones, de modo que no tengo ni idea de qué recuperaron del barco naufragado. Lo único que sé es que tenía unos cien años de antigüedad, y Kenin pensaba que la recompensa justificaba el peligro de ser descubiertos por la Marina o la Guardia Costera de Estados Unidos.

»Acabo de recibir un mensaje del almirante: ha descubierto que otro grupo demuestra un interés poco común por el barco hundido, y es posible que se sumerja pronto.

—¿Quién compone este grupo?

—Mercenarios norteamericanos —respondió Patronov con evidente desagrado—. Se decidió la primera vez que no íbamos a destruir los restos del naufragio para no llamar la atención sobre él. Ahora, Kenin quiere que lo volemos con un par de torpedos. A tal fin, necesito su autorización como segundo de a bordo para dispararlos siguiendo el procedimiento.

—Y si acepto, ¿consigo el ascenso?

—Quid pro quo.

Renko se masajeó la mandíbula.

—Debo suponer que ni este acto ni el anterior fueron autorizados por el Alto Mando de la Marina.

—Estoy seguro de que alguien está enterado, alguien cercano al almirante Kenin, pero no, esta operación es extraoficial.

—¿Y los mercenarios?

—Según la fuente de Kenin, no son capaces de detectarnos, y mucho menos de oponer resistencia. Llegaremos despacio y a bastante profundidad, lanzaremos dos USET-Ochenta contra los restos, y desapareceremos antes de que hayan detectado nuestra presencia. Si tienen buzos en el fondo, bien, mala suerte. ¿Qué me dice, Paulus, quiere ser capitán a los treinta y un años de edad? Eso le concedería, por cierto, una ventaja de dos años sobre mi hoja de servicios.

Renko se levantó y estrechó la mano de su capitán.

—Soy su hombre, señor.

—Muy bien, avise a la sala de torpedos de que cargaremos dos tubos con proyectiles antisubmarinos. Nos quedan tres días de navegación para llegar a nuestro destino, pero quiero que ya estén preparados.

—Sí, señor.

Patronov garabateó algunas coordenadas en un trozo de papel,

—Éste es el emplazamiento GPS del barco naufragado. Perfile y planee nuestro nuevo rumbo. Velocidad máxima en todo momento.

—Sí, sí, señor.

Renko giró sobre sus talones y salió del camarote.

Patronov sabía que su subordinado se sentía entusiasmado por sus futuras perspectivas, pero todo trato con el diablo prometía grandes cosas. No era hasta mucho después cuando descubrías los costes.

14

—Eres la viva imagen del aburrimiento —dijo Max, al tiempo que salía del ascensor situado en la parte trasera del centro de operaciones.

Cabrillo dejó su taza de café en el posavasos practicado en la Silla Kirk, la plataforma central de mando situada en mitad del espacio de techo bajo rebosante de aparatos electrónicos. En la pantalla principal se proyectaba un vídeo borroso procedente de una sonda que exploraba el fondo del Atlántico a casi noventa metros de profundidad. Era difícil observar los detalles, mientras el sumergible no tripulado paseaba sus cámaras sobre el casco de un barco no identificado.

—Has dado en el clavo —replicó—. Veintidós restos de naufragios estudiados y veintidós fracasos consecutivos.

—Pero ¿qué estamos buscando? —preguntó Max, mientras cruzaba la sala con un plato de comida en la mano. Se sentó al lado de Cabrillo—. Tacos de pescado, por cierto. Salsa pico de gallo recién preparada, pero el chef ha escondido dentro un chile fantasma, de modo que ten cuidado.

—Gracias. Me muero de hambre. —Cabrillo comió medio taco de un solo bocado, y consiguió no mancharse la camisa cuando la tortilla se rompió inevitablemente—. Lo que estamos viendo, si mis cinco días de experiencia me han enseñado algo, es un palangrero de Boston que se hundió en 1960 o así.

—¿No es nuestro objetivo?

—Ni siquiera se acerca. ¿Sabes cuántos barcos naufragados hay en aguas de la Costa Este?

—Unos tres mil quinientos —contestó Max—. Y la mayoría están apretujados entre Richmond, Virginia y Cape Cod. Menos de una cuarta parte ha sido identificada. Lo cual es como buscar una aguja en un montón de pajares.

—Para nada exageras.

Durante los días transcurridos desde que Cabrillo había regresado al barco después de su desastroso encuentro con Wesley Tennyson, el *Oregon* se había dedicado a peinar el fondo marino con un sonar de barrido lateral en busca del misterioso dragaminas que, según el profesor, Nikola Tesla había modificado. Murph y Stone habían calculado los parámetros de búsqueda, a los que habían superpuesto una cuadrícula de naufragios acaecidos en la región. Ésa era la buena noticia. Como la pesca era abundante en aquellas aguas, todos los obstáculos del fondo, como rocas, afloramientos y barcos hundidos estaban marcados con claridad, aunque pocas veces identificados con un nombre.

Eso les dejaba con cuarenta posibles candidatos que explorar con su vehículo operado a distancia, llamado *Little Geek* por un vehículo de aspecto similar que aparecía en la película *Abyss*. Podían descartar fácilmente barcos con casco de madera y formaciones rocosas naturales a base de verificar primero cada objetivo con un magnetómetro, el cual detectaba la presencia de metales. En cuanto identificaban un barco con casco de acero, llegaba el laborioso proceso de bajar el robot del tamaño de una maleta a través de una especie de piscina en el casco del barco, a la que llamaban «bañera», hasta el fondo marino, e inspeccionar visualmente cada resto. La identificación era más difícil porque las redes desprendidas de los arrastreros que surcaban los mares estaban enredadas en los pecios. Redes que no sólo ocultaban los restos, sino que propiciaban que un vehículo operado por control remoto quedara atrapado.

Juan Cabrillo apretó un botón del brazo de su silla de mando.

—Cabrillo a operador de *Little Geek*. Esto es un desastre, Eric. Recupéralo y vamos a por nuestro objetivo número veintitrés.

—Recibido, Presidente.

—Timonel, en cuanto el robot esté a bordo, pon rumbo ochocinco a veinte nudos. —No era ni con mucho la velocidad máxima del barco, pero con las aguas tan transitadas no quería revelar el verdadero potencial del *Oregon*. De hecho, veinte nudos parecía fuera del alcance de un montón de chatarra oxidada como aquél, pero todo formaba parte de su trabajado engaño—. El siguiente objetivo en potencia se encuentra a veinte millas de distancia.

Cabrillo se frotó los ojos.

—No puedo creer que Dirk Pitt se ganara la vida así. Menudo aburrimiento.

—Estilos diferentes —replicó Max—. Y tú y yo sabemos que no hay mucho aburrimiento en el historial profesional de ese hombre.

—Por cierto, ¿cómo es posible que el emir no se esté desgañitando a protestar porque no estamos con él para protegerle?

—Tuvimos un golpe de suerte. Está practicando *rafting* con un príncipe saudí y unos multimillonarios de las telecomunicaciones mexicanos, si puedes llamar *rafting* a tres megayates sujetos entre sí. Linda me ha dicho que se hacen la competencia a la hora de organizar cenas de lujo. Me dice que cada uno de ellos ha mandado enviar chefs y manjares a Hamilton en helicóptero. Buscó en Google uno de los vinos y comprobó que lo habían subastado hace cuatro años por diez de los grandes.

—¿La caja?

—La botella. Y los tres y sus núbiles invitadas se bebieron ocho para cenar.

Max enarcó una ceja.

—¿«Núbiles»?

—El adjetivo es mío. La descripción de Linda fue menos amable. Creo que hasta llegó a utilizar la frase «mujeres de mala vida».

Max Hanley lanzó una risita.

—No hay muchas mujeres que puedan darle celos en el apartado belleza.

—Bien, va acompañada de seis de ellas, y no le hace demasiada gracia. Dice que nos quedan dos días hasta que interrumpan su pequeña fiesta y el emir ponga rumbo a las Bermudas. Si mañana a esta hora no hemos encontrado el barco naufragado, daremos por finalizada la búsqueda, dejaremos a nuestro estimado amigo en una de las islas más seguras del mundo durante dos semanas, y después volveremos aquí para seguir buscando.

—¿Qué crees que encontraremos?

—No tengo ni idea, pero si le interesa a Pytor Kenin, no puede ser bueno.

La voz de Eric Stone se oyó por los altavoces empotrados en el techo.

—*Little Geek* de vuelta a bordo, y puertas de la quilla cerradas.

—Timonel —dijo Cabrillo.

—Estamos en ello, Presidente.

Éste desvió la pantalla principal a las cámaras del puente y la expandió, para gozar de una vista casi panorámica del mar. Las aguas estaban encrespadas y plomizas bajo el cielo gris, y a lo lejos se divisaban cortinas de lluvia. Vio las siluetas de dos barcos en el horizonte, uno en dirección norte y el otro al sur. Cuando el *Oregon* aumentó la velocidad dejó de dar bandazos, y el constante cabeceo que había padecido mientras flotaba sobre el pecio desapareció.

Devoró el segundo taco y lanzó una repentina exclamación ahogada. Su cara se tiñó de púrpura y empezó a jadear.

—¿Chile fantasma? —preguntó amable Max.

—Sí —logró articular Cabrillo, mientras brotaban lágrimas de sus ojos.

—Detesto ser yo quien te lo diga —continuó Max Hanley, al tiempo que apoyaba una mano sobre el hombro de Cabrillo, que intentaba aspirar aire por encima de su torturada lengua—, pero esto es el desquite por haber añadido sal y pimienta a tu pastel de carne de anoche. El chef dijo que estaba sazonado a la perfección, y que si quieres tu comida más especiada, será un placer para él complacerte. Que disfrutes.

Salió del centro de operaciones, dejando al Presidente incapaz de replicar.

Una hora después, se encontraban sobre el punto donde las cartas marinas indicaban un obstáculo en el lecho del mar. Bajaron el sonar de arrastre lateral, un aparato que descendía hasta casi tocar el lecho marino, y tomaron fotos de su entorno. El obstáculo, ya fuera artificial o natural, estaba exactamente donde indicaban las cartas marinas, pero la cartografía del lecho del mar no era la misión primaria, secundaria, ni siquiera terciaria del *Oregon*. Como resultado, su unidad de sonar no estaba a la altura de organizaciones como la NOAA o la NUMA, y tardaban bastante en localizar el objetivo. En este caso, dedicaron una hora a recorrer líneas al norte y al sur sobre una franja de mar, como alguien que cortara el césped los fines de semana. Era el tedioso ir y venir lo que ponía a prueba la paciencia de Cabrillo.

Por fin, después de su segunda hora de búsqueda infructuosa, la pantalla mostró un objeto que empezó a reflejar ondas de sonar en la antena acústica.

Juan experimentó el chute inicial de adrenalina que siente cualquier cazador a la primera señal de la presa. Se convirtió en amarga decepción cuando el sonar reflejó un objeto de al menos noventa metros de largo, con una forma tan extraña que sólo podía ser un afloramiento de piedra en la plataforma continental, por lo demás yerma.

Otro fracaso, pensó. Conectó el intercomunicador.

—Eric, parafraseando a Charlie Brown en Halloween, tenemos una roca. Sigue adelante y deja desplegado el trineo, nuestro próximo objetivo se halla a sólo cinco millas de distancia.

El cable del sonar remolcado era mucho más grueso que el umbilical del robot *Little Geek*, de modo que podían dejarlo en el agua mientras se deslizaban hasta la siguiente marca de la cuadrícula, pero tendrían que mantener la velocidad por debajo de quince nudos para no tensarlo en exceso.

—De acuerdo.

—Timonel, el siguiente objetivo se encuentra a cinco millas en dos diecinueve.

—Siguiendo rumbo dos diecinueve a quince nudos.

Mark Murphy salió del ascensor con una camiseta en apariencia manchada de sangre, con las palabras «ESTOY BIEN» escritas sobre el pecho. El joven genio de la técnica tenía el rostro sepultado en su iPad mientras andaba.

—Ya era hora —dijo Juan Cabrillo—. Tenías que haberme informado hace diez minutos.

—Ambos sabemos que tú no ibas a abandonar el centro de comunicaciones hasta que identificaras este último objetivo, de modo que me sintonicé con comunicaciones y aparecí cuando diste las órdenes.

Juan frunció el ceño, porque no le gustaba que descubrieran sus propósitos con tanta facilidad.

—Muy bien. Te concedo ésta. Por tanto, ya sabes que la antena está desplegada todavía.

—Hola. Comunicaciones sintonizada. Lo sabía.

—Hoy estás un poco torcido.

—Lo siento, jefe. Me han pedido que evalúe como experto un artículo escrito por un amigo de la Universidad de Berkeley, y todas sus conclusiones son erróneas, y por más que intento ayudarle a comprender sus equivocaciones, no lo pilla.

—¿No le gusta que le den lecciones?

Murph sonrió.

—A nadie le gusta.

Juan pasó el resto del día dedicado al papeleo, cenó con Eddie Seng y Franklin Lincoln, y vio una película en su camarote antes de volver al trabajo. Analizaron cinco objetivos más durante el turno de Mark y, como todos los demás anteriores, no era el barco de Tesla.

Les quedaba un día más antes de dirigirse hacia el sur, a las Bermudas. Desde un punto de vista general, una interrupción de dos semanas para proteger al emir no era gran cosa, pero Juan sentía que el espectro del tiempo se cernía sobre él. Kenin estaba cubriendo sus huellas, primero en Kazajistán, y de nuevo con el profesor Tennyson. Era lógico concluir que intentaría destruir el barco experimental de Tesla, si conocía su paradero, y estaba seguro de que el almirante ruso lo conocía.

No era de extrañar que su sueño fuera inquieto.

El timbre del teléfono de la mesita de noche le despertó.

—Hola —murmuró. Carraspeó y probó de nuevo—. Hola. Soy Cabrillo.

—Presidente, soy Eric.

—Sí, Stone. ¿Qué tienes?

—Creo que lo hemos encontrado.

Juan Cabrillo se dio cuenta de que eran las cinco de la mañana. Una pálida luz solar se filtraba a través de las cortinas corridas sobre las portillas.

—¿A qué hora habéis empezado esta mañana? —preguntó mientras bajaba los pies de la cama.

—Hemos trabajado toda la noche. Buscamos a tal profundidad que tuvimos que encender las luces alógenas del robot, y el tráfico de barcos ha sido escaso.

—¿Dónde estamos?

—Objetivo treinta y dos.

Sabía que eso les ubicaba a veinte millas al este de Ocean City, Maryland. Casi el centro exacto de la cuadrícula de búsqueda que Eric y Murph habían trazado.

—Bien calculado —dijo.

Eric Stone sabía a qué se refería Cabrillo.

—La verdad sea dicha, no hay que ser una lumbrera, pero gracias.

—¿Tienes imágenes?

Sujetaba el teléfono con el hombro, mientras se ajustaba el calcetín de la pierna artificial sobre el muñón.

—El *Little Geek* está ahí abajo ahora, y parece que es un buque de guerra pequeño, de la década de 1930, con algunas modificaciones extrañas. Da la impresión de que construyeron un armazón sobre toda la cubierta, que se alza por encima de la superestructura y el puente.

—¿En qué estado se encuentra el pecio?

—Está bastante erguido en el fondo. Se ha derrumbado en parte, pero, en conjunto, está en mejor estado de lo que cabía esperar. El único problema es que tiene un par de redes enganchadas encima, así que no quiero que *Little Greek* se acerque demasiado por si se enreda el umbilical.

—Vale. Avisa a la «bañera» de que voy a bajar, y despierta a Mike Trono.

Trono era el blanco de muchos chistes en el *Oregon* porque era el único exmiembro de la Fuerza Aérea de una tripulación dominada por veteranos de la Marina. Había sido paracaidista, uno de los encargados de saltar tras las líneas enemigas para salvar a pilotos derribados, y se forjó su reputación primero en Kosovo y después en Irak. También era el único buceador, además del Presidente, capacitado para bucear con gas trimix, que necesitarían para llegar a la profundidad del dragaminas.

—¿Vas a bucear?

—No puedo poner en peligro el *Little Geek*, pero sí a mí. También me llevo a Eddie. Le quiero con nosotros ahí abajo en el Nomad.

Cabrillo colgó el teléfono, se puso la ropa del día anterior y entró en el cuarto de baño para lavarse un poco.

El mayor espacio a bordo del *Oregon*, aparte de la bodega principal, era el área subacuática, donde guardaban los dos sumergibles, y la «bañera», desde donde los lanzaban abriendo dos grandes compuertas practicadas en el casco del barco. Estaba iluminado con potentes focos cuya luz se reflejaba en el agua negra que chapoteaba en el hueco del tamaño de una piscina. Un equipo estaba trabajando en el Nomad 1000, el más grande de los dos minisubmarinos y el único equipado con esclusa de aire. El Nomad parecía un rombo blanco con tres pequeñas portillas orientadas hacia delante, encajadas en un armazón de depósitos de lastre, propulsores, baterías y un par de brazos mecánicos de aspecto horrible equipados con pinzas de retroalimentación, capaces de recoger las más delicadas gorgonáceas o abrir en canal una hoja de acero. El mini podía albergar a seis personas, y podía bajar hasta trescientos metros. El submarino Discovery, más pequeño, era un coche deportivo comparado con su primo, similar a una furgoneta de reparto, y podía sumergirse a aquella profundidad, pero Cabrillo quería la esclusa de aire como contingencia si algo salía mal. Mike y él entrarían en la cámara y se someterían a descomprensión en el interior si tenían que efectuar una rápida ascensión. El pesimismo nato de Cabrillo era lo que le convertía en un excelente planificador de contingencias. A Mike siempre le gustaba burlarse de él por sus planes C, D y E, y si bien muchos de ellos eran demenciales, habían salvado más operaciones de las que Max Hanley admitiría jamás.

En una esquina de la cavernosa sala, los ingenieros preparaban el equipo de buceo más innovador del inventario del *Oregon*. Cuanto más peligroso el entorno, más equipo necesita el hombre para sobrevivir. Dejad a alguien en una isla tropical, y necesitará poco más que un faldellín de plumas. El lugar al que se dirigía Cabrillo era tan inhóspito para la vida humana como el vacío del espacio exterior. Como la presión iba en aumento por debajo de los ciento veinte metros, el nitrógeno que compone la inmensa mayoría del aire inunda la sangre y provoca narcosis de nitrógeno, o borrachera de las profundidades. Era una sensación de euforia debilitadora que convertía en imposibles las tareas más sencillas. Para contrarrestar esto, casi todo el nitrógeno del aire que Cabrillo y Trono respirarían sería sustituido por helio indisoluble. La mezcla se llamaba trimix porque contenía un poco de nitrógeno para impedir otro problema debilitador llamado síndrome nervioso de alta presion.

Además de eso, llevarían pequeños cilindros de argón para inflar sus trajes de neopreno. El argón conducía el calor con mucha más lentitud que el helio o el aire normal, y la temperatura del fondo era inferior a cuatro grados, de modo que la hipotermia siempre constituía un problema. En total, cada hombre cargaría con más de setenta kilos de equipo.

—Buenos días, Juan —saludó Mike Trono. Tendría unos treinta y cinco años, era delgado y tenía el cabello castaño ralo y pincho—. No he tenido la ocasión de preguntarlo, pero ¿te gustó Vermont?

Trono había nacido en el estado de la Montaña Verde.

—Bonito, pero las carreteras son atroces.

—Ah, baches y placas de hielo… Eso sí que no lo echo de menos.

—¿Estás preparado para esto?

—¿Bromeas? Vivo para explorar barcos naufragados. Pasé mis últimas vacaciones explorando el *Andrea Doria*.

—Eso está bien. ¿Kurt Austin estaba al frente de la expedición?

—Sí. Era la segunda vez que bajaba.

Una nueva voz, de refinado acento inglés, se entrometió.

—Hay demasiadas personalidades de tipo A a bordo de este buque.

—Hola, Maurice.

Juan saludó al camarero jefe del *Oregon*.

Daba igual que pasaran tan sólo unos minutos de las cinco de la mañana, o que la noticia del descubrimiento hubiera llegado hacía menos de quince minutos, el jubilado de la Royal Navy iba vestido con tanta elegancia como siempre, con pantalones negros de raya perfecta, camisa blanca de cuello abotonado y zapatos tan lustrados que avergonzarían a un guardia de honor de la Infantería de Marina.

Llevaba una servilleta blanca sobre un brazo y cargaba con una bandeja de plata tapada. Dejó sobre la mesa una jarra de café y levantó la tapa. El olor tentador a huevos revueltos y salchichas de desayuno repelió el olor salobre del mar que impregnaba el área de la «bañera».

Después de desayunar, ambos hombres se desnudaron y se pusieron ropa interior y calcetines de buceo térmicos, y a continuación los trajes estancos Ursuit Cordura FZ, los cuales sólo dejaban la cara al descubierto, que se cubrirían con cascos de buceo equipados con sistema de comunicaciones. Un modulador de voz informatizado neutralizaría algunos de los efectos de respirar helio, pero aun así las voces de los hombres sonarían como la voz de contralto de Mickey Mouse.

Mientras se estaban vistiendo, Eddie había llevado a cabo sus comprobaciones previas a la inmersión, y el sumergible Nomad fue bajado al agua. Tanques de trimix adicionales fueron sujetos a puntos del casco, de tal modo que los dos buceadores no necesitarían utilizar los suyos hasta que estuvieran en el fondo.

—¿Cómo lo ves? —preguntó Cabrillo a Mike.

—Me alegro de acompañarte.

El Presidente le hizo el gesto universal de OK para buceadores, apretando el índice contra el pulgar, y se puso el casco. Mike le imitó. Los dos inhalaron aire a modo de prueba y llevaron a cabo los ajustes necesarios.

—Y muy buenos días al Gremio de la Piruleta —dijo Max Hanley desde su puesto en el centro de operaciones.

—Muy gracioso —replicó Juan Cabrillo, pero su irritación pasó desapercibida debido a su voz cómica.

—Sólo para vuestro conocimiento, la previsión meteorológica indica viento suave y un mar bastante calmado. Pero no olvidéis que tenéis una corriente de cinco nudos al sur del fondo. Si os descuidáis, os arrastrará.

—Recibido —dijeron los dos hombres al mismo tiempo.

—¿Preparado, conductor de autobús? —preguntó Cabrillo a Eddie Seng.

—Di la palabra.

—Vámonos.

Juan y Mike intercambiaron otra señal de OK y se lanzaron sin más preámbulos al frío abrazo del Atlántico. Inflaron enseguida sus trajes y ajustaron su flotabilidad para planear como medusas justo debajo de la superficie. Encontraron asideros a lo largo del costado del Nomad y cambiaron sus alimentadores de aire a los depósitos acoplados al casco.

—Vamos.

—Sujétate bien. Liberad el Nomad. —Una pausa—. Nos hemos soltado.

Hubo un estallido de burbujas alrededor del sumergible cuando Eddie purgó sus depósitos, y el minisumergible de nueve metros inició su descenso hacia el fondo marino y lo que ocultara el dragaminas naufragado.

Cabrillo sintió la presión que se estaba formando alrededor de su traje, y calculó que sería de unos noventa kilos por pulgada cuadrada cuando llegara a los restos. No paraba de inyectar argón para impedir que el material le aplastara. La baja temperatura no significaba un problema en aquel momento, pero a la larga empezaría a filtrarse a través de las capas protectoras y le robaría calor, primero de su piel y después de su interior.

A medida que descendían, el agua gris azulada de la aurora viró a un azul oscuro, y por fin a un negro profundo. No tenían la impresión de moverse mientras descendían, salvo por la corriente que arrojaba las aguas tropicales del Caribe a la Costa Este y a Europa del Norte.

Cabrillo mantenía una constante vigilancia de su equipo, comprobaba las válvulas, así como la hora, la profundidad y otros detalles en el ordenador de buceo. También se comunicaba con Max y Eddie a intervalos regulares, y mantenía confirmación visual de que su compañero de inmersión se encontraba bien. El descuido es peligroso en cualquier lugar. En una inmersión, es letal.

—Fondo a quince metros —anunció Eddie—. Voy a encender las luces.

Por potentes que fueran, las lámparas de xenón montadas en la parte delantera del submarino eran capaces de arrojar una corona de luz a sólo seis metros. Mostraban que el océano estaba lleno de nieve, diminutas partículas de materia orgánica que llovían sin cesar desde la superficie, sólo que era mucho peor debido a la corriente. Cabrillo había experimentado este fenómeno en muchas ocasiones, pero en este viaje era como intentar ver a través de una ventisca.

—La visibilidad es fatal —se quejó Mike.

—Repítelo —dijo por radio Max.

—No hay visibilidad —pronunció despacio Cabrillo.

—Recibido.

—Estamos a quince metros del barco —anunció Eddie—. Lo

tengo en el lidar. Mide unos veinticuatro metros de eslora, pero arrastra sus buenos sesenta metros de redes de pesca viejas enredadas alrededor del casco.

Una salva de sedimentos estalló alrededor del casco cuando Eddie aceleró demasiado los motores del sumergible.

—Uf. Lo siento.

El aparato salió de la nube de arena que parecía arrastrar la Corriente del Golfo. Cabrillo vio por primera vez el barco con sus propios ojos. El viejo buque de la Marina parecía tan embrujado y melancólico como cualquier barco naufragado que había visto, y con las redes podridas ondulando en la corriente, semejaba un viejo castillo envuelto en telarañas. Sintió que un escalofrío recorría su espina dorsal, pero no tenía nada que ver con la temperatura.

El barco era una embarcación esbelta, con una superestructura bien proporcionada y una sola chimenea situada a popa de la sección media. No tenía nombre, pero bajo la escarcha acumulada de vegetación marina se veía pintado el número 821 al lado de uno de los escobenes por el que pasaba la cadena del ancla principal. Daba la impresión de que estaba firmemente aposentado. No había planchas del casco aplastadas, pero la superestructura mostraba señales de degradación, pues partes de algunas cubiertas se habían derrumbado después de casi setenta y cinco años de ataque corrosivo del mar.

—¿Podéis conectar las cámaras de los cascos para que veamos algo? —preguntó Max.

Juan Cabrillo encendió su cámara y sus luces, al tiempo que Mike Trono hacía lo mismo.

Cuando se acercaron más, percibieron otros detalles, y Juan distinguió el extraño armazón construido alrededor del casco del que Eric Stone había hablado. El entramado metálico daba la impresión de extenderse justo por debajo de la línea de flotación, y cubría todo el barco, con lo que era en esencia una jaula con aberturas de unos sesenta centímetros cuadrados. Les iba a resultar difícil abrirse paso a través del armazón y explorar el barco.

La estructura era muy extraña, y no tenían ni idea de cuál podía ser su propósito. Mientras el resto del barco estaba cubierto de herrumbre e invadido de vegetación marina, el armazón brillaba, y ni un solo organismo había intentado convertirlo en su hogar. No crecían almejas, como las colonias que infestaban la cubierta del buque, ni estrellas de mar adheridas, ni siquiera un pólipo de coral extraviado. Era como si los seres marinos evitaran el andamio metálico.

—Mike —llamó Juan Cabrillo—, toma una muestra de ese armazón. Prioridad uno.

—Recibido. Quieres una muestra de ese armazón —repitió Trono para que no hubiera confusiones.

Eddie depositó el Nomad sobre el lecho marino, a unos tres metros de los restos. Cabrillo y Trono conectaron sus tanques de trimix, y esperaron un minuto para asegurarse de que contaban con flujo de aire regulado, y después se alejaron del minisubmarino.

Eddie les había situado de tal forma que el casco del Nomad bloqueaba lo peor de la brutal corriente, y resultó fácil nadar sobre los restos del pecio. Mientras Mike atacaba uno de los miembros del armazón con una sierra provista de dientes de diamante, Cabrillo consiguió deslizarse a través de una de las aberturas cuadradas, quitándose primero uno de los tanques y pasándolo después por el hueco. En cuanto tuvo colocado de nuevo el tanque, nadó sobre la cubierta de popa, donde el barco había desplegado y reparado minas en sus tiempos. Ahora que se hallaba sin la protección del Nomad, mantenía una mano apoyada sobre el barco en todo momento. El armazón impediría que la corriente se lo llevara del barco, pero si se estrellaba contra el entramado, en caso de resbalar, podía dañar el equipo o romperse algún hueso.

Llegó a una puerta que conducía al interior del dragaminas. Antes de hacer nada, la golpeó con el extremo metálico de su luz de buceo manual para probar la fuerza del metal. Cerca del borde de la puerta, ésta se descascarillaba un poco, pero su integridad parecía buena.

—Voy a entrar —anunció.

—Recibido —dijo Max. El procedimiento habitual habría sido que Mike se apostara ante la puerta por si surgían problemas, pero el acompañante del Presidente se encontraba tan sólo a unos segundos de distancia.

El pasadizo era normal, con puertas que daban a derecha e izquierda. Cada habitación estaba sumida en la negrura más absoluta hasta que Cabrillo paseaba su luz por las paredes. Daba la impresión de que habían despojado al barco de todos sus elementos, como parte del proceso de convertirlo en chatarra. No había muebles en ninguna habitación, y a juzgar por las tuberías dedujo que habían eliminado retretes y lavabos.

Llegó a una escalera y su luz captó un repentino movimiento que le hizo retroceder. Un pez plateado, no tenía ni idea de a qué especie pertenecía, pasó a toda velocidad ante él en un remolino de aletas y cola.

—¿Qué ha pasado? —preguntó un preocupado Max Hanley. La movida imagen del vídeo no habría podido plasmar lo que tanto había sobresaltado a Cabrillo.

—Sólo un pez.

Por lo general, Juan Cabrillo habría aprovechado la ocasión para gastarle una broma, pero comunicar humor con un falsete inducido por el helio era casi imposible.

Supuso que el equipo instalado por Tesla en el barco estaría en una cubierta inferior antes que en una de arriba, cerca del puente. Bajó nadando la escalera, muy empinada, y llegó a una sala en la que habían almacenado las minas. En lugar de estar vacía como esperaba, casi todo el compartimiento estaba ocupado por una extraña máquina. Tomó varias fotos con su cámara de alta resolución.

—¿Qué estoy viendo? —preguntó Max frustrado, debido a la escasa calidad del vídeo pese al coste de la cámara.

—Una máquina —contestó Juan—. Nunca había visto algo semejante.

Era un armatoste cuadrado, con cables que salían de diversas partes en un remolino de lazos mareante. Seres marinos habían atacado partes de la máquina, mientras otras, al igual que el armazón que rodeaba el barco, estaban intactas. Gruesos cables brotaban de la parte superior de la máquina y atravesaban el techo, probablemente conectados con el armazón. Detrás del armatoste había una dinamo eléctrica con rollos de cobre expuestos, convertidos en una ruina gris verdosa. No vio pruebas de lo que, según el profesor Tennyson, sucedía en aquella sala, y tampoco lo esperaba.

Y si bien no era ingeniero, estaba lo bastante versado en tecnología para saber que estaba viendo algo nuevo por completo. Que aquello era obra de Tesla no cabía duda, pero ¿cuál era su propósito? ¿Camuflaje óptico? ¿Teleportación? ¿Rayo de la muerte? Todo eran rumores, pero aquel trasto había asustado a la gente lo suficiente para enterrarlo en una tumba de agua. También observó pruebas de que alguien había explorado aquel barco, porque daba la impresión de que faltaban piezas de la máquina.

Fue en aquel momento cuando cayó en la cuenta de que su mente se estaba desviando de los aspectos técnicos del buceo, al oír una alarma estridente en el comunicador. Procedía del *Oregon*.

—¿Max? —Transcurrieron segundos y no hubo respuesta—. ¡Max! —gritó con su voz alterada por el helio.

15

El aullido de la alarma fue seguido por destellos estroboscópicos rojos cuando los sistemas automáticos del *Oregon* adoptaron el modo de combate. Una sensual voz femenina se oyó por el intercomunicador.

—Toda la tripulación a sus puestos de combate. Toda la tripulación a sus puestos de combate.

—Informen —ordenó Max Hanley desde la silla de mando.

Mark Murphy estaba sentado en su puesto habitual, hacia la parte delantera de la sala, donde su trabajo principal consistía en supervisar el armamento del buque. Aquella mañana había venido a ver en los monitores la sesión de buceo.

—Un segundo. —Tecleó furiosamente, y sus esqueléticos dedos se movieron con el virtuosismo de un concertista de piano—. Oh, maldición.

—¿Qué pasa?

—El sonar pasivo detectó el sonido de un submarino que abrió dos de las puertas exteriores del casco.

—¿Distancia y rumbo?

—Siete mil metros a estribor.

—¿De quién es?

—Voy a ello. —La Marina de Estados Unidos contaba con una base de datos de ruidos identificables procedentes de casi cualquier submarino del mundo, con el fin de poder identificar barcos individuales en situaciones de combate. Mark había trabajado con uno de los especialistas en datos que actualizaba las listas y era un gran experto en informática—. Es un ruso de clase Akula. Casco número uno cinco-cuatro. Se estará acercando con sigilo, porque no hay ruidos de máquinas ni de la tripulación.

Max echó un vistazo a la pantalla de radar. No había barcos a veinte millas a la redonda del *Oregon*. Eso significaba que no había otros objetivos si las intenciones del submarino eran hostiles. Se le erizó el vello de la nuca.

—Presidente, tenemos un submarino ruso inmóvil a unas cuatro millas y media a estribor. Acaba de abrir dos tubos de torpedos.

—Largaos de ahí —ordenó Juan.

—¡Proyectil disparado! —chilló Mark—. Torpedo en el agua.

Tardarían tan sólo unos segundos en calcular la trayectoria del torpedo, pero todos los hombres que escuchaban supieron instintivamente que era una trayectoria en dirección al *Oregon*. La única pregunta real consistía en si eran ellos el objetivo o disparaban contra el barco naufragado.

Max no era un estratega como Juan. Era un tipo poco complicado que dejaba la planificación para los demás, de modo que se ciñó a la última orden del Presidente.

—Timonel, a toda máquina, velocidad de flanco.

La inercia de dieciocho mil toneladas de acero inmovilizadas en la superficie del mar era una fuerza enorme en sí misma, pero era pan comido para los motores magnetohidrodinámicos. Las criobombas giraban y pasaban a ser infrasónicas, mientras bombeaban nitrógeno líquido alrededor de los magnetos que arrancaban electrones libres del agua, propulsados a través de los tubos de impulsión. Una cremosa explosión de espuma estalló en el castillo de popa del *Oregon*, y al cabo de diez segundos de la orden de Max el antiguo carguero se puso en movimiento.

Haberse puesto en marcha también significaba que al cabo de pocos segundos se encontrarían fuera del limitado alcance de su radio para comunicarse con los buceadores o con Eddie en el sumergible.

—Max, justo antes de que dieras la orden oí que lanzaban un segundo torpedo —le dijo Mark. Con el barco en marcha, los sensores pasivos estaban sordos a todo, salvo a los ruidos que producía el propio *Oregon*, el chirrido de los motores y el silbido del agua contra el casco.

—Juan, ¿has oído eso?

—Un segundo torpedo. —Cabrillo no vaciló antes de dar la orden. Las radios submarinas no estaban encriptadas, de modo que el capitán ruso sabía que había gente en los restos del naufragio. Lo que había hecho era un asesinato premeditado a sangre fría—. Húndelos.

Sólo quedaban unos siete minutos para el impacto. El *Oregon* estaría a salvo lejos del alcance del sonar de los torpedos, pero el barco naufragado era un blanco fácil.

—Dalo por hecho. Mark, vamos a decirle a ese tipo que se ha equivocado de pareja de baile. Utiliza el sonar activo, máximo alcance, y sigue utilizándolo hasta que yo te diga basta.

Mark Murphy le dedicó una sonrisa maligna y disparó pulsos electromagnéticos de sonido. Los ecos mostraron que el Akula aún no había empezado a intentar escapar.

—Sigue inmóvil, y sus torpedos avanzan a mucha profundidad.

—Está esperando a ver si su pez alcanza al barco naufragado. Craso error, amigo mío —dijo Max—. Tendrías que haberte largado en el momento en que disparaste. Claro, no podías saber que estábamos a la escucha, ni que podemos localizarte.

Eric Stone entró corriendo en el centro de operaciones y ocupó el asiento del timonel, al lado de Murphy. A excepción del Presidente, el joven Stone era el mejor timonel de a bordo, y sería capaz de pasar el *Oregon* por el ojo de una aguja en caso necesario.

—Eric, demos media vuelta para ponerlo al alcance de nuestros torpedos. —El Akula podía lanzar un disparo tan relativamente largo porque su objetivo estaba inmóvil, pero alcanzar a un objetivo en movimiento exigía menos distancia—. Vamos a preparar nuestros pececillos.

—Recibido. Parece que el sonar los ha despertado. El Akula ha empezado a moverse. La plataforma continental desciende a unas veinte millas de aquí, y en cuanto pase por encima se hundirá como una piedra y lo perderemos sin remedio.

El *Oregon* empezó a describir un largo arco en persecución del submarino ruso fugitivo, y con su velocidad superior existían pocas probabilidades de que su objetivo escapara.

—Tubos uno y dos listos —anunció Mark momentos después—. Las puertas exteriores continúan cerradas. Y, sólo para refrescarte la memoria, hemos de reducir la velocidad a veinte nudos para que se abran, de lo contrario, podríamos dañar los torpedos.

—Entendido —replicó Max.

Redujeron el alcance a seis mil metros, y Max Hanley continuó la persecución. Habían transcurrido cinco minutos desde que se habían disparado los primeros proyectiles. Los torpedos alcanzarían el barco naufragado dentro de dos más. Max necesitaba concluir la operación a toda prisa si quería volver a su puesto y coordinar cualquier operación de rescate necesaria.

—¡Contacto! —gritó Mark—. ¡Nos ha disparado! Se acerca un torpedo.

—Timonel, toda atrás. Velocidad, veinte nudos. Wepps, abre esas puertas cuando puedas y dispara. Eric, en cuanto el torpedo haya salido, aumenta a treinta nudos.

A aquella velocidad, se desplazarían más o menos igual de rápido que su propia arma. Los dos hombres no entendían la estrategia de Max, pero de todos modos cumplieron sus órdenes.

El barco se estremeció cuando los impulsores se ralentizaron, los vasos repiquetearon sobre la mesa y los tripulantes se vieron obligados a sujetarse a algo sólido debido a la enorme desaceleración.

—Veinte nudos —gritó Eric.

—Disparen.

Mark pulsó la tecla para disparar su torpedo y accionó el botón de cerrar las puertas.

Eric Stone le estaba mirando y ralentizó los motores una vez más. El barco se estremeció de nuevo, como si toda aquella energía estuviera tratando de destrozarlo.

—Lo siento, amigo —masculló Max Hanley, y palmeó el apoyabrazos de su asiento. Después habló en voz alta—. Preparen autodestrucción de nuestro torpedo en cuanto llegue a la altura del pez ruso.

—Ah —dijo Mark cuando comprendió sus intenciones.

Como todavía estaban ametrallando el mar con pulsaciones de

sonar activo, podían seguir la trayectoria de ambos torpedos en tiempo real, al contrario que los rusos, que no enviaban pulsaciones, sino que confiaban en la escucha pasiva para descubrir a su presa.

En una esquina de la pantalla principal, Max Hanley desplegó una «foto» del sonar realzada por ordenador del mar que tenían delante. Entre ellos y el Akula, los dos torpedos iban lanzados el uno contra el otro a una velocidad combinada de casi noventa nudos.

—Timonel, preparado para disminuir la velocidad de nuevo en vistas a otro disparo. La explosión comprometerá su capacidad de escucharnos. Cuando estallen, varía el rumbo cinco grados, para que no tengan suerte si lanzan un disparo a ciegas.

Los dos torpedos corrían el uno contra el otro con absurdo abandono, y se encontrarían a menos de media milla de la proa del *Oregon*. Unos segundos más. La mano de Mark Murphy flotaba sobre el botón de autodestrucción, con los ojos clavados en la pantalla. Si esto no funcionaba, les quedaría poco tiempo para maniobras de evasión.

—¡Ahora! —gritaron Max, Eric y Mark al mismo tiempo.

Eric Stone se dispuso a cambiar de rumbo, mientras delante del barco una bola de agua salía lanzada seis metros en el aire.

Los iconos de ambos torpedos desaparecieron de la pantalla, sustituidos por una nube brumosa de ecos acústicos distorsionados.

—Timonel, reduce la velocidad a veinte nudos. Wepps, dispara a placer.

Momentos después, el *Oregon* lanzó su segundo torpedo, y estaban tan cerca que el Akula no iba a disponer de la menor posibilidad. Estaba navegando muy cerca del fondo, escatimando en lo posible el funcionamiento de sus máquinas con la esperanza de llegar al borde de la plataforma continental. La cacofonía de sonidos mecánicos que el *Oregon* estaba arrojando al mar saturaría las pantallas del Akula si intentaba activarse.

Todos lo vieron al mismo tiempo. En la pantalla del sonar vieron que su torpedo seguía la estela del Akula cuando el submarino se detuvo de repente.

Max Hanley fue el más rápido en reaccionar.

—¡Wepps, autodestrucción!

Mark apartó la vista del monitor y tecleó la orden apropiada. El torpedo volaba a tal profundidad que la superficie ni siquiera se movió cuando estalló a menos de quinientos metros de su objetivo.

—¿Qué ha pasado? —preguntó Eric.

—Ha topado con algo, una especie de montículo, una roca, lo que sea —especuló Max—. Reduce la potencia de los motores para poder escuchar en pasivo.

—¿Por qué has detonado nuestro torpedo?

—Porque cuando encuentren el submarino, si se produce tal evento, los investigadores llegarán a la conclusión, muy acertada, de que fue un accidente. No será necesario publicitar que les estaban persiguiendo cuando cayeron en picado contra el lecho marino.

Cuando el barco hubo reducido la velocidad lo suficiente para desplegar los sensibles micrófonos, el Akula estaba silencioso como una tumba.

Max se levantó.

—Timonel, volvamos sin pérdida de tiempo al barco naufragado. —Echó un vistazo al rayado Timex de pulsera—. Sus torpedos debieron estallar hace ocho minutos. El Presidente y los demás están viviendo de prestado.

No se permitió pensar en la situación, más probable, de que todos estuvieran muertos.

16

El pánico mata a los buceadores. Ésa había sido la primera lección del malhumorado instructor de submarinismo cuando Juan Cabrillo se había sacado el certificado de buceador en su adolescencia. También era la última. El pánico mata a los buceadores.

Mike, Eddie y él tenían entre seis y ocho minutos para escapar. Tiempo de sobra. No era necesario ser presa del pánico.

Cabrillo metió la cámara en la bolsa de buceo sujeta a la cintura, lanzó una última mirada al notable aparato de Tesla, y se dirigió hacia la escalera.

—Mike, ¿vas camino del Nomad? —preguntó Cabrillo, molesto porque el helio le hiciera hablar como una niña pequeña.

—Sí. Tengo una muestra del armazón.

—Bien. Eddie, tendremos que embutirnos en la esclusa de aire. Una vez dentro, ascenso de emergencia.

—Recibido. Ascenso de emergencia en cuanto Mike y tú estéis a bordo.

«Eso me costará caro», pensó Juan.

En un ascenso de emergencia, el casco cilíndrico del sumergible se desconectaba del resto del barco, todos los motores, las baterías y el equipo auxiliar. El compartimiento de la tripulación ascendería a la superficie como un tapón de corcho, lo cual les alejaría del alcance de disparo, pero también significaba que componentes del sumergible valorados en un millón de dólares quedarían abandonados.

Cabrillo calculó mal mientras subía por la escalera y golpeó el tanque de trimix contra un mamparo. No fue un golpe muy fuerte, pero para el viejo barco abandonado fue un puñetazo mortal. Agarraderas metálicas, debilitadas por décadas de inmersión, se desprendieron, y las paredes que rodeaban la escalera se derrumbaron en una lenta pirueta de destrucción. El agua se llenó de una nube de partículas oxidadas impenetrable que convirtió la luz de las lámparas de Cabrillo en un tenue resplandor color ladrillo.

Consiguió alejarse de lo peor del derrumbamiento, y se salvó de ser partido por la mitad por la avalancha de planchas de acero.

Su acción descuidada habría podido causar una reacción en cadena, porque oyó más estruendos mientras el viejo barco intentaba encontrar un nuevo equilibrio.

Permaneció aovillado como una bola hasta que todo se calmó. Un fragmento de acero había aterrizado sobre su espalda. Sus tanques le habían protegido, pero cuando intentó empujarlo comprendió que, o bien era más pesado de lo que el impacto indicaba, o había quedado encajado.

—¿Presidente? ¿Estás ahí? ¿Juan?

—Te oigo, Mike. Podría estar en apuros.

—¿Qué ha pasado?

—Una pared se derrumbó cuando la golpeé. Estoy en una escalera y puede que haya quedado atrapado.

—Voy.

—Negativo. Ve al Nomad. Ya me las arreglaré.

—Tenemos cinco minutos.

Cabrillo efectuó veloces cálculos mentales.

—De acuerdo. Te concedo tres. Si no puedes llegar hasta donde estoy, sal a toda leche de aquí.

Eddie Seng había estado controlando a los buceadores y sabía lo que debía hacer. Aceleró el Nomad y lo hizo girar hasta quedar de cara al barco. Se acercó más y conectó los brazos manipuladores del puesto del copiloto. Vio a Mike, que intentaba quitarse el tanque para abrirse paso entre el armazón que rodeaba el barco, y habló por radio con él.

—Espera, Mike. Tengo una idea mejor.

Con mano diestra sobre los controles del impulsor, con el fin de que el Nomad opusiera resistencia a la corriente, Eddie asió una de las barras metálicas con una mano manipuladora y la soltó. Retrocedió para dejar que Mike atravesara el hueco agrandado.

Mike nadó sobre la cubierta de popa y llegó a la puerta por la que Cabrillo había entrado minutos antes. Partículas de herrumbre surgían del interior del barco como humo de un edificio en llamas. Sólo se despejaron cuando la corriente se las llevó, una vez más como humo en el viento.

Tanteó como un ciego a lo largo del pasillo, y pensó que no podría hacer gran cosa hasta que la visibilidad mejorara.

—La escalera está en la cuarta puerta a la derecha —dijo Juan como si le leyera la mente.

Mike contó las puertas, y cuando su luz iluminó la correcta, vio el pozo abierto que había sido la escalera. Los peldaños se habían derrumbado, y planchas de acero se habían desprendido de la estructura interna. Comprendió que los remaches que las sujetaban se habían soltado, lo cual había provocado que las planchas cayeran.

La herrumbre se estaba moviendo, y vio la pierna de Cabrillo que sobresalía de los restos una cubierta más abajo. La pierna se movió cuando el Presidente intentó soltarse, pero cada empujón hacia arriba encajaba más la maraña de chatarra.

—Espera —dijo Mike.

—No pienso moverme —contestó Cabrillo.

Mike Trono descendió, con cuidado de no rasgarse los guantes, y empezó a mover las planchas. Las secciones no eran grandes, pero era como el viejo juego de palitos chinos. No quería que lo que estaba haciendo provocara más derrumbes. Atacó la pila con reprimido frenesí, pues quería trabajar más deprisa, pero sabía que tenía que ser precavido. Al mismo tiempo, sabía que Juan Cabrillo le ordenaría largarse de un momento a otro.

Apartó a un lado suficientes mamparos para que el Presidente intentara liberarse por última vez.

—Te toca a ti.

Juan Cabrillo hizo acopio de energía, la canalizó y empujó con todas sus fuerzas. Los esfuerzos de Mike habían logrado que la plancha que le mantenía inmovilizado se removiera y rozara contra las demás, pero no cedió. Juan dio otro empujón y logró por fin liberarse de la pila. Mike le tendió la mano para que conservara el equilibrio.

—Te debo una —dijo Juan en tono solemne, pero el helio disminuyó la seriedad del momento—. Salgamos de aquí.

Los dos hombres volvieron nadando a la cubierta principal y siguieron el pasillo. Salieron de la superestructura a tiempo de ver que Eddie había utilizado los manipuladores para destrozar más armazón, y tenía el sumergible prácticamente aparcado sobre la cubierta.

Mike fue el primero en llegar a la esclusa de aire y abrir la cerradura de rueda. El espacio era angosto (una cabina telefónica, en realidad), y Juan Cabrillo y él necesitarían quedarse un rato. Se habían sumergido a suficiente profundidad para necesitar casi dos horas de descompresión. El estrecho espacio haría las veces de cámara de descompresión en cuanto llegaran a la superficie, pero necesitarían la energía eléctrica del *Oregon* porque habían abandonado las baterías del Nomad.

Alejarse de los restos del naufragio era sólo la primera parte de su odisea. Si no se conectaban a tiempo con el *Oregon*, ambos buceadores agotarían sus reservas de trimix, y el Nomad carecía de suministro interior de gas. Para empeorar las cosas, Juan y Mike tendrían que someterse a descompresión antes de que Eddie pudiera abandonar el sumergible a través de la esclusa de aire.

Mike Trono atravesó la escotilla y desapareció en su interior. El Presidente esperó un momento, para dejar que su compañero se acomodara, y después entró en la esclusa de aire. Tenía los pies apoyados sobre los tanques de Mike, y su cabeza se encontraba todavía fuera del submarino cuando sintió una vibración en el agua. Supo al instante lo que era y se agachó en el último segundo.

Consiguió cerrar la escotilla, pero no asegurarla por completo, cuando el torpedo alcanzó al viejo dragaminas cerca de la proa. Casi cuatrocientos cincuenta kilos de explosivos detonaron en una onda expansiva de energía que atravesó el agua y golpeó al minisubmarino, que se estrelló contra los restos del armazón metálico. El acero se desgarró y chirrió. La superestructura del barco se desprendió y derrumbó al mismo tiempo.

Dentro de la esclusa de aire, el Presidente y Mike Trono estaban tan apretujados que ninguno de los dos sufrió el menor daño, pero se quedaron bastante desorientados cuando el submarino dio varias volteretas. No obstante, incluso antes de que se estabilizaran, Juan Cabrillo ya estaba trabajando para cerrar la escotilla. En su cabeza todavía resonaba la fuerza contundente de la explosión, y sentía las manos muy pesadas, pero consiguió girar la rueda para quedar encerrados en la estrecha cámara.

—Eddie, ascenso de emergencia.

Eddie Seng ya había visto la luz indicadora en la cabina, la cual le reveló que la escotilla estaba cerrada herméticamente. Pulsó el botón en el mismo momento en que la voz del Presidente se oyó por la radio. El Nomad se desgajó con un sonido metálico sordo de su armazón inferior y empezó una enloquecida ascensión hacia la superficie. Pero no lo consiguió. Se había elevado apenas sesenta centímetros cuando se enredó con la antena de radio suelta del viejo dragaminas y una red de pesca vieja y podrida.

Juan Cabrillo sabía que debería sentir la ascensión acelerada del casco cilíndrico desde las profundidades, como cuando estás en un ascensor de alta velocidad. Pero eso no estaba sucediendo. Se habían desprendido del pesado trineo, pero no subían.

Una diferencia de unos treinta segundos separaría ambos torpedos, y reaccionó sin pensarlo dos veces.

—Cierra la escotilla cuando salga —dijo a Mike Trono, y abrió la esclusa de aire.

Cabrillo salió lanzado del minisubmarino, mientras utilizaba la luz para ver con qué se habían enredado, el motivo de que no ascendieran. Vio que la antena había caído sobre el casco del sumergible, pero no era lo bastante grande para impedir la subida. Era la masa entrelazada de redes de pesca lo que los tenía atrapados.

Su cuchillo de buceo de titanio estaba afilado como una navaja, y la fuerza ascensional de la cabina del sumergible mantenía las cuerdas tensas. Las atacó como un *ninja* armado con una espada de samurái, cortando las cuerdas como un demente. El minisubmarino ascendió apenas, mientras más cuerdas iban desapareciendo. Cabrillo no cejaba en su empeño. El agua se llenó de diminutos fragmentos de sisal viejo y un remolino de vegetación marina desprendida.

Entonces, de repente, como sabía que sucedería, el sumergible se liberó de la red y desapareció hacia arriba en un abrir y cerrar de ojos.

Cabrillo no perdió tiempo en mirarlo. Nadó hacia el otro lado del barco naufragado, descendió hasta el fondo y se alejó lo máximo posible de los restos. Tuvo que hundir las manos en el limo para impedir que la corriente se lo llevara.

El segundo torpedo se hundió en el lecho marino a escasa distancia de su blanco. Como estaba protegido por el casco del barco y se encontraba tendido sobre el fondo, la onda de presión pasó sobre él, pero aún le alcanzó lo suficiente para que el aire escapara de sus pulmones en una espiración explosiva que casi abrió su casco de buceo.

Pensó que había sobrevivido a lo peor cuando llegó una segunda onda de presión, y esta vez le desprendió del fondo y le lanzó dando tumbos. La corriente se apoderó de él de inmediato, y pronto se encontró rebotando sobre el fondo a una velocidad constante de cuatro nudos.

Si existía alguna posibilidad de que le rescataran, tenía que quedarse cerca de los restos. Era el único lugar lógico donde Max le buscaría. Si se alejaba mucho, la corriente le impediría regresar. No tenía en ningún lugar cercano suficiente aire para ascender a la superficie utilizando paradas de descompresión. Y un ascenso sin realizar esta maniobra provocaría el mal de presión. Sus articulaciones se constreñirían cuando el nitrógeno presente en los tejidos se disolviera, y moriría en una agonía inimaginable.

Consiguió adoptar la posición de nadar. Sabía que no podía combatir contra la corriente, de manera que ni siquiera lo intentó. Como alguien atrapado en aguas revueltas, nadó en ángulo a la corriente, en lugar de oponerle resistencia, desviando así en parte la fuerza bruta del agua que llegaba en su dirección. Estaba seguro de que la corriente ya le había alejado hacia el norte del barco, pero tenía alguna probabilidad de encontrar los restos de las redes que seguían al barco como la cola del traje de la novia.

Sus piernas empezaron a dolerle. No quiso pensar en la posibilidad de que el segundo torpedo hubiera cortado de cuajo las redes que atrapaban los restos del naufragio. Nadó con determinación, contra una corriente a la que no podía derrotar, agotando su provisión de trimix a una velocidad prodigiosa. Combatió el creciente dolor de los músculos agarrotados llenos de ácido láctico, y gimió en voz alta dentro del casco. Su respiración torturada era el sonido de la desesperación.

De modo que iba a morir así, arrastrándose sobre el fondo, con el presentimiento de que la red se hallaba lejos de su campo visual y la sensación de que, si conseguía avanzar unos cuantos segundos más, la alcanzaría.

Y entonces la vio, ondeando en la corriente como los tentáculos de una medusa gigantesca. También vio que se estaba acercando al extremo de la masa de redes entrelazadas. Sólo tenía que nadar unos cinco metros, pero la red no mediría más de tres metros, y tenía que aferrarse a ella antes de que la corriente se lo llevara. Si fallaba, la única opción era la muerte.

Cabrillo redobló sus esfuerzos. Pataleó con los pies, sin conseguir nada significativo. Utilizó los brazos de forma que sus manos enguantadas formaran palas perfectas que le impulsaban contra la Corriente del Golfo. Ajustó un poco el ángulo y se obligó a combatir contra la corriente con más energía, a sabiendas de que podía fracasar.

Extendió la mano. Centímetros. Era todo cuanto necesitaba. Emitió un rugido cuando las puntas de sus dedos rozaron la vieja red en su mismo extremo. Lucharon por aferrarse, pero la red estaba cubierta de fango marino, resbaladizo como la grasa.

Por fin, aferró la penúltima abertura de la red, pero la cuerda podrida se le quedó en la mano. Asió el último fragmento de cuerda y rezó, porque ya no podía continuar nadando. La red podría soportar el peso extra de su cuerpo cuando se aferrara, o no, en cuyo caso estaría perdido.

Dejó de patalear, y la vieja red de pesca soportó su peso. Se izó para poder aferrarla con ambos brazos y obligó a su respiración a calmarse, y la adrenalina empezó a abandonar su torrente sanguíneo. Permaneció así, jadeante, consciente de que se hallaba todavía en una situación precaria, pero incapaz de encontrar fuerzas para moverse. La red estaba flotando, ondulaba con suavidad en la corriente, pero cuando sintió una repentina sacudida supo que algo iba mal. Cogió su linterna e iluminó la red. La lámpara reveló que se estaba rompiendo. Su peso era demasiado para las viejas cuerdas de sisal podridas.

Empezó a trepar por la red contra la corriente, con la cabeza gacha y los hombros y brazos haciendo todo el trabajo.

La red se sacudió de nuevo cuando más fragmentos se desprendieron. Recordó que había subido por redes de carga cuando se entrenaba en las instalaciones de la CIA como parte de una carrera de obstáculos, pero no era nada comparado con esto. La presión de la corriente contra su cuerpo y el voluminoso equipo disminuía la gravedad contra la que había luchado hasta entonces. Y al contrario que en aquellas sesiones de entrenamiento, no podía utilizar los pies porque las aletas le entorpecerían, y no podía permitirse los segundos que tardaría en quitárselas.

La red se desprendió por completo cuando llegó a una sección todavía estable. La corriente absorbió el fragmento desgajado bajo sus pies. Se aferró a su cinturón, y durante unos momentos tironeó de él con la fuerza y la tenacidad de un perro de presa. Estaba a punto de soltarse cuando la red desapareció bajo él.

Sin permitirse tiempo para recuperarse, continuó subiendo por la red, desesperado por llegar a la seguridad de los restos destrozados del barco. Era una ascensión de sesenta metros. En cuanto notó que la red era segura, se quitó las aletas, las sujetó a su arnés y dejó que sus pies absorbieran la tensión de los brazos unos segundos.

Se concedió tres minutos de descanso antes de continuar adelante, aunque ahora eran sus piernas las encargadas de la ascensión y se dio bastante prisa.

El dragaminas era irreconocible como barco. El resplandor de la lámpara del casco y de la luz de buceo reveló que había sido reducido a fragmentos por el primer torpedo ruso, y montones de sus restos habían quedado enterrados bajo una capa de arena levantada por el segundo. Pedazos de planchas del casco sembraban el lecho marino. Identificó parte de la chimenea del barco sólo debido a su singular forma de tubo de estufa. No vio señales del armazón con el que Tesla había envuelto la nave, ni de la extraña máquina que había descubierto en la bodega del barco.

Era un milagro que la red hubiera continuado sujeta a la escasa parte de la superestructura que había sobrevivido a la explosión. Descubrió un rincón al abrigo de una caldera destrozada y se acomodó en el fondo, por fin capaz de tomarse un merecido descanso.

Como el sumergible hacía las veces de repetidor de sus comunicaciones, sabía que era inútil intentar ponerse en contacto con el *Oregon*. La distancia hasta la superficie era demasiado grande para su equipo, pero el principal problema residía en que la sección del casco del minisubmarino quedaba sorda y muda en cuanto se separaba del trineo de propulsión.

Apagó la luz del casco para conservar la batería. Estaba atrapado en el fondo del mar, tan incapaz de alterar su situación como un astronauta aislado de su cápsula espacial. No podía hacer nada, salvo confiar en que su tripulación le salvaría. Su fe en ellos era ilimitada, pero los rescates se toman su tiempo. Antes tendrían que recuperar el sumergible, y sólo entonces descubriría Max que seguía allí abajo. A continuación, tendrían que organizar el equipo de rescate y enviar el *Little Geek* o el Discovery 1000, el segundo minisubmarino que llevaba el *Oregon*, más pequeño. Todo ello llevaría tiempo.

El inmenso océano le aplastaba, un hombre solo sentado en el lecho marino entre los restos oxidados del sueño de un hombre muerto, un solitario destello de luz en una oscuridad estigia tan inmensa como el cosmos. Juan Cabrillo sintió que el frío empezaba a calarle los huesos y echó por fin un vistazo a su provisión de trimix, asintió con semblante sombrío y apagó su luz de buceo para que la negrura se apretujara contra su traje estanco.

Le quedaban diez minutos de vida.

17

Max Hanley continuaba dando órdenes mientras Eric se ajustaba los auriculares una vez más.

—Mark, quiero que tú y MacD bajéis a la cubierta de embarcaciones, preparados para lanzar una lancha inflable semirrígida en cualquier momento. Eso significa que quiero la puerta exterior abierta y los motores en marcha. —Tecleó en el intercomunicador para hablar con los técnicos de la zona de submarinos—. Soy Max. Preparad el Disco para búsqueda y rescate, y que *Little Geek* esté preparado también.

El *Oregon* surcaba el mar a una velocidad casi de lancha de carreras, impulsado no sólo por los motores, sino también por la determinación de Max Hanley de rescatar a sus hombres.

Mark Murphy saltó de su silla cuando vio algo en su consola.

—Max, estoy recibiendo el radiofaro automático del Nomad. Acaba de salir a la superficie.

—¿Encima de los restos?

—Negativo. Ha derivado casi dos millas al norte.

—¿He de alterar el rumbo? —preguntó Eric Stone.

—Negativo —replicó Max al cabo de una pausa—. Llévanos hacia el barco naufragado. Mark, prepárate. Avísame cuando MacD y tú estéis listos para marchar. Disminuiremos la velocidad del barco y os dirigiréis hacia el minisubmarino.

—Estamos en ello.

Salió corriendo del puente mientras Max anunciaba por megafonía que MacD Lawless debía presentarse en la cubierta de embarcaciones.

Cuando estaban a una milla de su destino, Mark Murphy informó de que estaban listos para partir. Max ordenó reducir la velocidad, y cuando lo estimó seguro, les dijo que partieran.

Propulsado por dos enormes motores fueraborda, la lancha inflable semirrígida era un cohete de cabina abierta. Su esbelto casco negro y su dotación de flotadores le permitían sobrevivir en cualquier mar, y podía configurarse para cualquier número de misiones.

La semirrígida cortaba las olas, saltaba y brincaba sobre las más altas, y despedía un abanico de espuma blanca por su popa. No estaba diseñada para deparar comodidad: los dos hombres iban de pie detrás de los controles principales con las rodillas flexionadas, mientras sus cuerpos recibían el embate del oleaje.

Mientras Mark era un cerebrito y ganaba peso con facilidad cuando dejaba de cuidarse, MacD Lawless parecía un modelo de ropa interior, con un físico cincelado y cara de estrella de cine. Era el miembro más reciente de la Corporación, que lo había rescatado de sus secuestradores talibanes en el norte de Pakistán. Había demostrado con creces su valía durante los meses siguientes, y con su cordial encanto de Nueva Orleans y el melodioso acento del sur, se había hecho querer por la tripulación.

Surcaban el Atlántico como una piedra lanzada sobre la superficie de un lago, con la lancha a más de cincuenta nudos de velocidad. Detrás de ellos, el *Oregon* no era más que un punto, mientras se dirigía a su propia cita. MacD pilotaba la embarcación, en tanto que Mark oficiaba de copiloto utilizando una tableta que mostraba una imagen por satélite de la ubicación del Nomad.

Tardaron unos minutos en llegar al casco a la deriva, que a los dos hombres les pareció un vagón cisterna muy lejos de casa. MacD se acercó al minisubmarino, y Mark saltó con una amarra en la mano para sujetarlos. MacD Lawless no esperó a que terminara para coger una mascarilla, quitarse las Nike y zambullirse en el agua. Mark le vio alejarse con un leve meneo de cabeza, sin comprender por qué Lawless hacía aquello cuando podían acceder al submarino a través de la esclusa de aire.

Suficiente espuma había mojado a Lawless durante su alocada carrera para saber que el agua estaba muy fría, pero no obstante lanzó una exclamación ahogada involuntaria cuando se filtró a través de su ropa. Aspiró una profunda bocanada de aire, se zambulló y nadó hacia la parte delantera del sumergible. Apretó la máscara contra una de las tres portillas. El interior del submarino estaba oscuro como boca de lobo. No era una buena señal.

Golpeó el cristal con el anillo de la Universidad de Luisiana y, al cabo de unos segundos una figura se precipitó hacia el asiento del piloto y una luz se encendió, la cual reveló a Eddie Seng. Tenía un chichón cerca de la sien que empezaba a hincharse como un huevo de paloma. Aferró a toda prisa una hoja de papel de una pila cercana al panel de control y la alzó para que MacD la leyera.

Éste exhaló el aliento cuando vio lo que Eddie había escrito, y subió a la superficie lo más deprisa posible.

—¡Para, Mark! —gritó en cuanto salió a la superficie.

Subió al casco oscilante de un poderoso salto y vio a Mark arrodillado sobre la esclusa de aire, con las manos preparadas para abrirla.

—No la abras.

—¿Por qué?

—Porque está presurizada por completo, y si lo haces no sólo te volará el cráneo la escotilla, sino que convertirá a Mike Trono en una bomba de carne.

Mark Murphy apartó sus manos con cautela de la rueda, y soltó el aire que había contenido hasta aquel momento sin saberlo.

—¿Y Juan?

—Ni idea. Eddie acaba de enseñarme una nota diciendo que Mike está en la esclusa de aire. La presión debe de rondar las doscientas libras por pulgada cuadrada.

—Espera.

Mark saltó a la lancha y agarró otro aparato electrónico que se había llevado del *Oregon*. Desenrolló un cable del aparato y tendió el extremo a MacD.

—Hay un puerto de comunicaciones justo encima del puerto eléctrico auxiliar. Ambos están cerca del puerto de toma de aire externo. Es inconfundible —dijo con una sonrisa, y dio un empujón en el pecho a MacD que le envió de vuelta al agua.

El joven le miró con el ceño fruncido y se sumergió con el cable en la mano. Reapareció medio minuto después y se puso la máscara sobre la frente.

—Inténtalo.

—Eddie, ¿me oyes? Soy Murph.

—Nunca me había alegrado tanto de oír tu voz —respondió Eddie—. ¿Recibiste el mensaje?

—Sí. ¿Qué está haciendo Mike en la esclusa de aire? ¿Dónde está el Presidente?

—Larga historia. En cuanto al Presidente, continúa en el barco sumergido.

—¿Estaba fuera cuando estallaron los torpedos?

—Cuando el primero no, pero salió a liberarnos justo antes de que estallara el segundo.

—¿Está vivo?

—No lo sé. Escucha, no tenemos tiempo para esto. Mike está agotando sus tanques. Hemos de devolver el submarino al *Oregon* y conseguirle un poco de trimix para que pueda empezar la descompresión allí.

—De acuerdo. MacD y yo estamos en la lancha semirrígida. El *Oregon* debería encontrarse ahora sobre el barco sumergido. Te remolcaremos e izaremos a bordo con la grúa.

—Estupendo. Mike y yo hemos estado charlando mediante el código Morse. Ha estado respirando despacio, y calcula que le queda una media hora o así.

—Dile que todo irá bien. Hablaré contigo más tarde.

Mark miró a MacD, y el miembro más reciente de la tripulación supo lo que debía hacer. Se volvió a bajar la máscara sobre los ojos y fue a recuperar el cable.

Un minuto después, remolcaron el Nomad. La lancha estaba diseñada para correr más que para remolcar, pero aun así consiguieron alcanzar los quince nudos arrastrando el desgarbado casco por el agua. Mark había llamado por radio, de modo que cuando se situaron bajo la sombra de sotavento del *Oregon*, las grúas de proa más poderosas del barco habían empezado a girar y bajado ganchos al agua.

Sacaron el minisubmarino del Atlántico con tanta facilidad como a un niño de la cuna, derramando agua por los costados, que empapó a los dos hombres en la lancha. MacD Lawless condujo la embarcación a la cubierta de embarcaciones, mientras el minisubmarino pasaba por encima de la borda y era trasladado a la bodega de carga principal. En cuanto estuvieron a bordo, Murphy cogió una toalla de un cesto de plástico, se secó la cara y el pelo lo mejor que pudo, y se encaminó hacia la bodega, imaginando que Max se encargaría del rescate del Presidente mientras él se devanaba los sesos para descubrir cómo resolver una cuestión peliaguda y peligrosa. En la «bañera», Max Hanley estaba sujetando dos tanques de trimix al *Little Geek* con una cincha de nailon.

—Bien —dijo por fin—, prueba.

Un técnico puso en marcha las tres hélices del robot y ajustó los cardanes para asegurarse de que el peso extra que transportaba no les impidiera cumplir su cometido.

—Parece que todo está en orden —comentó Hanley, al tiempo que se ponía en pie—. Échame una mano.

Los dos hombres accionaron una grúa que levantó los ochenta kilos del robot más los tanques de aire y lo hicieron descender con su cordón umbilical a la «bañera». Desapareció de su vista en cuanto soltaron cable, y cayó describiendo un arco que lo impulsó hacia el norte gracias a la Corriente del Golfo. El pequeño robot tendría que luchar contra la corriente durante todo el camino, pero como estaba sujeto con el cable y el barco nodriza le suministraba corriente eléctrica, no surgirían problemas.

El único problema era llegar a tiempo.

Cabrillo no daba crédito al frío que hacía. Se le había ido metiendo dentro de una forma insidiosa, antes de que sus huesos se dieran cuenta. Se había quedado quieto por completo, sin generar el menor calor corporal: ésa había sido la causa. Con el fin de alargar el suministro de aire, había tenido que estar sentado lo más inmóvil posible, pero eso había permitido la entrada de un asesino tan mortífero como la asfixia.

Sus manos temblaban tanto que tuvo que intentar encender la luz de buceo tres veces. Su resplandor logró que la soledad se le antojara algo más tolerable. Al fin y al cabo, los humanos eran animales sociales. Y morir solo era uno de los temores innatos de la especie. Inspeccionó las lecturas de aire. Los diez minutos que se había concedido habían expirado. Estaba respirando un gas tan amorfo que los monitores del tanque no lo leían.

Notaba la sensación. Cada aspiración parecía más tenue, menos sustancial. Por más que intentaba llenar los pulmones, no podía acumular suficiente aire. Una vez más, el pánico se apoderó de su mente, pero lo repelió y trató de seguir respirando de manera regular. Max sólo necesitaba que aguantara un par de minutos.

La luz cayó de sus dedos helados, y tenía tanto frío que los temblores eran incontrolados. Intentó seguir respirando aire que no existía, y ningún truco mental podía negar aquella realidad. Había echado los dados y se había quedado corto. Juan Cabrillo nunca se había imaginado algo semejante. Siempre había supuesto que moriría en un tiroteo. Desde un punto de vista estadístico, tendría que haber muerto hacía años. Pero de todas las cicatrices de bala que su cuerpo presentaba, ninguna estaba en una zona crítica. Era curioso. Sobrevivir a todo eso y morir mientras buceaba.

Quiso reír ante la ironía, pero no había aire suficiente, de modo que compuso una sonrisa enigmática y fue perdiendo la conciencia poco a poco.

—¡Vamos, maldita sea! —vociferó Max—. Ya deberíamos verlo.

Estaba detrás del técnico, y ambos hombres veían las imágenes transmitidas por *Little Geek*. Hasta el momento sólo veían la llanura yerma del lecho marino. Se hallaban en el punto correcto, pero daba la impresión de que el barco sumergido había desaparecido.

—¿Estás seguro de que nos encontramos en la posición correcta?

—Sí, Max. No lo entiendo.

Las imágenes eran granulosas, mal iluminadas, y con mala resolución, pero inconfundibles, en el sentido de que no se veía ni rastro del viejo dragaminas. Ambos hombres miraron hasta que brotaron lágrimas de sus ojos, intentando distinguir detalles que no existían.

—¡Allí, allí! —gritó Max—. Gira el *Little Geek* veinte grados a estribor.

El técnico manipuló el *joystick* mientras unos ciento cuarenta metros más abajo el *Little Geek* giraba con agilidad.

—¡Ajá! —gritó Max. Alrededor del robot había un campo de restos que se extendía hasta más allá del perímetro de las luces. Se habían desviado unos metros, pero en aquel tipo de trabajo podían significar la diferencia entre el éxito y el fracaso—. Juan tiene que estar por ahí.

—¿No nadará hacia la luz?

—Si puede. No sabemos en qué estado se encuentra.

El pequeño vehículo fue rodeando los restos del naufragio, y esta vez fue el técnico quien vio un débil resplandor brotar de detrás de una vieja caldera. Guió el robot alrededor de los restos, y la luz reveló al Presidente derrumbado contra la caldera, las manos apoyadas con las palmas hacia arriba, al lado de su luz de navegación caída en el suelo. Tenía la cabeza derrumbada sobre el hombro, en la postura antinatural de los muertos. No emergían burbujas de su regulador.

—No —susurró Max, y después lo repitió en voz más baja todavía. La tercera vez apenas emitió un sonido—. No.

No podía aceptar lo que estaba viendo. No podía creer que Juan hubiera muerto. Que había fallado a su mejor amigo.

—¡No! —gritó esta vez.

Pasó la mano por encima del hombro del técnico, agarró el *joystick* que controlaba los movimientos del *Little Geek* y lo utilizó para lanzar el ROV hacia el Presidente a la velocidad máxima de sus motores.

En lugar de caer a causa del impacto, el cuerpo de Cabrillo se enderezó. La cabeza se levantó de los hombros, y un brazo se alzó para asir el microsubmarino.

El técnico lanzó una exclamación ahogada.

—¿Estaba dormido?

—A juzgar por las escasas burbujas que salen del regulador, creo que se desmayó.

Max no pudo reprimir la sonrisa pintada en su cara.

Juan Cabrillo había estado soñando con su difunta esposa, que murió en un accidente de automóvil mientras él participaba en una misión de la CIA. En el fondo de su corazón sabía que su soledad la había impulsado a la bebida. El nivel de alcohol en su sangre aquella noche duplicaba el límite legal. Daba igual que hubiera salido con amigos. No habían impedido que se pusiera al volante. Su muerte era culpa de él. Punto. Y cuando estaba especialmente deprimido, ese recuerdo atormentaba sus sueños.

Se despertó sobresaltado cuando una luz cegadora le deslumbró. Un momento después recordó el apuro en que se hallaba, pero su cerebro ansioso de aire tardó unos segundos más en comprender lo que sucedía. Era el *Little Geek*. Eso era la fuente de la luz. Extendió la mano hacia el pequeño vehículo y palpó los tanques extras que Max había sujetado al robot, como las alforjas de una mula. Incluso las había colocado de modo que sus alimentadores de aire umbilicales estuvieran a mano.

Juan no había respirado desde hacía casi un minuto, y su visión se estaba reduciendo a un punto central rodeado de gris, pero todavía poseía suficiente capacidad mental para desenganchar el cable de aire conectado a su casco y sustituirlo por el del depósito nuevo. Transcurrieron quince segundos y no pasó nada, todavía no recibía aire. Entonces, por algún motivo, el *Little Geek* se precipitó de nuevo contra él.

Max estaba intentando decirle algo. ¿Qué era? No lo sabía, y sólo deseaba volver a dormir. Su cabeza cayó, y por tercera vez el robot chocó contra su pecho. Efectuó una pirueta, de modo que el tanque de trimix quedó justo delante de él.

La válvula. Juan extendió una mano y abrió la válvula. Con un silbido portador de vida, su casco se llenó de aire respirable, e inhaló una bocanada tan profunda que, por un momento, tuvo la impresión de que sus pulmones iban a estallar. Su confusión empezó a desvanecerse cuando su cerebro hambriento de oxígeno se reinicializó. Respiró hondo diez, veinte veces, aturdido por la sensación, más agradecido que nunca. Hizo la señal de OK de los buceadores a la cámara montada debajo de las luces. En respuesta, el *Little Geek* giró trescientos sesenta grados, como un alegre cachorrillo que se persiguiera el rabo.

El robot se aposentó sobre el suelo a su lado como si esperara unas caricias. Fue entonces cuando Juan vio el bulto que Max había sujetado a la parte superior del ROV. Lo abrió y rezó una silenciosa oración de gracias. Max pensaba en todo. Sus manos estaban entumecidas hasta el punto de resultarle inútiles, y apenas fue capaz de guiar un dedo a través de la anilla de activación de una bengala de magnesio, pero lo consiguió.

La luz era de un blanco cegador, y le habría quemado las retinas de haberla mirado, pero había vuelto la cabeza. No le importaba la luz que arrojaba la bengala, sino el calor que comunicaba al agua. Notó la diferencia pasados tan sólo unos segundos. En la bolsa también habían embutido compresas calientes. Rompió los sellos para activarlas y se las apretó entre los muslos y debajo de los brazos. Colocó otras entre su traje estanco y el compensador de flotabilidad, justo sobre el corazón.

Se concedió diez minutos para recuperarse. Cuando se sintió preparado para marchar, el Discovery 1000 de cúpula acrílica con Eric Stone a los controles se había reunido con él. Eric y el *Little Geek* le acompañaron durante la larga y entumecedora ascensión, flotando cerca durante sus paradas de descompresión, que duraban horas. Pese al frío y al agotamiento, se lo tomó con calma. Sabía que probablemente debería dormir en el angosto tanque de descompresión del *Oregon* con Mike, pero sólo estaba dispuesto a sacrificar una noche.

Casi toda la tripulación se encontraba alrededor de la «bañera» cuando salió por fin del mar, y fue saludado con una ovación cerrada, gritos y hurras. Max parecía especialmente satisfecho de sí mismo, y hasta la doctora sonrió pese a la preocupación profesional que la embargaba por su bienestar.

Le ayudaron a salir del agua, y los operarios le despojaron de su equipo en un tiempo récord.

—¿Cómo te encuentras? —preguntó Julia Huxley, abriéndose paso a codazos hacia él—. ¿Algún síntoma?

—Tengo frío —tartamudeó con los dientes castañeándole—. Tengo hambre, y necesito un cuarto de baño con extrema urgencia. —Se volvió hacia Max Hanley, quien estaba detrás de Julia—. Nunca dudé de ti.

—¿Por qué ibas a hacerlo? —replicó Max, la viva imagen de la despreocupación—. Nunca te he decepcionado.

—Gracias.

—Me debes una.

—Basta ya de complicidad masculina —interrumpió la doctora—. Juan, vas a ir a descompresión con Mike para que pueda controlaros, por si aparecen síntomas del síndrome de descompresión.

—¿Eddie y él están bien?

—Eddie sufre una posible conmoción cerebral, y Mike se encuentra bien. Se trata tan sólo de una precaución.

—¿Guardó la muestra de aquel armazón, o todo esto no ha servido de nada?

—No lo sé —contestó Julia Huxley, mientras detrás de ella Max exhibía la muestra con un gesto de mago.

—¡Ta-chán! Mark ya le ha echado un vistazo y dice que no tiene ni idea de qué es.

Juan cogió la varilla de treinta centímetros de largo mientras lo conducían a la cámara de descompresión, situada en la zona de sumergibles. Su textura era rugosa, pero no se parecía a nada que hubiera tocado antes. Si tuviera que describir su textura con una sola palabra, sería «alienígena».

Se la devolvió a Max.

—Consígueme algunas respuestas.

—Mark y Eric estarán levantados toda la noche trabajando con esto, te lo garantizo. Ahora métete en tu sarcófago con Mike, y diré a la cocina que os envíen algo de comer. Debería ser interesante ver a Maurice atravesar una esclusa de aire con guantes blancos.

Juan atravesó la pesada puerta de la primera sección de la cámara de acero, que constaba de dos, y se sentó en el banco de acolchado delgado. Aumentarían la presión del aire hasta la mitad de la que Mike y él habían soportado en el fondo, y después ya podría entrar en la segunda cámara, donde su compañero de inmersión esperaba. Las instalaciones eran primitivas y desnudas, como algo salido de una película de adiestramiento de la Marina de la década de 1960, pero por su bien a Juan no le importaba someterse a aquel tedio.

Los oídos se le destaparon cuando aumentó la presión en la cámara, mientras repasaba todo lo ocurrido durante las últimas horas, y llegaba a la conclusión de que había sido la evasión más afortunada de su vida.

18

La doctora Huxley dejó salir de la cámara a los dos buceadores a las siete y media de la mañana siguiente. Cabrillo se fue directo a su camarote, y observó de paso que el tiempo estaba cambiando y provocaba pronunciados vaivenes mientras recorría los pasillos. Había pasado media hora en la diminuta ducha de la cámara de descompresión, donde se afeitó con la misma navaja que su abuelo había utilizado durante los cuarenta años que había trabajado de barbero. Después de secar la hoja y borrar los rastros de jabón de su cara, se dio un toque de loción para después del afeitado, se vistió con pantalones de algodón y un jersey negro de cuello alto, y fue al comedor para desayunar. Pasó primero por su escritorio a buscar la tableta, con el fin de comprobar su posición, y observó que iban bien de tiempo para su cita con el yate del emir, el *Sakir*.

Ocupó una mesa en mitad del comedor, y apenas se había acomodado cuando Maurice le sirvió café en una taza de porcelana.

—Buenos días, capitán. —Por ser un exoficial de la Royal Navy, el jefe de camareros no se atenía a la estructura corporativa del equipo y nunca llamaba Presidente a Juan. El *Oregon* era un barco. Cabrillo estaba al mando. Por tanto, era el capitán—. ¿Alguna secuela desagradable de su aventura?

—Aparte de dolor de espalda por dormir en un catre abominable, me encuentro bien, gracias. —Bebió el potente café con agradecimiento—. Y ahora me encuentro todavía mejor. Sea cual sea mi desayuno, pon ración doble de salchichas, por favor.

—¿Se ha mirado el colesterol recientemente?

—Hux me autorizó dobles raciones matutinas de cerdo la semana pasada.

—Muy bien, capitán.

Eric y Mark entraron en el tranquilo comedor con la dignidad de rinocerontes furiosos, vieron al Presidente y se dirigieron hacia él. Ambos llevaban la misma ropa de la noche anterior, y presentaban el aspecto agitado de la gente con sobredosis de cafeína.

—Buenas días, caballeros —dijo Cabrillo—. ¿Por qué venís zumbando como un par de abejas?

—Red Bull e investigación —contestó Mark.

Cabrillo dejó de fingir desinterés.

—¿Qué es ese material? —preguntó.

Eric fue el primero en hablar.

—Algo que descubrieron hace unos pocos años.

—Es un metamaterial —terció Mark como si eso constituyera una explicación.

—Eso significa...

—Es un material fabricado casi a nanoescala. Su diseño es lo que le concede propiedades únicas, como manipular la luz o las ondas de sonido.

—Piensa en las cajas de huevos que colocan las bandas de garaje para amortiguar los ecos donde ensayan. Multiplica eso por cien, y después redúcelo a nanoescala. El material mantiene los ángulos precisos para desviar cualquier cosa que quieras.

—¿Amortiguaría el sonido? —preguntó Cabrillo, creyendo que comprendía el principio.

—Por supuesto, sólo que en frecuencias inaudibles para nosotros.

Juan se dio cuenta de que no entendía nada.

—¿Cuál es el objetivo?

—Su forma les concede propiedades que no poseerían en circunstancias normales. Como los paneles reflectantes en los aviones invisibles al radar. Es su forma, no la composición de su revestimiento, lo que los dota de esa característica.

—El revestimiento también tiene propiedades de invisibilidad —corrigió Mark de manera automática, porque cualquier desviación de la verdad absoluta le ponía de los nervios.

—Estoy intentando aclarar algo, si no te importa.

—Estupendo.

—¿Qué hace este particular metamaterial?

—Ni idea —dijo Eric.

—Ni la más remota —coreó Mark—. El diseño de todo el armazón determina su propósito exacto. El metamaterial consigue que suceda.

—¿Podría curvar la luz alrededor del barco? ¿Hacerlo invisible?

—Es posible. O podría trabajar con longitudes de onda electromagnéticas.

—Incluso acústicas —añadió Stone.

—¿Alguna explicación de por qué no crecía nada allá abajo?

—Ah, está saturado de cadmio. Absolutamente tóxico. —Al ver la expresión preocupada del Presidente, Mark se explicó—. El cadmio es peligroso si se inhala o ingiere. Es como el mercurio. Puedes manipularlo, ningún problema, pero no dejes que se introduzca en tu torrente sanguíneo.

Maurice llegó y dejó un plato de comida delante de Cabrillo, para después levantar la tapa con un gesto ampuloso. Era una tortilla exactamente igual a como deseaba su capitán: cargada de salchichas.

—Bien, ya me habéis contado lo que sabéis, ¿por qué no especuláis un poco?

—Cuando conociste al profesor Tennyson, ¿habló de algo relacionado con los franceses? —preguntó Mark Murphy.

—Pues sí —contestó, mientras recordaba el extraño giro en la conversación con el experto en Tesla—. Dijo que Morris Jessup, el tipo que popularizó la historia del Experimento Filadelfia, fue asesinado en teoría por agentes franceses en 1959, y fingieron que su muerte había sido un suicidio.

—¿Daba la impresión de creerse la historia?

—De eso no me acuerdo. No, espera. Creo que dijo que era una teoría conspirativa, de modo que debía desecharla.

—Tal vez no habría debido —dijo Mark con entusiasmo. Como

fanático de las conspiraciones residente en el barco, se hallaba en su elemento—. Escucha esto. En la primavera de 1963, el guarda de un coto de caza de Alaska encontró los restos de tres personas que habían muerto durante el invierno. Los cadáveres habían sido atacados por bestias carroñeras, de modo que una identificación exacta estaba descartada. Ésta es la cuestión: descubrió francos franceses en el bolsillo de uno de ellos.

—¿Y?

—No te he contado lo mejor. Todos los hombres vestían batas de laboratorio sobre pantalones cortos y camisetas, y los encontraron tendidos sobre una extensión de arena blanca en mitad de un bosque boreal. Cuando el guardabosque volvió con una partida para recuperar los cuerpos, los animales se los habían llevado. Lo único que pudieron hacer fue tomar una muestra de arena.

»La envió a un geólogo de la Universidad de Alaska, en Anchorage, quien reparó en que la arena no era de sílice puro, sino que tenía una alta concentración de calcio de coral. El guardabosque se desinteresó de todo el asunto, pero el geólogo Henry Ryder continuó investigando.

Eric intervino.

—Tardó tres años en investigar y comparar muestras, pero la arena que encontraron en pleno Alaska procedía de un atolón situado casi en el centro exacto del océano Pacífico, llamado Mururoa.

—¿Eso es importante? —preguntó Cabrillo.

—Mururoa es el lugar donde los franceses llevaban a cabo sus ensayos nucleares —dijo Mark con un estremecimiento de placer—. En la década de 1960, existía una población numerosa de científicos e ingenieros. Este tal Ryder se puso en contacto con el gobierno francés y preguntó si habían perdido unos científicos en Mururoa. Se quedó patidifuso. Todo era alto secreto, y la Guerra Fría estaba en pleno apogeo. Pero no desistió. Con la ayuda de una mujer del departamento de francés de la universidad, hizo llamadas a las oficinas de las principales facultades de ingeniería de Francia, y al final dedujo que los tres hombres —sacó un trozo de papel de los tejanos—, el doctor Paul Broussard, el profesor Jacques Mollier y el doctor Viktor Quesnel, se hallaban en paradero desaparecido desde 1963, y los tres estaban relacionados con investigaciones francesas sobre armas nucleares.

»Se puso en contacto con sus viudas. Dos no quisieron hablar con él bajo ningún concepto, pero una admitió que su gobierno la había obligado a jurar que mantendría el secreto. Sólo confirmó que su marido había estado en la isla de Mururoa tres años antes, y que eso era lo último que había sabido de él.

—¿De dónde habéis sacado todo esto? —preguntó Juan, mientras intentaba extraer conclusiones.

Los dos intercambiaron una mirada avergonzada.

—Ah, páginas webs de conspiraciones —admitió Mark.

—Así que esto podría no ser más que un montón de tonterías.

—Sí, salvo que llamamos a Alaska. Henry Ryder murió hace mucho tiempo, y su mujer también. Su hija vive todavía en Anchorage y recuerda que su padre conservaba un frasquito de arena en su escritorio, que no le permitía tocar cuando era pequeña.

Stone intervino de nuevo.

—Y el hombre tenía una amiga que iba a verle de vez en cuando, y hablaba como Catherine Deneuve.

—Bien —dijo Juan por fin—. Lo cual concede escaso crédito a la historia. ¿Adónde nos lleva todo esto?

—A que el Experimento Filadelfia fue algo real, pero no tal como ha sido descrito, y a que los franceses mataron a Morris Jessup para silenciarle de una vez por todas, y a que continuaron investigando en sus instalaciones más seguras, y a que es posible que algo saliera mal, y a que algunos trabajadores del laboratorio y la arena sobre la que se encontraban fueran transportados a Alaska por obra de alguna fuerza desconocida. De la misma manera que el barco de George Westinghouse acabó en el mar de Aral años antes.

—No me gusta la ciencia ficción —dijo Juan en tono de advertencia.

—Presidente, los teléfonos móviles eran ciencia ficción no hace mucho tiempo. Aviones, cohetes, submarinos nucleares. La lista es interminable.

—Yo apuesto por Julian Perlmutter.

—Pero ¿por qué?

—Le pedí que investigara el *Lady Marguerite*. —Perlmutter era amigo íntimo de Dirk Pitt, y hombre de confianza de Juan Cabrillo. Se hallaba en posesión de la mayor colección privada del mundo de libros, documentos y relatos marítimos, y tenía olfato de sabueso para resolver enigmas—. No puedo creer en aparatos de teleportación. Creo que alguien secuestró el yate de George Westinghouse y acabó en Rusia. Estoy intentando que Perlmutter confirme mi teoría.

—Pero si ya lo hemos investigado. No hay nada.

Juan sonrió.

—Vosotros creéis que todo cuanto vale la pena saber se encuentra ya en Internet. Existe diez veces más información en las bibliotecas que en la Red. Mil veces, probablemente. Es posible que las búsquedas en Google no puedan compararse con vosotros, pero no llegáis ni a la suela de los zapatos de Perlmutter en lo tocante a buscar respuestas a preguntas esotéricas.

La voz de Hali Kasim se oyó por el intercomunicador. Era el oficial de comunicaciones del *Oregon*.

—Presidente Cabrillo, haga el favor de personarse en el centro de operaciones.

—Disculpadme. Ya hablaremos más tarde.

Hali estaba sentado ante una consola, en el lado derecho del centro de operaciones cuando Cabrillo entró. El oficial de comunicaciones, que había nacido en Líbano, llevaba unos auriculares alrededor del cuello, pero una franja de pelo aplastado sobre su cabeza enmarañada demostraba que hacía rato que los tenía puestos.

—¿Qué pasa?

—Tiene una llamada desde el número que le dimos a L'Enfant, pero no es él.

—¿Quién es?

—Pytor Kenin. Ha preguntado expresamente por usted.

Cabrillo sintió que una oleada de ira recorría su cuerpo, pero la reprimió enseguida. No era momento de dar rienda suelta a los sentimientos. Ocupó la silla habitual y cogió los auriculares enchufados en uno de los apoyabrazos. Se llevó el micrófono a la boca y cabeceó en dirección a Hali.

—Cabrillo.

—No ha dicho Presidente, ¿eh? —dijo Kenin en ruso—. Y sé que me entiende, así que no finja lo contrario.

—¿Qué quiere? —preguntó Juan Cabrillo en el mismo idioma.

—Quiero saber por qué no puedo ponerme en contacto con el K-154.

—Porque se hundió unos diez minutos después de que intentara matarme. —Esperó unos segundos para dejar que el hombre asimilara la idea—. Se estrelló contra el lecho marino con fuerza suficiente para abrirse como una lata de sardinas. La Marina de Estados Unidos ya ha recibido un aviso anónimo sobre el accidente, y estoy seguro de que enviarán un barco de salvamento antes de veinticuatro horas.

—¿Qué ha hecho? —gritó el ruso furioso.

—Kenin, fue usted quien empezó esto, y el primero que derramó sangre, de modo que no se encrespe por el hecho de que le plantemos cara.

—Se está entrometiendo en asuntos que no le conciernen.

—Empezaron a concernirme en el momento en que Yuri Borodin murió. No sé a qué está jugando en el seno del estamento militar ruso, y la verdad, no me importa. Lo único que sé es que voy a pararle.

—Fantasías, señor Presidente. Usted mismo acaba de admitir que no sabe lo que estoy haciendo, de modo que ¿cómo va a pararme? No de la misma forma en que me impidió silenciar a Tennyson, desde luego. Usted va ahora, y siempre lo irá, un paso por detrás.

Era evidente que Kenin no sabía que Tennyson continuaba sano y salvo.

—¿Cree que porque ha localizado a L'Enfant carezco de otros recursos?

—Ah, sí, el enigmático L'Enfant. Parece que, al final, le importa más la supervivencia que guardar los secretos de sus clientes.

—Guardó los suficientes para que el comandante de su submarino cometiera un error fatal —replicó Juan—. Y no estamos hablando de él. Sino de usted. Dé marcha atrás a sus planes, y lo dejamos aquí y ahora. ¿Trato hecho?

—Temo que no. Llega demasiado tarde. De hecho, su interferencia aceleró una prueba programada y me obligó a cambiar de objetivo. Quiero que se tome lo que ha sucedido como algo muy personal. De habernos dejado en paz, el emir todavía estaría vivo, así como la encantadora Linda Ross.

Juan Cabrillo se quedó de una pieza.

—¿Qué ha hecho?

—Convencer a mi cliente de que el juguete que construí para él funciona. Eche un vistazo a su correo electrónico.

La comunicación se cortó.

Cabrillo salto de su asiento y se plantó al lado de Hali un segundo después.

—¿Y bien?

—Canalizó esa llamada a través de todas las estaciones repetidoras de la tierra, además de casi todos los satélites de comunicaciones en órbita, pero le localicé en un aeropuerto militar de las afueras de Moscú.

Juan envió un aviso por la Intranet del barco para que Mark y Eric se presentaran en el centro de operaciones, mientras Hali examinaba la cuenta general de correo electrónico en busca del mensaje de Kenin. No descubrió nada.

¿Qué habría hecho Kenin? La pregunta rebotaba de un lado a otro de su mente, pues su preocupación por el emir y Linda había convertido su delicioso desayuno en un desastre.

Teniendo en cuenta los recursos que el ruso había empleado en la operación, tenía que ser su última gran apuesta. Había tenido la oportunidad de ser legal y optar a un cargo en el gobierno, o al menos a un empleo en el alto mando, o bien continuar mintiendo y engañando para ir ascendiendo en el sistema. Por lo visto, había escogido esto último, y ahora se veía obligado a desaparecer porque tendría que devolver lo que había robado a la Marina rusa.

Stone y Murph llegaron.

—Kenin acaba de llamar y ha dicho que ha hecho un ensayo con lo que ha estado trabajando y lo ha entregado a su cliente. Eso significa que intentará desaparecer de la faz de la Tierra. Se encuentra en la base aérea de Ramenskoye. Ése será su trampolín. Piratead sus comunicaciones y averiguad adónde va. Voy a llamar a Langston para ver si podemos localizar su avión utilizando los pájaros espía del Tío Sam.

—Juan —interrumpió Hali—, ha llegado.

—¿La misma ruta?

—Sí. No sabe que le hemos localizado, de lo contrario no se habría molestado.

—Buen trabajo. Ésta es la primera vez que le llevamos la delantera a Kenin desde que nos infiltramos en la prisión donde retenía a Yuri. Enséñamelo. —Cabeceó en dirección a Eric y Mark—. Quedaos un segundo. No sé qué vamos a ver.

El correo electrónico contenía un MPEG, que Hali abrió. Apareció una imagen en la pantalla principal de un barco blanco en un mar movido. De hecho, daba la impresión de que el barco se enfrentaba a las mismas condiciones climatológicas que el *Oregon*. La cámara saltaba, y se trataba obviamente de una toma a larga distancia desde un helicóptero. La hora y la fecha indicaban que había sido grabada tan sólo momentos antes. El barco blanco era un yate gigantesco, y Juan sólo tardó un segundo en darse cuenta de que era el *Sakir*, el orgullo y la alegría del emir. Se encontraba a trescientas millas al sur del *Oregon*, en dirección a las Bermudas. A juzgar por el tamaño de la estela, daba la impresión de que se desplazaba a quince nudos.

Entonces, a babor de la embarcación, un ominoso resplandor azul surgió del mar como una burbuja de gas que escapara del fondo de un pantano. El resplandor envolvió en pocos segundos al *Sakir*, aunque todavía era posible ver al inmenso barco de noventa metros de eslora.

Sin previo aviso ni advertencia, el yate volcó como si fuera un juguete sometido a los caprichos de un niño vengativo. El agua saltó sobre su proa invertida y lo recorrió en toda su longitud, pues la aceleración continuaba propulsándolo hacia delante, mientras sus dos hélices de hierro y bronce abofeteaban el aire.

El resplandor se apagó un momento después. Los hombres que miraban contuvieron el aliento, anticipando la imagen del enorme yate hundiéndose bajo las olas, pero no obstante se recuperó lo suficiente para que el agua se escurriera de su fondo pintado de rojo, para luego adoptar un equilibrio desigual y, sin duda, breve. El videoclip terminó y volvió al fotograma inicial.

—¡Timonel! —gritó Cabrillo—. Emergencia total. Hali, dile a Gomez que baje al hangar para calentar el helicóptero. Quiero que esté en el aire lo antes posible. Que Linc venga aquí. Eric, ve a la zona de sumergibles y tráeme un equipo completo de buceo, incluido un traje. Mark, herramientas. Necesito equipo de cortar, y saca de los almacenes un bote inflable.

Un barco del tamaño del *Shakir* llevaría una tripulación de diez hombres y el resto del personal duplicaría ese número. Un bote inflable podía transportar a diez personas, pero Juan no quería sobrecargar el helicóptero, porque disminuiría su velocidad. Los supervivientes tendrían que turnarse en el bote, mientras el resto se aferraba a los costados.

Supervivientes. Juan ignoraba si habría alguno. El tiempo no era el ideal, de modo que dudaba que hubiera mucha gente en la cubierta cuando el yate volcó, y los que hubieran quedado atrapados en el interior estarían tan desorientados que quizás habrían sido incapaces de salvarse. Rescatar a diez era de un optimismo exagerado. Y si el yate se hundía antes de que llegaran, la pérdida de vidas podía ser total.

En tal caso, necesitarían el bote inflable para ellos, porque su helicóptero MD 520N tenía margen para llegar al yate naufragado, pero no para volver.

—¡Manos a la obra! —ordenó Juan, y sus hombres se dispersaron.

A continuación, diseccionaron el vídeo para descubrir cómo era posible que un barco del tamaño del *Sakir* volcara de aquella manera. No cabía duda de que se trataba de una tecnología nueva, algo relacionado con la obra de Tesla, pero averiguar qué era exactamente y cómo funcionaba podría esperar a más tarde.

Juan efectuó una breve parada en su camarote para ponerse una pierna mejor preparada para nadar, y se incautó de prendas impermeables. La escotilla de la bodega de popa del *Oregon* estaba abierta, y el reluciente helicóptero McDonnell Douglas descansaba sobre el elevador de la zona del hangar como un ave de presa. El cielo parecía afligido, mientras una tormenta se estaba gestando. El tiempo no iba a colaborar, por supuesto. En momentos como éste, pensó Cabrillo, la Madre Naturaleza mostraba un cruel sentido de la ironía.

—Gomez, ¿cuánto te falta?

El aludido asomó la cabeza por el puente de mando.

—Me has pillado con los pantalones bajados, Presidente. Estaba empezando a cambiar una radio cuando Hali llamó. Necesito diez minutos para reparar la otra.

—Tienes cinco.

Linc y Mark aparecieron juntos. Éste último empujaba una carretilla cargada con un oxicorte y otras herramientas, mientras el ex SEAL llevaba sobre el hombro el bote inflable de treinta y seis kilos dentro de su cápsula de plástico duro, al parecer sin el menor esfuerzo. Hali le habría adelantado los detalles, porque iba vestido con chaqueta Carhartt bajo un impermeable y botas con punta de acero.

—¿Qué pasa, Presidente? —preguntó Linc con su voz de bajo.

—Kenin logró que el *Sakir* volcara. Es posible que necesitemos practicar un agujero en el casco.

—¿Cómo en *La aventura del Poseidón*?

—Exacto.

A continuación, llegó Eric con el equipo de buceo de Juan. Esta vez, no iba a necesitar un traje seco abultado porque no tendría que bucear a mucha profundidad para acceder al interior del barco. La doctora llegó con una caja de artículos médicos de emergencia. Cargó la caja en el contenedor de material externo del helicóptero, mientras Cabrillo terminaba de vestirse. Apoyó la espalda contra el costado del helicóptero para ponerse las botas de buceo, y después ayudó a Eric a cargar el resto del equipo en el asiento posterior del vehículo. Linc ya había guardado la cápsula debajo del asiento del piloto.

—¿Gomez? —preguntó Juan.

—Un minuto más. Tal vez sea mejor disminuir ahora la velocidad del barco.

—De acuerdo.

Había un intercomunicador montado en la pared del hangar. Cabrillo llamó al puente, y casi de inmediato el sonido del agua que pasaba a través de los tubos de propulsión cambió cuando el barco disminuyó la marcha.

«Max me matará por esto», pensó, sin saber que Hanley había infligido el mismo tipo de castigo al barco cuando estaban persiguiendo al Akula ruso. Por más que Cabrillo considerara infatigable al *Oregon*, éste tenía sus límites, y estas repentinas activaciones y paradas provocaban estragos en sus rodetes y en los motores que controlaban su suave cabeceo.

—Vámonos —anunció Gomez Adams. Tiró una bolsa de herramientas a uno de los «monos» del hangar (el mote de los hombres que se ocupaban del mantenimiento del helicóptero) y se acomodó en el asiento del piloto. Un zumbido surgió de la turbina cuando accionó el interruptor principal e inició el procedimiento de despegue.

Mientras Juan y Linc subían a bordo, el piloto conectó su casco con las radios del helicóptero y llevó a cabo una verificación de las comunicaciones.

—Max, ¿estás todavía en el centro de operaciones?

—Estoy aquí. Para que luego hablen de despertares bruscos.

Cabrillo se había puesto el casco y habló.

—¿Has visto el vídeo?

—Hali me lo acaba de poner. Ve a buscarla, Juan.

Habrían reaccionado de la misma forma aunque Linda no hubiera estado en el *Sakir*, pero su presencia conseguía que el rescate fuera especialmente emotivo.

—No te preocupes por eso. ¿Algo en el radar?

—Nada de qué preocuparse.

—Mantén el ojo avizor. Kenin tuvo que utilizar otro barco u otro submarino para hacer eso. Sonar activo mientras nos sigues, y atento a contactos con la superficie. ¿Sabes lo de L'Enfant?

—Hali me ha dicho que esa rata nos vendió.

—Es cierto, pero no reveló que podíamos rastrear el submarino de Kenin y que teníamos la capacidad de hundirlo. No creo que Kenin sepa que tenemos un helicóptero, ni que el *Oregon* es el barco de su tamaño más veloz del mundo.

—Estás en lo cierto.

—Kenin nos subestimó en una ocasión. Recemos para que vuelva a hacerlo.

—Comprendido. Estaremos ojo avizor.

—Nosotros haremos lo mismo.

La tripulación nunca se deseaba buena suerte mutuamente durante una misión, de modo que Max repitió su anterior petición.

—Tráela de vuelta.

—Recibido.

Juan engarfió los dedos frustrado mientras esperaban a que las temperaturas de la turbina alcanzaran los niveles correctos. Sólo entonces accionó Adams la transmisión, y el rotor empezó a girar, primero como perezoso, y después desapareció en un torbellino de movimiento. En la cola del aparato, en lugar de contar con un segundo rotor más pequeño, el helicóptero expulsaba sus gases de escape a través de ranuras en el tubo de cola para lograr estabilidad giroscópica.

—Max —llamó por radio Adams—, ¿cómo está el viento?

—Ningún problema —contestó Max Hanley.

—Pues vámonos.

Aplicó más potencia, modificó el ángulo de los rotores y empezaron a ascender.

El helicóptero se elevó de la cubierta por sobre la barandilla del castillo de popa, mientras el *Oregon* se alejaba. Agachó el morro para acelerar un poco, y después se elevó hacia el cielo. Ocasionales gotas de lluvia se estrellaron contra el parabrisas mientras alcanzaban los trescientos metros de altitud y continuaban acelerando en dirección sur.

—Te has ocupado tú de los cálculos, ¿verdad? —preguntó Juan.

—Sí. Nos colocaremos sobre el objetivo con el depósito casi agotado si mantenemos una velocidad de ciento treinta nudos —Gomez se volvió para mirar al Presidente un momento—. No quiero ser el Cenizo Negativo del grupo, pero ¿qué haremos si el yate ya no está?

—Realizamos un aterrizaje de emergencia y esperamos al *Oregon* en el salvavidas, y cuando nos salven, deduciré el precio del helicóptero de tus acciones de la Corporación.

—Te apoyo en las dos primeras medidas, pero la número tres se me antoja injusta.

—Te está tomando el pelo —dijo Linc—. De lo contrario, tendría que asumir el coste de sustituir el Nomad de su propio bolsillo. Eddie me dijo que la ascensión de emergencia fue idea del Presidente.

Juan sonrió, agradecido por la cháchara que les hacía olvidar la situación de Linda.

—A ver qué te parece esto: si hacemos un aterrizaje de emergencia, quedamos empatados.

—Me parece bien.

Linc dedicó casi todo el vuelo a estudiar el mar con unos poderosos prismáticos que ni siquiera sus enormes manos podían abarcar del todo. Espió barcos solitarios que surcaban la costa del Atlántico hasta asegurarse de que no suponían ninguna amenaza. Entonces, algo llamó su atención, y se fijó en ese barco más que en cualquier otro. Por fin, pasó los prismáticos hacia atrás y señaló un punto a unos cuarenta grados de su rumbo.

—Juan, ¿qué deduces de eso?

El Presidente ajustó los prismáticos y miró hacia donde Linc le indicaba. Movió la ruedecilla del foco hasta ver con claridad. Vio la estela de un barco que se estaba ensanchando y alisando en el mar revuelto. Siguió su rastro, pero desapareció antes de que viera al barco formarla. Confuso, volvió a mirar. La estela era una cuña de espuma blanca en la superficie del mar, que culminaba en la nada más absoluta, pero no obstante su extremo continuaba alejándose de ellos.

La imposibilidad de lo que estaba presenciando entorpecía su razonamiento cognitivo, de modo que continuó mirando sin comprender ni aceptar la realidad de lo que sus ojos le transmitían.

A unos treinta metros delante del vértice aplanado de la estela, aparecían ocasionales nubes de espuma blanca, como cuando la proa de un barco corta las olas, pero entre esos dos puntos no había otra cosa que mar abierto.

Juan parpadeó y forzó la vista. No, no era mar abierto, sino una distorsión del aspecto del mar abierto, un facsímil de la naturaleza, no la propia naturaleza. Entonces la realidad se impuso.

—Ciencia ficción. Esos dos no pararán de darme la paliza.

—¿Quieres que me acerque más? —preguntó Adams.

—No. Continúa así. Tal vez no se hayan dado cuenta de que les hemos visto. —Juan devolvió los prismáticos a Linc y conectó la radio—. Max, ¿estás ahí?

—Siempre preparado.

—Pasa a beta-encriptado —ordenó Juan, y Adams cambió al canal encriptado secundario del helicóptero—. ¿Sigues conmigo?

Se produjo un segundo retraso en el resto de su conversación, porque los ordenadores necesitaban más tiempo para descifrar la línea de comunicación segura.

—Sigo aquí.

—No sé si Kenin provocó el volcamiento del yate del emir, pero sé cómo se acercó lo suficiente para activar el arma. Se nos salen los ojos de las órbitas viendo la estela de un barco, sólo que no hay barco.

—Repite.

—Cuentan con alguna especie de camuflaje óptico. El barco que utilizó para hundir al *Sakir* es…, bien, es invisible.

—¿Estás seguro de que no es una secuela atrasada de la descompresión?

—Linc lo ve, o sea, tampoco lo ve.

—Juan —dijo Linc en tono perentorio, mientras le volvía a pasar los prismáticos—, mira ahora. Deben creer que han salido de la zona de peligro.

Juan vio la estela de nuevo y la siguió hasta su origen. Esta vez, el barco estaba a la vista, y menudo barco. Le recordó el piramidal *Sea Shadow* de la Marina estadounidense, un barco experimental capaz de eludir el radar con un diseño basado vagamente en el Nighthawk F-117. Este barco estaba pintado de un gris oscuro que se confundía a la perfección con el mar circundante, con costados inclinados y facetados que se encontraban en un pico a unos nueve metros sobre las olas. Al contrario que el *Sea Shadow*, no era un catamarán, sino un monocasco, con un espejo de popa plano y una larga cubierta que sobresalía por encima de la proa. Su diseño se había centrado más en la estabilidad que en la estética, y se había convertido así en el barco más feo que Juan había visto en su vida.

Calculó que navegaría a quince nudos, y lo más probable era que, si estaba huyendo del escenario del crimen, aquélla fuera su velocidad máxima.

—¿Qué quieres que haga? —preguntó Max Hanley.

En el mar, la conservación de la vida humana tenía prioridad sobre todo lo demás, de eso no cabía la menor duda. No podía ordenar al *Oregon* que se desviara de su curso e interceptara aquella extraña arma nueva. Y ninguno de sus misiles tenía alcance suficiente para alcanzarla, pero eso no significaba que estuvieran inermes.

—Concédeme unos minutos para calcular los vectores y velocidades relativas. Quiero que estés preparado para lanzar en su persecución a Eddie y MacD a bordo de una lancha inflable semirrígida.

—Esa cosa acaba de hacer volcar a un megayate de noventa metros de eslora. ¿Qué crees que le hará a una diminuta lancha semirrígida?

—Sólo quiero que lo sigan. En cuanto hayamos finalizado el rescate, les seguiremos y nos haremos cargo del resto.

—¿Y la tormenta?

—No hay temporal en este planeta que una semirrígida no pueda sortear.

—Podríamos tardar días en encontrar supervivientes del *Sakir* —advirtió Max en tono preocupado.

—Nos iremos en cuanto aparezca la Guardia Costera. Llámala por radio, ¿de acuerdo?

—Llevan tres horas de retraso.

—Ésa es tu respuesta. Nos dedicamos a lo nuestro durante tres horas, y después damos paso a los profesionales. Es un buen plan, Max.

—Y peligroso.

—¿No lo son todos? Carga la lancha con bidones de combustible extra, y llamaré cuando estéis cerca de la estela de ese barco furtivo.

—De acuerdo. Pero no pienso enviar a esos chicos sin trajes de supervivencia y rastreadores de GPS de redundancia.

—No creía que lo fueras a hacer.

Juan había facilitado a Max la posición relativa y la velocidad del *Oregon,* y efectuó los cálculos. Llegarían al *Sakir* cuando el *Oregon* estuviera lo más cerca posible del barco, de modo que dijo por radio la hora en que quería que enviaran la semirrígida y les concretó el rumbo relativo de su objetivo.

—Juan —dijo Gomez Adams—, nos estamos acercando a la última posición conocida del *Sakir*. No nos irían mal unos pares de ojos más para localizarlo.

—De acuerdo… Nos estamos acercando —dijo por radio a Max—. Te volveré a llamar cuando lo hayamos encontrado.

—Recibido. Buena cacería.

—Lo mismo te digo.

19

Tenían suerte en el sentido de que sabían, con una diferencia de unas dos millas, dónde se encontraba el *Sakir* cuando fue atacado. Todos los miembros del equipo de la Corporación llevaban chips GPS insertados quirúrgicamente en el muslo. Los chips no eran potentes, de manera que la señal era intermitente. Pero habían recibido una señal del chip de Linda cuando había salido a la cubierta veinte minutos antes de que el *Sakir* volcara, lo cual acotaba la zona de búsqueda de forma drástica.

No tuvieron suerte, sin embargo, porque el techo de nubes había caído, lo cual les obligaba a volar a una altitud de ciento veinte metros, impidiendo una buena vista del horizonte. Durante diez minutos, mientras la turbina del helicóptero chupaba gasolina como un borracho en un bar con barra libre, siguieron líneas de cuadrícula que Adams había trazado en su carta de navegación. Y no encontraron nada.

—No quiero echar más leña al fuego —dijo Adams por la red de comunicaciones del helicóptero—, pero nos quedan unos cinco minutos de combustible.

—Pesimista —dijo Linc, sin apartar los prismáticos de sus ojos.

Un momento después, demostró que tenía razón.

—Allí.

Señaló frente a ellos.

Juan se inclinó hacia delante entre los dos asientos delanteros y cogió los prismáticos que le ofrecía el ex SEAL.

Como un pez flotando muerto panza arriba en el agua, el casco volcado de la antes hermosa embarcación de lujo yacía perdido y abandonado, mientras las olas se estrellaban contra él, rodeado de muy pocos restos. Cuando se acercaron todavía más, Juan vio a dos personas, sentadas cerca de donde emergía del agua el árbol de una hélice, que se levantaban y empezaban a agitar los brazos frenéticamente. Por un momento confió en que una de ellas fuera Linda Ross, pero pronto quedó claro que ambos hombres iban vestidos con idénticos trajes oscuros.

—Guardias de seguridad —dijo Juan—. Debían estar en cubierta cuando el yate volcó. Cayeron al agua, y después volvieron nadando a esperar.

Adams situó el helicóptero encima del yate, justo a popa del centro del barco. Observó la suave oscilación del casco y detuvo la aeronave con los patines sobre la quilla del *Sakir*. Apagó el motor y desconectó los aparatos electrónicos. Los dos guardias corrieron hacia ellos, y se agacharon bajo las palas que todavía giraban para llegar al helicóptero.

Juan abrió la puerta.

—¿Están solos?

—Había un tercero —dijo el hombre de mayor edad—. Estaba con nosotros en la cubierta, pero no salió a la superficie después de que el barco volcara.

—¿Alguna señal de supervivientes? ¿Han oído a alguien dar golpes dentro del yate?

Estaba claro que ninguno de los dos hombres se había fijado. Linc ya estaba a cuatro patas golpeando el casco con una gigantesca llave inglesa, con la cabeza ladeada como un perro que aguardara una respuesta.

Juan empezó a recoger su equipo de buceo.

—Déjenme sacar mis cosas, y ustedes dos tomen asiento en el helicóptero y vayan entrando en calor. —Los guardias estaban empapados, y parecieron agradecidos por protegerse del viento y la lluvia—. Mi barco debería llegar dentro de una hora más o menos, y les proporcionaremos ropa seca y comida caliente.

—¿Quién es usted?

—Juan Cabrillo, de la Corporación.

—Es la organización que el emir contrató para reforzar la seguridad.

—He captado la ironía.

Cinco minutos después, caminaba hacia donde el agua se estrellaba contra el casco con las aletas en la mano. Se inclinó con cautela bajo el peso que cargaba, acopló las aletas a las botas de buceo, y después se bajó la máscara. Dio media vuelta y retrocedió por el costado del casco hasta que el mar absorbió su peso y flotó. Se alejó nadando unos metros, para que las olas no le arrojaran contra el acero. Ajustó su flotabilidad mediante la extracción de un poco de aire del traje.

Un momento después descendía pegado al casco. Tres metros más abajo, donde el agua estaba mucho más calma, alcanzó la línea de flotación. En ese punto la pintura roja antiincrustante daba paso al blanco puro que había hecho famoso al *Sakir*.

Cabrillo todavía no se había recuperado por completo de la tensión de la zambullida del día anterior, y no estaba buceando con un compañero, dos pecados capitales, pero si existía la menor posibilidad de salvar a Linda, atravesaría las puertas del infierno. Miró a través de un par de portillas, animado por el hecho de que en una de las habitaciones sólo había un poco de agua en el suelo, o lo que había sido el techo. Dio golpecitos en el cristal de lo que parecía el camarote de un oficial, pero no obtuvo respuesta.

En cuanto llegó a la cubierta principal invertida, se encontró a una profundidad de nueve metros. Encendió la luz de buceo, aunque la visibilidad no era demasiado mala, teniendo en cuenta la tormenta desatada en la superficie.

La cubierta de teca había quedado arrasada cuando el barco volcó. Habían desaparecido las sillas y las mesas, las pilas de mullidas toallas en el borde del *jacuzzi* y las copas de cristal tallado. Más abajo estaba la segunda cubierta, y después la tercera, donde se hallaba el puente. Todavía más abajo estaban los radomos, las antenas de radio y la gigantesca chimenea.

Encontró una puerta de cristal corrediza que había sobrevivido a las violentas fuerzas que hicieron volcar al barco, y la forzó. Como estaba invertida, no se deslizó a un lado con suavidad, y tuvo que esforzarse por atravesarla. El pasillo conducía a proa y a popa. Eligió la proa al azar, y fue abriendo las habitaciones a medida que avanzaba. Cada camarote era una inundación de ropas de cama, muebles sueltos y prendas de vestir que todavía daban vueltas y bailaban en el agua.

Siguió adelante y descubrió el primer cadáver. Era una joven vestida de doncella. Estaba flotando en un camarote que debía estar destinado al servicio. El carrito estaba caído de costado en un rincón de la habitación, y más sábanas aletearon a la luz, como seres marinos ondulantes. Tenía la cara vuelta en dirección opuesta a Cabrillo, de modo que éste se acercó y le dio la vuelta con suavidad.

Lanzó una exclamación sobresaltada que sobrecargó su regulador.

La pobre mujer debía haberse golpeado la cara contra una pared, porque sus facciones estaban deformadas hasta ser irreconocibles. Recordó el vuelco casi instantáneo del enorme barco, y supuso que había encontrado la muerte cuando se estrelló contra la pared a más de treinta kilómetros por hora. Era como si la hubieran golpeado con un bate de béisbol.

Continuó su peregrinación, a sabiendas de que su tarea sólo podía empeorar.

Cabrillo encontró dos cadáveres más en aquel nivel. Uno estaba vestido como los guardias de seguridad, con un sencillo traje oscuro y corbata del mismo color, y el otro llevaba la chaqueta blanca de jefe de cocina y pantalones de tela a cuadros grises. A juzgar por la forma en que su cabeza se movía sobre el cuello, estaba seguro de que ambos habían muerto como la doncella, cuando se estrellaron contra un mamparo.

Llegó a la escalera principal, majestuosa y sinuosa, que se curvaba alrededor de un atrio que antes había sido un techo de cristal. Lo iluminó con su luz, y vio que quedaban todavía algunos cristales en la ornamentada cúpula de hierro forjado. Debajo, el océano era negro como la tinta.

Con una sensación de temor cada vez más intensa, subió nadando la escalera. Este nivel parecía inundado por completo, pero no podía permitirse atajos en una misión como ésta. Comprobó cada rincón en busca de alguien que hubiera encontrado una bolsa de aire y sobrevivido al desastre. Había estado a bordo del *Sakir* en más de una ocasión. Era difícil asimilar tanta destrucción, cuando recordaba el barco como el epítome de la opulencia.

Por desgracia, había más cadáveres. Reconoció en uno de los hombres al sobrino del emir, un adolescente simpático que albergaba ambiciones de llegar a ser científico. Física de partículas, recordó.

Cada horripilante descubrimiento lograba que su ira hacia Kenin aumentara mucho más, y lo más doloroso era que aquellas personas nunca habían sido objetivos en potencia. Kenin cargaba su muerte sobre los hombros de Cabrillo, y por más que a éste le habría gustado racionalizar la culpa, no podía. La muerte de aquellas personas era casi tanto culpa de él como del malvado almirante ruso.

En la siguiente cubierta, más cercana a la superficie y, por lo tanto, a la línea de flotación, se encontraba la zona de la tripulación. Habían desaparecido las elegantes cortinas de seda de las paredes, las mullidas alfombras y las luces tenues. Se hallaba en un mundo de paredes de acero blancas, conductos eléctricos al descubierto y losas de linóleo. El emir tenía dinero de sobra para concederles un entorno mejor cuando no estaban de servicio, pero dejar el espacio tan desnudo era un recordatorio nada sutil de que eran criados, y de que él era el amo. A veces, la mezquindad de los ricos irritaba a Cabrillo.

Esperaba encontrar muchos más cadáveres, pero no descubrió ninguno. Debía haber empleados en la zona cuando el yate volcó, pero no encontró a nadie. Por fin, localizó una escotilla de entrada a la zona de máquinas. Tenía una cerradura electrónica con tarjeta lectora, pero cuando el barco perdió la energía eléctrica, las cerraduras se desacoplaron automáticamente. Abrió la puerta de acero y subió nadando por lo que, en esencia, era una escalerilla, porque era demasiado empinada para llamarla escalera.

La sala de máquinas principal estaba tan limpia como la del *Oregon*. Los enormes motores diésel, suspendidos del techo, estaban pintados de blanco, mientras que el suelo había sido de placas anecoicas verdes. Encontró allí dos cuerpos, ambos con mono de mecánico. Atravesó la sala de equipos auxiliares, donde se procesaban las aguas residuales y la basura, y se producía agua potable por mediación de un desalinizador de ósmosis invertida.

Se sintió consternado por no haber encontrado más víctimas, y llegó a la triste conclusión de que todos se encontraban en la segunda cubierta. Debido a la física que intervenía en la volcadura de un barco, todos habrían muerto a consecuencia del violento impacto, o tan malheridos que no habrían podido hacer nada para salvarse cuando el agua inundó el barco. Estaba a punto de explorar las cubiertas superiores cuando divisó una escotilla sobre su cabeza que antes había estado en el suelo. Tenía que ser el acceso a la sentina. Nadó hacia ella y probó la rueda. Giró como si la hubieran aceitado aquella mañana.

La escotilla giró sobre sus goznes, y él asomó la cabeza y un brazo a ese nuevo espacio, y se quedó sorprendido cuando cayó en la cuenta de que había accedido a una cámara libre de agua. No creía haber llegado al nivel de la superficie, y un vistazo a su medidor de profundidad le confirmó que se encontraba todavía bajo dos metros y medio de agua. El aire de la cámara estaba lo bastante presurizado para impedir que el agua se colara. Paseó la luz a su alrededor y vio lo que parecía una antecámara, porque se trataba de un espacio pequeño, y había otra escotilla cerrada a su derecha. Quedaba sólo un metro y veinte de espacio libre sobre su cabeza. Se quitó los tanques.

Comprendió que si toda la sentina estaba llena de aire, debía estar proporcionando la sustentación que mantenía a flote el *Sakir*. A la larga se vaciaría, pero de momento estaba impidiendo que el lujoso crucero se precipitara hacia el fondo del mar.

Cerró la primera escotilla y abrió la siguiente, con la luz de buceo dirigida hacia delante. Un retablo de muerte le saludó. Había treinta personas tendidas a lo largo de las paredes, algunas abrazadas entre sí, otras solas, y otras formando pequeños grupos, como si hubieran estado charlando antes de caer. No tenía ni idea de cómo habían llegado aquí o qué las había matado. El aire olía bien, algo mohoso y contaminado de sal, pero respirable.

Y cuando su luz resbaló sobre uno de los cadáveres, éste abrió los ojos y chilló. En un abrir y cerrar de ojos, los demás cobraron vida. Todos habían estado durmiendo en la negrura de la sentina del barco.

Dos linternas se encendieron, y sumaron su resplandor a los rostros animados de las personas que se levantaban y corrían hacia Cabrillo. Algunas se quedaron en la cubierta, y él imaginó que estaban heridas. Le ametrallaron a preguntas en media docena de idiomas, pero al final una voz se impuso a las demás.

—Ya era hora de que vinieras —le reprendió Linda Ross—. El aire se estaba agotando aquí dentro, y me estaba aburriendo. He perdido hasta el último centavo jugando al *gin rummy*.

No medía más de metro cincuenta y cinco, con su cara de elfa, grandes ojos y nariz respingona. Tenía algunas pecas que la dotaban de una apariencia todavía más juvenil, y voz infantil.

—¿Qué ha pasado?

—Iba a hacerte la misma pregunta.

Su conversación quedó interrumpida unos minutos cuando el emir, cuyo nombre se componía de más de once apelativos y a quien Cabrillo llamaba Dullah, diminutivo de Abdullah, le dio las gracias una y otra vez por haber ido a salvarles.

—Todavía no estamos fuera de peligro, amigo mío. El *Oregon* aún tardará media hora en llegar, y temo que si salimos de aquí, el aire de la sentina se escapará y el *Sakir* se hundirá como una piedra.

Se volvió hacia Linda.

—¿Qué pasó después de que volcarais? ¿Cómo acabó todo el mundo aquí?

—Fue ella —dijo el emir, al tiempo que señalaba a Linda—. Ella lo hizo. Nos salvó a todos. Cuando el barco volcó, supo traernos aquí lo antes posible. Sabía que el agua entraría en el barco, y vinimos corriendo aquí. Tendría que haberla visto, amigo mío. Era como una leona protegiendo a sus cachorros. Yo apenas podía levantarme del suelo, y su adorable Linda nos estaba organizando para que los fuertes ayudaran a los débiles.

Juan Cabrillo dirigió a Linda una mirada de agradecimiento. Ella insinuó una sonrisa, pues le gustaban las alabanzas del emir, pero era demasiado tímida para regodearse.

—Ya le he dicho que le pagaré diez veces más que usted para que sea mi guardaespaldas personal —continuó el árabe—. Mientras mis hombres vagaban aturdidos, ella nos salvaba la vida. Lo repetiré otra vez, una verdadera leona. Nunca en mi vida había visto a alguien tan valiente, tan fuerte, tan...

Dullah se quedó al fin sin elogios.

—Olvida la parte en que convertí el agua en vino —dijo Linda.

—Creo que sería capaz —replicó el emir.

El Presidente la miró.

—Linda, ¿estás segura de que hay suficiente espacio aquí para ti y tu ego?

—De sobra —contestó ella con descaro.

«Buen trabajo», le dijo él moviendo los labios, y después se dirigió a los reunidos.

—Tengo que hablar con un técnico.

Uno de los hombres se adelantó.

—Heinz-Erik Vogel, jefe de máquinas.

Era un teutón, desde su rubia cabeza hasta las suelas de sus botas de trabajo, y se irguió como poniéndose firmes. El Presidente le estrechó la mano.

—Soy Juan Cabrillo, el jefe de Linda.

A continuación, explicó su teoría de por qué el barco no se había hundido todavía, y el jefe de máquinas se mostró de acuerdo con él, porque ya había llegado a la misma conclusión. Coincidieron en que la mejor forma de sacar a los náufragos sería abrir una brecha en las planchas del casco por encima de la antesala a través de la cual Cabrillo había entrado en la sentina. Impedirían que el aire se escapara utilizando su escotilla de acceso a modo de esclusa de aire, y la abrirían tan sólo el tiempo suficiente para meter dentro a un grupo de personas, y después la cerrarían de nuevo mientras los hombres de Cabrillo les ayudaban a salir.

Tendrían que practicar un segundo agujero en la sentina, además de bombear aire a alta presión, para compensar las pérdidas cuando abrieran la escotilla.

Calcularon cuál sería el lugar perfecto de la antecámara con relación a los ejes de transmisión de las hélices, el único punto de referencia que tendría Cabrillo en el fondo del casco, por lo demás vacío.

Cuando hubieron acordado los detalles, el Presidente se volvió hacia Linda.

—Tengo aire suficiente para que los dos podamos volver a la superficie.

Ella no tomó en serio la oferta ni por un segundo.

—Ahora soy responsable de esta gente. No pienso abandonarles hasta que todos estén a salvo.

Cabrillo se inclinó y le dio un beso en la frente.

—Sabía que lo harías. Cierra la escotilla cuando yo salga. Nos llevará más o menos una hora ponernos en acción. Podríamos empezar a cortar ahora, y en cuanto el *Oregon* llegue, Max instalará la manguera de aire. Cuando dé tres golpes en la escotilla, significará que voy a abrirla. Envía a las primeras cinco personas. Primero los malheridos, pero han de proceder con celeridad, de manera que la gente ilesa les ha de ayudar.

—Comprendido.

—Después cerraremos la escotilla, despejaremos la antecámara, dejaremos que la presión aumente aquí dentro, y repetiremos la jugada.

—Suena bien.

—Vale, bombón. Hasta luego.

Juan Cabrillo invirtió unos diez minutos en nadar, y unos cuantos más en someterse a descompresión, para llegar a la superficie e izarse al casco del *Sakir*. Linc apareció al instante a su lado para ayudarle a quitarse el equipo.

—¿Linda?

—Los salvó a todos, salvo a un par —dijo con una sonrisa de orgullo.

—¡Hurra! Sabía que mi chica saldría de ésta. ¿Qué pasó?

—Metió a todo el mundo en la sentina después de que el *Sakir* volcara, pero antes de que se llenara de agua. Ahora están allí, dentro de una burbuja de aire presurizado. Deduje con la ayuda del jefe de máquinas del barco la forma de rescatarlos y evitar que esa bañera se hunda bajo nuestros pies. ¿Qué sabes del *Oregon*?

—MacD y Eddie están siguiéndole la pista al barco de Kenin en la lancha semirrígida desde hace veinte minutos, y el *Oregon* llegará dentro de unos diez minutos.

—Perfecto.

El Presidente se acercó al helicóptero para comunicarse con Max Hanley. Explicó lo que iban a necesitar, y su segundo de a bordo prometió que estaría preparado cuando llegaran.

Mientras Linc preparaba el soplete cortador, Juan Cabrillo se quitó el traje de buceo, se secó con un trapo que, según Adams, estaba limpio, y se puso ropa de calle que había cogido de su camarote, además de unas botas de goma que le llegaban a las rodillas.

En cuanto el *Oregon* estuvo situado a barlovento del *Sakir*, de manera que su enorme casco protegía al equipo de trabajo de lo peor de la tormenta, una zódiac salió disparada de la cubierta de embarcaciones, arrastrando una gruesa manguera de goma. Max iba a los controles, y le acompañaban algunos mecánicos.

No había tiempo para hablar. La tormenta estaba empeorando. Las olas no tardarían en barrer el casco y frustrar cualquier intento de sacar a los supervivientes. Según los cálculos que Vogel le había dado, Cabrillo marcó un punto de un metro cuadrado en el casco, y Linc empezó a trabajar con el soplete. Pronto, metal fundido llovió de los cortes que hacía, mientras el soplete iba devorando la plancha de cuatro centímetros de grosor. Max Hanley había traído un segundo soplete de plasma, y se encontraba al lado de Linc cortando con frenesí. Más adelante, los mecánicos del *Oregon* estaban preparando un taladro para embutir una manguera de aire. Tenían tubos de pegamento de contacto industrial preparados para inmovilizar la manguera en cuanto el extremo estuviera dentro de la sentina. Gomez Adams estaba calentando el motor del helicóptero para el breve salto de vuelta al hangar.

En conjunto, el equipo de Cabrillo estaba trabajando como la máquina bien aceitada que era.

Juan había dicho a Linda que estarían preparados al cabo de una hora. Falló por dos minutos, y porque no calculó el tiempo que Max tardaría en montar un ariete hidráulico en la sentina. Necesitarían su potencia para cerrar la escotilla de nuevo e impedir que la presión del aire escapara. Por suerte, no era lo bastante elevada para garantizar la descompresión de los que estaban atrapados en el interior.

Cabrillo le hizo la señal, ella le comunicó con unos golpecitos que estaba preparada, y él abrió la escotilla. En el chorro explosivo de aire, cinco personas entraron dando tumbos en la antecámara, y cayeron al suelo en una maraña de miembros. Una mujer chilló cuando su pierna, que ya estaba rota, golpeó contra la pared del fondo. Max activó el ariete y cerró la puerta de golpe, tal como había prometido.

—¿Qué opinas? —preguntó Cabrillo. No parecía que el barco se hubiera hundido más.

—¿Qué quieres que te diga? No has dejado un barómetro ahí dentro. Gunner se encarga del compresor. Podría decirnos cuál es la contrapresión. Eso nos dará una idea de cuándo podemos dejar salir al siguiente grupo. Pero si quieres que te diga la verdad, creo que ha funcionado de maravilla.

El Presidente sonrió.

—Yo también.

Gracias a su paciencia, y al reciclaje del aire en el espacio de la sentina, el último grupo tardó cuarenta minutos en salir, incluidos

Linda, Vogel y el emir, quien había insistido, pese a los ruegos de todo el mundo, en esperar a salir de las entrañas del barco. Max cerró la escotilla mientras los últimos supervivientes se congregaban.

Dullah volvió a estrechar la mano de Juan Cabrillo.

—¿Ahora estamos, como decís vosotros, fuera de peligro?

—Muy cerca, amigo mío, muy cerca.

20

En un mundo ideal de ficción, el *Oregon* habría aparecido en el horizonte en cuanto los pasajeros fueron rescatados, para luego iniciar la persecución del barco furtivo. Pero esto era la realidad. Y la realidad era que el Atlántico está considerado nuestro «estanque» tanto por la Marina estadounidense como por la Guardia Costera.

Apenas había transcurrido un minuto desde que el emir saliera de la sentina, cuando un helicóptero Jayhawk HH-60 pintado con los colores naranja y blanco característicos de la Guardia Costera atronó sobre el casco a quince metros, y llenó el ya agitado aire de agua levantada por los rotores.

Juan Cabrillo sabía que aquello iba a pasar, y en consecuencia ya había desactivado los radares militares del *Oregon*, y había seguido el rastro del pájaro que se acercaba con equipo civil mucho más débil. Si el helicóptero no llevaba aparatos para detectar la diferencia, seguro que sí contaba con ellos la patrullera que lo seguía, lo cual suscitaría preguntas que el Presidente no deseaba contestar. Otra pregunta que deseaba evitar era cómo un barco que había zarpado de Filadelfia había llegado tan al sur tan deprisa.

El último invento de Max se encargaría de eso. En fechas recientes había sustituido las planchas de acero del castillo de popa del *Oregon*, donde estaba grabado el nombre del barco siguiendo la tradición, por una sofisticada microrred electromagnética variable. Un ordenador controlaba cuáles de los diminutos imanes que formaban la red estaban repletos de energía. De esta forma, cuando se rociaban las planchas con limaduras de hierro, espolvoreadas por una boquilla retráctil, se escribía cualquier nombre que Max Hanley eligiera. Cuando interrumpía la corriente, el nombre y la enseña nacional anteriores (en este caso, *Wanderstar*, de Panamá) desaparecían en el viento. Había tecleado un nombre nuevo, del cual poseían toda la documentación, en el sistema y activado la boquilla. Los imanes atrajeron las diminutas limaduras y escribieron *Xanadu*, de Chipre, mientras el metal sobrante caía al Atlántico. El sistema era tan preciso que, incluso desde escasa distancia, parecía pintura que se estuviera desprendiendo en algunos sitios, en concordancia con el desaliño general del resto del barco.

En el pasado, la tripulación tardaba media hora en cambiar el nombre del barco. Ahora, toda la operación duraba menos de diez segundos.

Cabrillo sacó un *walkie-talkie* encriptado del bolsillo posterior cuando el helicóptero de la Guardia Costera retrocedió para analizar la situación.

—Habla conmigo, Max.

—El helicóptero acompaña a la patrullera *James Patke*, de Norfolk. Debería llegar en media hora. El *Oregon* es ahora el *Xanadu*. Eric está en la timonera efectuando los cambios, tanto allí como en el camarote del capitán, por si quieren abordarnos.

—Necesitaré mi identificación de capitán Ramón Esteban —dijo Cabrillo. Era la identificación que acompañaba a su disfraz de Chipre.

—Stone la dejará en el escritorio de tu camarote.

—Será mejor que hagamos una buena actuación. Baja uno de los botes salvavidas como si hubiéramos planeado llevarnos a los supervivientes. Después bloquea los controles del pescante, para que los de la Guardia Costera nos los tengan que sacar de las manos.

—Ya lo he ordenado —replicó Max—. ¿Crees que soy un neófito? —añadió a modo de reprimenda.

—No, pero es la primera vez que nos enfrentamos a la Guardia Costera de Estados Unidos, y no a un facsímil del Tercer Mundo más interesado en sobornos que en rescates.

—Recibido. Todo saldrá bien.

El helicóptero de la Guardia Costera volvió a acercarse, esta vez con la puerta lateral abierta y un buzo de rescate sentado con las piernas colgando en el vacío. Cuando estuvieron a unos cien metros a babor del barco naufragado, y a una altitud de nueve metros, el buceador se soltó de su asidero y cayó como una flecha en el océano embravecido. El helicóptero se alejó de inmediato para que el hombre pudiera nadar con más facilidad. Max y su equipo aprovecharon la oportunidad para quitar el ariete hidráulico que habían instalado y tirarlo por encima de la borda subrepticiamente. Con la manguera de aire ya a bordo del *Oregon*, era la última prueba de que el rescate había sido mucho más complicado de lo que estaban a punto de admitir.

El buceador llegó al costado del *Sakir*, y el Presidente le tendió una mano para ayudarle a salir del agua.

—MCPO Warren Davies —dijo el hombre mientras se quitaba las aletas y las sujetaba al cinturón que rodeaba su traje de neopreno.

—Capitán Ramón Esteban.

—¿Cuál es la situación, capitán?

—Esto es un yate de lujo —explicó Juan con melodioso acento español—. Creo que fue alcanzado por una ola potente y volcó. Íbamos camino de Nassau cuando vimos el barco. Dos hombres habían sido arrojados al agua, pero los encontramos en el casco. Nos dijeron que habían oído golpes dentro del casco. Utilizamos un soplete de nuestro barco para abrirnos paso y encontramos a toda esa gente. Estábamos a punto de trasladarlos a nuestros botes salvavidas, pero tenemos problemas con los controles del pescante.

Señaló el *Oregon*. El bote salvavidas de babor colgaba a mitad de camino, pero estaba inclinado en ángulo, con la popa apuntada al agua y la proa hacia arriba. Daba la impresión de que un par de marineros estaban trabajando en los controles.

—Eso no debería constituir un problema mientras este cascarón flote —dijo Davies—. Nuestra patrullera no tardará mucho en llegar. ¿Hay heridos?

—Ahora los estamos examinando. ¿Tiene preparación médica?

—Toneladas. Vamos a ver a los supervivientes.

Durante la siguiente media hora, Cabrillo interpretó el papel de preocupado capitán, mientras todo el rato era consciente de que su presa se iba alejando más a cada minuto que pasaba. Max le ponía al corriente de la situación por *walkie-talkie* cada pocos minutos, pero estar parado le ponía de los nervios. Por fin, el *James Patke* surgió de entre las cortinas de lluvia que barrían el barco. Era un buque moderno y esbelto, con las líneas afiladas de un cazador. El cañón de cinco pulgadas estaba montado en una discreta torreta angular, muy diferente a las antiguas cúpulas de anteriores generaciones. Habría podido pasar por un buque de la Marina fácilmente, salvo por el casco blanco y la franja naranja. Nada más llegar lanzó dos botes inflables desde la cubierta de popa, que cruzaron la distancia entre ambos barcos dejando estelas de agua revuelta.

Llegaron enseguida al *Sakir*, que se estaba hundiendo lentamente (el aire escapaba de la sentina a través del agujero que habían practicado), y como no había sitio para amarrar, enviaron a un marinero para sujetar los cabos. Los hombres de a bordo eran médicos provistos de maletines llenos de aparatos, además de un par de marineros veteranos, y un oficial se acercó a Cabrillo con la mano extendida.

—Comandante Bill Taggard.

—Capitán Ramón Esteban.

—El jefe Davies ya nos ha informado de sus logros. Estupendo trabajo, capitán.

—De niño me gustó mucho *La aventura del Poseidón* —dijo Cabrillo con un encogimiento de hombros desarmante—. Jamás pensé que lo viviría en directo.

—¿Dijo que esto lo causó una ola muy potente?

—Sí, nosotros mismos hemos pasado por la experiencia. Un auténtico monstruo salido de la nada. Nosotros la embestimos de proa, pero me temo que este barco la recibió de costado.

—Es extraño, porque nos hemos puesto en contacto con barcos que navegan en las proximidades y nadie nos ha informado de olas potentes.

Cabrillo dio unas paladitas en el casco.

—Esto es prueba suficiente, ¿no cree?

—Sí, supongo que tiene razón.

La tripulación del guardacosta empezó a cargar en camillas a los heridos graves para depositarlos en los botes inflables, con el fin de trasladarlos cuanto antes a la patrullera. Los demás supervivientes, helados y desdichados, esperaron su turno en el casco. Cada minuto veían que el mar devoraba más centímetros de cubierta, mientras el yate continuaba hundiéndose. La mente de Cabrillo recreó el cuadro de los supervivientes del naufragio de la *Medusa*, acurrucados en su balsa mientras se hundía. Si Taggart no aceleraba las labores de rescate, se repetiría la tragedia.

Necesitaron dos viajes más para evacuar al resto de los supervivientes. Tal como habían imaginado antes, el emir se despachó a gusto sobre el heroísmo de Cabrillo, y juró que le convertiría en un hombre rico por salvarle la vida. A su vez, Cabrillo desempeñó el papel de lobo de mar y dijo que había sido su deber, y que no pensaba aceptar ninguna recompensa económica por cumplir su deber. Todo esto se escenificó en honor de la Guardia Costera, y dio la impresión de que Taggart tragaba el anzuelo. No pidió subir a bordo del *Oregon*, ni formuló la menor pregunta. Ya tenía lo que necesitaba para redactar su informe, y si bien no podía prometer que los nombres de Ramón Esteban o el *Xanadu* no llegarían a los medios, insinuó que su papel en el rescate quedaría en un lugar muy secundario. Batallas relacionadas con el presupuesto acechaban en el horizonte, y una operación como ésta quedaría bien ante los ojos de Washington.

Ambos se estrecharon la mano, y cuando los miembros de la Guardia Costera volvieron a su patrullera, Cabrillo y su equipo regresaron al *Oregon*. El «problema» del pescante se había rectificado, y el bote salvavidas había quedado sujeto de nuevo. Fingieron que subían la barca inflable por la escalerilla de abordaje, para luego depositarla sobre la cubierta atestada. En cuanto estuvieron a bordo, Max les condujo de cabeza hacia la tempestad, en dirección a su destino declarado, Nassau, Bahamas. Mantuvo el rumbo constante a una velocidad de doce nudos, hasta que el aparato de detección de amenazas mostró que estaba fuera del radio de alcance efectivo del guardacostas.

Sólo entonces pudieron reanudar la persecución del barco furtivo, al que también seguían MacD y Eddie en la lancha semirrígida. Cabrillo aún estaba en la ducha cuando notó que los motores aceleraban. Habían perdido varias horas, y daba la impresión de que Max intentaba correr a la mayor velocidad posible. Diez minutos después, vestido con tejanos y un jersey noruego de cuello cisne, Cabrillo entró en el centro de operaciones.

—¿Cómo están nuestros chicos? —preguntó al tiempo que ocupaba su silla de mando.

—Todavía lo persiguen —contestó Max.

—¿Cuánto combustible les queda?

—Si podemos mantener una velocidad constante de cuarenta nudos, les alcanzaremos cuando todavía les quede reserva para una hora.

—Eso nos deja muy poco margen. Si sufrimos algún retraso, tendrán que abandonar la persecución para no quedarse secos.

—No podemos hacer gran cosa al respecto. Los tipos de la Guardia Costera tardaron bastante en llegar al yate. Habría sido peor si hubieran subido a nuestro barco para inspeccionar los papeles.

Cabrillo no contestó. Lo que más le preocupaba en estos momentos era que sus hombres tenían que seguir adelante en la lancha semirrígida para evitar que una ola se los llevara. Si su combustible disminuía hasta cierto punto, tendrían que aminorar la velocidad para no agotarlo antes. Eso significaría permitir que el barco furtivo escapara.

Durante las horas siguientes, Cabrillo se entretuvo tomando café, mientras la señal de la semirrígida indicaba que estaba cada vez más cerca del *Oregon*. Como desconocían las capacidades de su presa, las comunicaciones por radio estaban prohibidas. El hecho de que mantuvieran un rumbo constante hacia el sudeste tranquilizaba al Presidente. MacD y Eddie no se habían desviado más de un par de grados desde que la cacería había empezado, ni tampoco habían variado la velocidad. Navegaban a quince nudos.

Ya entrada la noche se hallaban a veinte millas de la semirrígida y, por lo tanto, a veintiuna del barco furtivo. El Presidente decidió que estaban lo bastante cerca para ordenar a MacD y Eddie que abandonaran la persecución y regresaran al *Oregon*. Sabía dónde estaría su blanco durante la siguiente hora, y quería tener las manos libres para hacer algo al respecto.

—Hali, abre una línea a Eddie.

Hali Kasim, en el centro de comunicaciones, había estado esperando horas esta orden, y tuvo un canal abierto en segundos.

—Hora de volver a casa —dijo Juan—. Invertir rumbo. Dieciocho.

Eddie Seng hizo un clic en la radio a modo de respuesta, informado de que debía dar media vuelta y encontrarse con el *Oregon* a dieciocho millas de distancia.

Como ya no tenía que pisar los talones del lento barco furtivo, Eddie aceleraría sin la menor duda los dos fuerabordas, para que la velocidad de acercamiento de ambas embarcaciones fuera superior a ochenta nudos. El Presidente llamó a la cubierta de embarcaciones para informar de que la semirrígida había dado media vuelta, y debería reunirse con ellos antes de quince minutos.

En realidad, fueron diez, pero como el *Oregon* casi había parado por completo para facilitar la maniobra de volver a cargar a bordo la lancha, transcurrieron diecisiete minutos antes de que Juan Cabrillo diera la orden de acelerar a toda máquina. Sólo que esta vez el *Oregon* describió un amplio arco alrededor de su objetivo, de modo que cuando al fin se acercaran diera la impresión de que llegaban del este, como si no hubieran estado siguiendo al barco furtivo.

Linda Ross entró por fin en el centro de operaciones, como si no hubiera pasado nada.

—¿Cómo te encuentras? —preguntó Juan con auténtica preocupación.

—La doctora dice que estoy bien. ¿Quién soy yo para llevarle la contraria? ¿Cuál es la situación?

—El jaque mate es inminente.

—¿Algo en el radar?

—Nada —admitió él—, pero no ha cambiado de rumbo o velocidad desde que hundió al *Sakir*.

En aquel preciso momento, Mark Murphy llamó desde el centro de armamento.

—Rumbo del barco de contacto, cuarenta y siete grados. Distancia, veinte millas. —Cabrillo ya había calculado las posiciones tácticas, antes de que Murph añadiera—: En línea recta con el barco furtivo.

—Entendido —replicó el Presidente.

La situación había cambiado en un instante. Tenía que interponer ahora el *Oregon* entre el barco furtivo y aquel nuevo navío que había aparecido en escena, antes de que éste les localizara en el radar. Parte de la estructura del *Oregon* lograba burlar los radares gracias a los materiales que absorbían señales aplicados a su casco y obra muerta, pero eso no significaba que fuera invisible.

—Timonel, varía el rumbo a tres-tres grados. A toda máquina.

Al igual que un cazador, Cabrillo sabía guiar a su presa para que la bala, en este caso el *Oregon*, llegara al punto en el que estaría el objetivo, no en el que se hallaba ahora. Como antes, había calculado ángulos y velocidades en su mente. Eric Stone lo verificaría todo con el ordenador de navegación del barco, pero como de costumbre no descubriría ningún error en los cálculos del Presidente.

—Wepps, prepara el cañón principal. En cuanto sospeche que nos estamos acercando, quién sabe qué hará.

—¿Misiles no? —preguntó Murph.

—Si ese barco es capaz de generar un campo magnético lo bastante potente como para volcar el yate del emir, un misil no servirá de nada. Carga proyectiles de tungsteno macizo. El campo no los afectará.

Murph cabeceó en honor a la perspicacia de Cabrillo, mientras se reprendía mentalmente por no haber llegado a la misma conclusión y preparado el cañón de 120 milímetros, oculto en la proa del *Oregon*. El cañón de ánima lisa utilizaba los mismos controles de disparo sofisticados que un tanque de combate M1 Abrams, y era capaz de disparar con precisión fuera cual fuera el estado de la mar.

—Curioso, Juan —dijo Max, mientras jugueteaba con su pipa—. ¿Cómo vamos a alcanzarle si no aparece en el radar?

—Fácil. Lanza un dron.

Al cabo de pocos minutos, el vehículo aéreo no tripulado, poco más que un aeromodelo grande provisto de sofisticadas cámaras, estaba volando por delante del *Oregon* a ciento cincuenta kilómetros por hora. Cuando llegó a seiscientos metros, su cámara de alta definición captó la estela del barco furtivo, una deslumbrante línea de un verde fosforescente que surcaba las aguas como un arco de electricidad. Su extremo era el barco en sí. El desgarbado buque estaba luchando contra las olas, pero sin reducir la velocidad. El barco de la cita estaba demasiado lejos para verlo, pero ya se ocuparían de él después de acabar con su objetivo principal.

—Lo tengo localizado —anunció Mark Murphy—, pero todavía estamos lejos de su alcance.

—No tardará en vernos —advirtió Max Hanley.

Juan se mostró de acuerdo. No sabía qué iba a suceder.

—Veinte segundos —dijo Mark.

«Vamos», suplicó Cabrillo.

—Diez.

Las imágenes enviadas por el dron cambiaron. El casco angular del barco furtivo empezó a rielar, y un resplandor azul se elevó de su centro y se esparció alrededor. El barco se fue desdibujando hasta desaparecer por completo.

Un segundo después, las imágenes del avión espía se convirtieron en estática, mientras una cúpula expansiva de pulsaciones electromagnéticas lo borraba del cielo.

—¡A tiro! —gritó Mark.

—¡Fuego! —aulló Juan, mientras la muralla de energía invisible se estrellaba contra el *Oregon*.

No supo si Mark Murphy había llegado a disparar porque una explosión de sonido ensordecedora invadió el barco, al tiempo que empezaba a escorar a babor y los números rojos del inclinómetro digital se desdibujaban indicando el grado de la escora. El agua no tardó en anegar las cubiertas e inundar la superestructura. La combinación de su velocidad y las pulsaciones magnéticas parecía estar a punto de hundirlo en las profundidades.

Entonces, tan repentinamente como se había iniciado, el ruido enmudeció como si hubieran apagado un interruptor, y el barco empezó a enderezarse poco a poco, como si se estuviera desprendiendo de toneladas de agua marina.

Cabrillo se levantó del suelo, donde había sido arrojado sin más ceremonias. La corriente eléctrica principal se había interrumpido, de manera que el centro de operaciones estaba iluminado por las luces de emergencia. Todos los monitores y controles de los ordenadores se habían apagado, y cayó en la cuenta de que no oía los motores del *Oregon*.

—¿Estáis bien todos?

Recibió un coro de respuestas apagadas. Nadie había sufrido lesiones, pero todo el mundo estaba conmocionado.

—Max, prepárame un informe de los daños. Hali, ponte en contacto con la doctora, estoy seguro de que habrá heridos. Mark, lanza otro dron en cuanto puedas. Quiero ojos vigilando esa nave. Y por cierto, creo que nos has salvado la vida.

—¿Presidente?

—Llegaste a disparar, ¿verdad?

—Por poco.

—En este juego, «por poco» tiene su importancia. Buen disparo.

Los técnicos tardaron veinte minutos en reinicializar el sistema eléctrico y en conseguir conectar los ordenadores *online*, pero se vieron obligados a utilizar las baterías porque el sistema magnetohidrodinámico no funcionaba. La doctora Huxley curó un brazo roto y diagnosticó dos conmociones cerebrales entre los tripulantes, y Mark Murphy fracasó por completo a la hora de lanzar un dron al aire. Además de los daños que habían infligido las pulsaciones magnéticas a los equipos electrónicos del barco provistos de blindaje, habían destruido los que no estaban protegidos. Pequeños aparatos como agendas electrónicas, afeitadoras eléctricas y electrodomésticos habían quedado inutilizados. Los restantes drones no eran más que juguetes inservibles. Cabrillo se vio obligado a ponerse al frente de un equipo en una lancha inflable semirrígida, e incluso en ese caso tuvieron que poner en marcha los motores manualmente.

El trayecto fue difícil porque la tormenta estaba en su apogeo. La lluvia, como agujas heladas, acribillaba la piel expuesta de los hombres, aunque el robusto vehículo salvaba bien las olas. Cuando llegaron al punto en que el barco furtivo había sido alcanzado, encontraron restos diseminados rodeados de una mancha de gasóleo. Cabrillo acercó la lancha a uno de los fragmentos más grandes de restos flotantes, una sección de material compuesto que parecía haber pertenecido a la proa puntiaguda del barco. Eddie Seng y él trasladaron el fragmento a la embarcación y lo ataron a la cubierta, para poder examinarlo más tarde en el *Oregon*.

—¿Qué opinas? —preguntó Eddie.

—Creo que cuando el proyectil lo alcanzó, el barco voló como una granada. La energía que movía el generador de pulsos magnéticos debía ser muy inestable.

—¿Crees que cuando el campo falló reventó el barco?

—Eso diría yo. Se lo comentaré a Murph y a Stone para saber su opinión, pero creo que estoy en lo cierto.

—¿Y el barco de la cita?

El Presidente escudriñó el mar oscurecido.

—Desapareció en cuanto intuyó lo sucedido a sus amigos. Si no podemos poner en marcha el *Oregon* dentro de una o dos horas, los perderemos —añadió con semblante sombrío.

Volvieron al barco.

Cuando el radar civil funcionó de nuevo, el mar que les rodeaba estaba desierto, tal como Cabrillo había pronosticado. El radar militar cobró vida un rato después, y su rango extendido mostró un par de barcos, pero ninguno se estaba desplazando en la dirección correcta para ser el barco de la cita. Se estaban acercando, en lugar de huir. Los motores principales volvieron a funcionar al cabo de cinco horas. Max, el jefe de máquinas, insistió en que debían alcanzar su máxima potencia paulatinamente.

Si bien Cabrillo estaba satisfecho por haber destruido el barco furtivo, se sentía igualmente amargado por el hecho de que habían perdido la pista del barco con el que éste iba a establecer contacto. A causa de los daños sufridos, Max Hanley recomendó fondear unos días para poder solucionar todos los problemas y llevar a cabo un examen minucioso de los sistemas. Cabrillo accedió a regañadientes, y un día después atracaron en el muelle comercial de Hamilton Harbour. El material necesario para las reparaciones que no se pudiera comprar en las Bermudas, llegaría en avión sin problemas desde Estados Unidos. Max se encargaría de ello.

El trabajo de Cabrillo consistía en encontrar a dos hombres que no deseaban de ninguna manera que les encontraran.

21

Las favelas, los barrios pobres de Río de Janeiro eran famosos en todo el mundo. Nadie sabía muy bien por qué, pero algunos hasta se habían convertido en destino turístico de los ricos del planeta, para poder contemplar boquiabiertos la miseria de los demás. Mientras algunos barrios que colgaban de las laderas de las colinas que rodeaban la segunda ciudad más poblada de Brasil contaban con servicios básicos como el agua corriente y electricidad, muchos carecían de esas comodidades, y eran poco más que grupos de contenedores separados por calles de barro. Algunas favelas eran el hogar de bandas criminales, por lo general traficantes de drogas y secuestradores profesionales, que raptaban a gente en las calles y las retenían para pedir rescate.

Uno de tales barrios se desparramaba por una colina como basura arrojada por la mano de un gigante. Era el hogar de treinta mil personas hacinadas en un espacio no mucho mayor que tres manzanas de una ciudad. Perros y niños semidesnudos correteaban por los barrizales que serpenteaban alrededor de los edificios. Pocos de los cuales eran de construcción sólida, estructuras de bloques de concreto erigidas por alguna ONG para intentar alojar a unos cuantos cientos de personas en diminutos apartamentos. En cambio, varios miles vivían en chabolas de hojalata y madera contrachapada.

Las aguas fecales corrían por acequias, y sólo en muy raras ocasiones se movía alguno de los coches que flanqueaban las calles. La mayoría habían sido robados y desguazados y de ellos sólo quedaban los chasis, como caparazones de escarabajos muertos devorados por hormigas. El hedor y la suciedad eran insoportables. Era un lugar de desesperanza gris donde hasta el tiempo perfecto de Río era incapaz de insuflar alegría a sus habitantes. También era un lugar de miedo opresivo a la banda de traficantes de droga que dirigía la favela con mano de hierro. La policía nunca entraba en el barrio, y ni una sola vez el gobierno había tratado de intervenir en los asuntos internos de la comunidad. Al líder de la banda le llamaban Amo. No ocurría nada en su territorio de lo no que estuviera enterado.

El desconocido no se diferenciaba en nada de las miles de personas que convergían en la ciudad procedentes del campo en busca de trabajo. Llevaba pantalones color tostado raídos y una sencilla camisa de algodón. La suela de sus sandalias era de caucho de un neumático desechado. Se tocaba con un sombrero hecho de hojas de palma entrelazadas. Nadie le prestaba atención mientras subía la colina con lentitud, zigzagueando entre montones de basura y niños que armaban jaleo en las calles. Por fin, dos jóvenes de pelo peinado hacia atrás con brillantina y ojos depredadores se levantaron de los cubos de cinco galones que estaban utilizando a modo de taburetes. Uno se ajustó la camisa para exhibir la culata de un viejo revólver. Su compañero esgrimía un bate de béisbol.

Se acercaron al desconocido.

—¿Qué te trae por aquí?

Vieron que el hombre contaba unos sesenta años y tenía un brillo apagado en los ojos. Masculló una respuesta que ninguno de ambos entendió.

—Creo que deberías volver sobre tus pasos, viejo —sugirió el líder de los dos matones—. Aquí sólo vas a encontrar problemas.

Era evidente que el anciano no poseía nada de valor, de modo que era absurdo robarle, pero dejarle pasar significaba tener a un mendigo más en las calles. Mejor enviarle de vuelta ahora que deshacerse de un cadáver más adelante, cuando muriera de hambre o disentería.

—No quiero problemas —dijo el hombre en español.

—Ni siquiera es brasileño —se quejó el joven matón—. No tenemos qué comer, y un boliviano espera vivir a costa de nuestra caridad.

—Hoy no es tu día de suerte, amigo —escupió encolerizado el chico de la pistola.

Agarró al anciano del brazo, mientras su compañero le asía del otro, y le condujeron a paso vivo hasta un callejón estrecho, entre dos contenedores que servían de hogar a docenas de personas. Un gato había estado tomando el sol sobre una pila de neumáticos en la entrada del callejón, pero salió huyendo. El suelo estaba manchado de aceite y era tan duro como el cemento.

Arrojaron al hombre contra uno de los contenedores, pero se volvió, de forma que lo golpeó con la espalda, no con la cara tal como era la intención de los matones. Si alguno de ambos hubiera reparado en la agilidad con que el anciano se había movido, tal vez las cosas habrían acabado de una forma diferente. El espacio era demasiado angosto para mover el bate con facilidad, de modo que el matón utilizó un extremo a modo de ariete contra el estómago del hombre. No era un chico grande, y el hambre perpetua no le prestaba energía suplementaria, pero el golpe habría bastado para arrojar al anciano al suelo sin aire en los pulmones.

El bate golpeó el costado del contenedor con un ruido sordo. El hombre había esquivado el bate, y después pasó a la ofensiva. Arrebató la pistola al líder antes de que éste se diera cuenta de que se había movido, y la utilizó como si fuera un puño de acero. El golpe le fracturó el pómulo al chico y de la herida empezó a brotar sangre.

El matón lanzó un aullido de dolor e indignación, al tiempo que el anciano desviaba su atención hacia el joven del bate. Todavía estaba aturdido por el golpe inesperado contra el contenedor, de manera que no pudo hacer nada para defenderse cuando la pistola se estrelló contra su nariz y la rompió con tal fuerza que ni siquiera el mejor cirujano plástico del mundo podría recomponerla. Cayó de rodillas, aferrándose la herida. Chilló como una sirena, primero en voz alta y después queda. A su lado, el líder del pequeño dúo de centinelas de Amo estaba sin conocimiento.

Por fin, el desconocido tuvo tiempo de comprobar que la pistola ni siquiera estaba cargada. Cuando la había visto por primera vez, su instinto le había advertido de que no intentara dispararla. No creyó que estuviera descargada, pero sí que le estallaría en la mano si apretaba el gatillo. Guardó el arma en el bolsillo para deshacerse de ella más tarde, y puso en pie al chico todavía consciente.

La cámara no era mayor que un tubo de pintalabios, y su rúter inalámbrico tenía el tamaño de un paquete de cigarrillos. Estaba montada sobre un poste telefónico.

El forastero se quitó su ridículo sombrero y alzó la cara ensangrentada del muchacho hacia la cámara.

—Sé que este tipo es de ínfima categoría y que tienes mejores guardias ahí dentro, pero también sabes que no vas a detenerme. Te he seguido el rastro hasta aquí y no pararé hasta encontrarte. Admite la derrota y nadie más saldrá malparado.

Cuando le soltó, el chico cayó una vez más de rodillas entre sollozos.

El forastero salió a la calle principal. Nada parecía haber cambiado. Algunas mujeres hacían cola ante un camión que llevaba agua a la favela para venderla. Algunos ancianos estaban sentados en un sofá abandonado a los elementos durante tanto tiempo que estaba mohoso. Las gallinas atadas a un poste picoteaban el suelo de piedra cerca de una cabaña. Todo seguía como de costumbre.

Unos segundos después, un camión blanco apareció al principio de la calle. Aunque viejo y sucio, representaba una riqueza real en la favela. Esperó a que el vehículo avanzara hacia él. Frenó, y el pasajero se asomó a la ventanilla.

—Dice que subas atrás. Nada de trucos. Dice que le has encontrado.

El forastero asintió. Se trataba de un código de honor en aquella zona, y aunque sabía que no debería respetarlo, era mejor seguir la corriente por su propia seguridad. Se subió al parachoques y se acuclilló en el suelo, mientras el camión daba trabajosamente la vuelta en la estrella calle y empezaba a ascender la colina. El camión pertenecía al Amo, de manera que nadie osaba mirarlo, y daba la impresión de que la gente se apartaba de él como un banco de peces de un tiburón. Frenó ante un edificio de bloques de concreto de tres pisos. En cuanto el forastero puso los pies en el suelo, el camión se alejó. Habían construido cobertizos alrededor del perímetro del edificio, en hileras de tres en fondo, con la excepción de la entrada, de modo que para acceder a ella era necesario recorrer una estrecha callejuela de chapas metálicas y rostros hoscos.

La puerta principal del edificio se había quedado sin goznes hacía mucho tiempo. El suelo de hormigón estaba mugriento, y el aire que se respiraba en el interior hedía a basura. No supo qué dirección tomar hasta que distinguió la escalera a su derecha. Lo que vio le sorprendió por su incongruencia. Era una mujer vestida con uniforme blanco de enfermera, tan limpio como si acabara de ponérselo. Era rubia y atractiva, al menos de lejos, y sus piernas, enfundadas en medias a juego, parecían bien torneadas. Entre tanta miseria y fealdad, era como un ángel enviado del cielo.

Le hizo señas con un dedo y el hombre subió la escalera.

El segundo piso también era de hormigón, pero estaba pintado de un gris sutil y el suelo estaba impecablemente barrido. Las paredes también se veían limpias. Sólo había una puerta en aquel rellano, y cuando la atravesó sonó una alarma. Un hombre vestido de guardia de seguridad se levantó de detrás de un escritorio, al tiempo que se llevaba una mano a la pistola en un gesto muy ensayado.

—Señor —dijo el guardia mientras el forastero levantaba las manos.

—En una pistolera a la espalda —dijo el hombre, y se dio la vuelta poco a poco—. Hay otra en mi bolsillo.

El guardia cabeceó en dirección a la enfermera, quien desarmó al forastero, que conocía la rutina. Salió de la habitación al pasillo. El marco de la puerta, aunque de aspecto inocuo, era un escáner corporal que había detectado el revólver que había confiscado al chico y la pistola FN Five-seveN que portaba. Esta vez la alarma no sonó, y el guardia relajó su postura defensiva. Sonó el teléfono de su escritorio. Escuchó un momento antes de colgar.

—Devuélvale sus armas. Dice que es igual de mortífero sin ellas.

El hombre cogió la automática a la bella enfermera y la colocó en su funda. Desechó con un gesto el revólver roto, de modo que la mujer lo guardó. Por fin, el forastero se fijó en la habitación. Era como el vestíbulo de un hotel discreto, uno de esos lugares tan exclusivos de Londres o Nueva York sin letrero en la fachada. Los suelos eran de baldosas de mármol, las paredes estaban revestidas de caoba, y lujosas lámparas de cristal iluminaban el espacio. Lo que más le asombró fue la vista de las dos ventanas. Tendrían que haber mostrado las calles sembradas de basura de un barrio pobre brasileño, pero en su lugar vio una carretera adoquinada de lo que parecía una ciudad del este de Europa, de la República Checa, o quizá de Hungría. La luz que entraba parecía natural, pero las dos «ventanas» eran monitores de pantalla plana con cortinas, para que la gente de dentro se olvidara de la miseria de fuera. Se abrió una puerta al otro extremo, y otra enfermera, gemela virtual de la primera, indicó con un ademán al recién llegado que se internara en el edificio surrealista.

Las siguientes habitaciones eran todavía más lujosas que la sala de recepción. Más monitores de pantalla plana exhibían vistas de la misma calle. Una anciana tiraba de un caballo en el bordillo de enfrente, y el hombre experimentó la sensación de que podía oír el ruido de los cascos a través del cristal. Por fin, le invitaron a entrar en un elegante despacho, con una chimenea y un grupo de sofás en una esquina, y un escritorio de cristal modernista en la pared del otro lado. En otra esquina vio las puertas cerradas de un ascensor que daba acceso a un apartamento del tercer piso, tan opulento como aquella estancia.

—Presidente —saludó el hombre sentado en una silla de ruedas detrás del escritorio.

—L'Enfant —respondió Cabrillo.

—Supongo que, de haber querido matarme, habría atacado de noche sin que yo me enterara de nada.

—Esa idea pasó por mi mente —admitió.

Habían transcurrido dos semanas desde el encuentro con el barco furtivo. El *Oregon* continuaba en Hamilton Harbour, y las reparaciones estaban a punto de terminar. Dejó de perseguir al almirante Kenin una vez que huyó a Rusia. Aquélla debía ser su última gran jugada, la que solucionaría su vida para siempre. Un hombre en tal situación planea la escapada hasta el último detalle. Sería imposible seguir su rastro diez segundos después de llevarla a la práctica. Tendría una nueva identidad indescifrable, un nuevo lugar donde vivir, cuentas bancarias abiertas durante años. En conjunto, una vida nueva tan real (al menos, para los observadores) como la que había abandonado.

—Me estaré volviendo descuidado —dijo L'Enfant, agitando la mano derecha, la buena—. Primero me localizó Kenin, y después usted.

—La primera vez fue descuido, la segunda tenía prisa.

De manera que, en lugar de perder el tiempo siguiendo a un hombre al que jamás encontraría, ordenó a Murph y Stone que localizaran al escurridizo mercader de información. Contaban con la ventaja de saber que huiría después de que Kenin se hubiera puesto en contacto con él para arrancarle información sobre la Corporación. Con ese punto de partida, aún tardaron doce días más de desentierro y comprobación de datos para descubrir una de las guaridas de L'Enfant, en un lugar de lo más improbable.

—También se está haciendo predecible —añadió Cabrillo. Lanzó una mirada significativa a la atractiva enfermera.

—Ah. No sabía que estaba informado de mi debilidad por las enfermeras bonitas.

—Ahora se está engañando. Si sólo fueran bonitas, nunca le habríamos encontrado. Pero hermanas que también son enfermeras constituyen una raza de hembra diferente.

El único ojo de L'Enfant brilló cuando miró a la enfermera.

—Las últimas eran gemelas de verdad. Idénticas no, cuidado, pero igualmente gemelas. —Cerró la mano derecha sobre la pinza de la izquierda desfigurada—. No ha venido hasta aquí para hablar de mi equipo médico, supongo.

—Supone bien.

Cabrillo esperó a que el hombre dedujera el motivo de su presencia.

L'Enfant le estudió un momento.

—¿Por qué el disfraz?

—Necesitaba atravesar algunos barrios peligrosos para llegar hasta aquí. No quería parecer un objetivo atractivo para un atracador.

—Siempre ha sido un estratega cuidadoso. Bien, ¿qué más puedo deducir? Le he agraviado al hablar de la Corporación con Kenin, por lo cual debo expiar mi culpa.

Cabrillo asintió mientras L'Enfant ajustaba la cánula de oxígeno bajo los restos de su nariz quemada.

—Supongo que mi expiación pasa por averiguar el paradero del almirante Kenin.

—Correcto.

—Y ha venido a verme en persona, en lugar de ponerse en contacto conmigo por vías más convencionales, con el fin de hacerme comprender que si no le localizo mi vida correrá peligro.

—Cuatro de cuatro. Debería dedicarse al negocio de las adivinaciones. ¿Sabe dónde se esconde Kenin?

El hombre sacudió su cabeza de reptil.

—No. No crea que no tengo antenas por ahí, pero sabía lo que hacía cuando tomó las de Villadiego.

—¿«Las de Villadiego»? —repitió Juan con una sonrisa—. La última vez que leí que alguien «tomaba las de Villadiego» fue en una vieja novela de espías.

—¿Prefiere «darse a la fuga»?

—Prefiero saber dónde está —replicó para recordar al comerciante de información que no estaban hablando de trivialidades.

—Le encontraré.

—Ahora llame a Amo y dígale que traiga la furgoneta. Prefiero no volver sobre mis pasos hasta un lugar donde haya un autobús en funcionamiento, que a su vez me traslade a una parte de la ciudad donde haya taxis.

Parecía un chiste, pero Cabrillo había tenido que atravesar quince kilómetros de selva urbana a pie para llegar hasta allí, porque los autobuses, y no digamos ya los taxis, nunca se aventuraban en esta parte de la ciudad.

—Haré algo mejor. Tengo un Mercedes antiguo que no atrae demasiado la atención. ¿Dónde se aloja?

—En el Fasano —mintió.

—Yo pensaba que un tipo como usted se dejaría llevar por la nostalgia y se alojaría en el Copa Palace.

Si Cabrillo no hubiera sido un gran jugador de póquer, habría confesado que L'Enfant había adivinado dónde se alojaba en realidad. Le encantaba el elegante estilo art déco del Copacabana Palace Hotel, y se alojaba en él siempre que visitaba Río.

—Da igual. Le diré a mi hombre que le deje en el Fasano. Ni autobuses ni taxis. Es lo menos que puedo hacer.

El Presidente habló en un tono algo amenazador.

—Lo menos que puede hacer es conducirme hasta Pytor Kenin.

22

El Contenedor había entrado en juego.

Así lo llamaban, El Contenedor. E mayúscula, ce mayúscula. El. Contenedor.

Que por fin se hubiera puesto en acción había activado timbres de alarma en la CIA, el FBI, Seguridad Nacional, Hacienda, la NSA, y casi en cualquier entidad acronímica de Washington, D. C. A Cabrillo no le habría sorprendido saber que su viejo amigo Dirk Pitt y la NUMA habían sido informados acerca de El Contenedor.

Los rumores que corrían al respecto eran la materia de la que están hechos las leyendas y los mitos. Nadie estaba seguro de cómo o por qué había nacido El Contenedor o quién estaba detrás, pero desde cada zoco y bazar, desde un extremo de Oriente Próximo hasta la isla más remota de la Indonesia musulmana, había corrido la voz de lo que contenía.

Durante los primeros años de la invasión norteamericana de Irak, enormes cantidades de dinero se utilizaron para comprar lealtades, como era costumbre en muchas partes de la región, aunque la lealtad se acababa cuando el dinero se agotaba o alguien presentaba una oferta mejor. Eso dejó a Washington en la posición de tener que invertir chorros de dinero inimaginables en Bagdad, Basora y todas y cada una de las aldeas hasta la frontera del Kurdistán con Turquía.

Se consideraba que el control de estas donaciones era infalible, pero en realidad era un chiste. Inmensas sumas de dinero eran desviadas por una capa de corrupción más de una sociedad ya de por sí corrupta. El problema de quienes compartían la generosidad del Tío Sam no era cómo conseguir el dinero, sino cómo sacarlo del país. Por supuesto, un individuo podía sacar de contrabando algunos fajos de billetes de cien dólares, pero ¿qué pasaba con los que se hallaban al frente de las conspiraciones y los robos? Pasar cien dólares por un puesto fronterizo del desierto era una cosa, pero ¿y en el caso de mil millones carentes de toda justificación? Sería necesario un camión con remolque para moverlos, o un contenedor.

De modo que eso fue lo que sucedió. Secuestraron un contenedor y lo escondieron en un almacén, porque quienes lo habían robado sabían que los norteamericanos nunca dejarían de buscarlo. Entonces hicieron algo que a nadie se le da mejor que a los árabes: esperar más que sus enemigos. Tardaron años, pero al final los estadounidenses retiraban sus fuerzas. Las patrullas ya no vigilaban cada esquina y cruce de calles. Los tanques y los Humvees desaparecían. Black Hawks y Cobras ya no zumbaban sobre las ciudades en multitudes que rivalizaban con un enjambre de avispones. Al cabo de una década, los norteamericanos redujeron su presencia en Irak hasta que los jefes del crimen decidieron que existía por fin seguridad para mover el dinero. Tendrían que lavarlo, por supuesto, y se llegó a un acuerdo con varios bancos de Extremo Oriente. Hacerlo en el mismo país activaría timbres de alarma entre los perros guardianes monetarios internacionales.

De modo que El Contenedor tendría que ser enviado a Yakarta. La cuestión era quién lo sacaría de tapadillo de Irak. Buques de guerra norteamericanos y de la OTAN patrullaban todavía el Golfo, y abordaban barcos con inquietante frecuencia. Necesitaban un contrabandista. Se habló de varios nombres en una acalorada discusión entre los jefes del crimen que habían amasado la fortuna, hasta que eligieron por fin a uno: Ali Mohamed. Era saudí, pero podían confiar en él. Su barco y él se hallaban lejos del Golfo cuando se tomó al fin la decisión de mover El Contenedor, de modo que se produjo un retraso de dos semanas hasta que pudo cumplir su misión. Y así llegó el día en que amarró el barco en un puerto iraquí.

El Contenedor había entrado en juego.

El plan sólo presentaba un pequeño problema. Habían subestimado la paciencia de su enemigo.

Los norteamericanos nunca olvidaban el dinero que se les escurría entre los dedos. Con el tiempo, empezaron a enterarse de la existencia de El Contenedor, y llegaron a ciertas deducciones lógicas. Ellos también sabían que el dinero no podía ser lavado en Irak ni en ningún país vecino. Tendrían que enviarlo por mar al extranjero.

Allí les tenderían la trampa.

Como la Marina estadounidense y sus aliados de la OTAN controlaban las aguas del golfo Pérsico, también controlaban qué barcos abordaban. Eligieron tres barcos a los que no molestarían, aun a sabiendas de que eran contrabandistas. Dichos buques se desplazaban con escasa frecuencia a Basora, pero sus cargamentos ilegales siempre llegaban a su destino. Aunque otros contrabandistas eran apresados en abordajes o se les obligaba a arrojar su cargamento por la borda cuando les perseguían, daba la impresión de que estos tres barcos vivían una existencia apacible. Nunca eran abordados o, si eso sucedía, nunca descubrían nada ilegal.

Por lo tanto, nadie se extrañó de que los jefes del crimen eligieran entre esos tres. Para disminuir todavía más las probabilidades, de forma que los jefes eligieran el barco que ellos querían, los cabecillas de la red de espionaje norteamericana emplearon una treta más. Los tres barcos y su legendario capitán eran uno y el mismo.

Juan Cabrillo y su barco, el *Oregon*.

Sin duda, era la maniobra más sofisticada que la Corporación había llevado a cabo jamás, y consumiría un montón de tiempo. La había parido Langston Overholt, el exjefe de Cabrillo en la CIA. Cada pocos meses, el *Oregon* sería reconfigurado para adoptar la apariencia de uno de los tres barcos y zarpar hacia el puerto iraquí de Umm Qasr. Al principio, los agentes de la CIA tendrían que hacerse pasar por clientes que necesitaban sacar o entrar en el país artículos de contrabando, pero al final el mundo del hampa se enteró de la existencia de aquellos tres barcos que, al parecer, nunca eran abordados. Tardaron cinco años, pero salió bien. Cuando uno de aquellos tres capitanes se prestaba a correr el riesgo ante las narices de los norteamericanos, había un jefe del crimen que se apresuraba a contratarle.

Ahora, los años de preparativos estaban a punto de dar sus frutos. El gobierno recuperaría sus mil millones de dólares y, tanto o más importante, podría descubrir a los norteamericanos que habían ayudado a los iraquíes a amasar dinero.

Langston había enseñado a Cabrillo años antes que, para que una democracia florezca, ha de poseer una burocracia incorruptible. Toda la operación giraba en torno a castigar a alguien que se había aprovechado de su posición de poder.

El *Oregon* parecía el viejo carguero que solía aparentar casi siempre, pero con el casco rojo, la obra muerta color crema y una franja azul alrededor de la chimenea amarilla. Parecía más aseado de lo normal, pero eso formaba parte de su disfraz como el *Ibis*.

Cabrillo, también disfrazado, se hallaba al lado del práctico mientras supervisaba las últimas fases de amarrar el barco. Su piel lucía más oscura de lo normal, y el pelo y el delgado bigote eran casi negros. Sus ojos eran castaños gracias a unas lentillas.

El práctico ordenó por su *walkie-talkie*:

—Está bien, sujeten amarras de proa y popa. —Atravesó el puente hacia el lado de estribor, mientras cambiaba de canales en la radio, y ordenó al remolcador que acercaba el carguero a las grandes defensas náuticas de caucho que retrocediera. Se volvió hacia Cabrillo y extendió la mano—. Bienvenido, capitán Mohamed.

Cabrillo la estrechó, y el práctico se embolsó el par de billetes de cien dólares con la misma delicadeza con la que dirigía el atraque del barco. No existía una necesidad intrínseca de sobornar al práctico, puesto que aquélla sería la última vez que el *Ibis* atracaría en Irak, o en cualquier otro puerto del mundo, pero al Presidente le gustaba mantener las apariencias.

En el muelle había un camión con remolque, sobre el cual descansaba un contenedor, y dos camionetas Toyota cuyos cuentakilómetros daban la impresión de haber superado los cien mil diez años antes. Un sedán aparcado cerca de ambos no parecía mucho más joven. Sobre todo eso se cernía una grúa con una pluma que podía extenderse hasta quince metros sobre el agua. Sus luces bañaban el muelle con un crepúsculo artificial. Era una parte más antigua del puerto. Las grúas para descargar contenedores de los enormes cargueros estaban en otra zona. Los petroleros, que constituían el grueso del tráfico que entraba y salía de Umm Qasr, cargaban en el mar utilizando oleoductos.

Juan llevaba una radio, y llamó a los hombres que se encontraban cerca de la pasarela para que la bajaran. Se posó sobre el muelle de hormigón con un estruendo metálico de la cadena.

—Si me perdona…

—Por supuesto.

El práctico se apartó para esperar a que el capitán concluyera sus operaciones en el muelle. Después guiaría al barco hasta el mar abierto del Golfo, más allá de la Terminal Petrolera de Basora.

Cabrillo se tomó un momento para meterse la camisa del uniforme dentro de los pantalones negros y asegurarse de que las hombreras estaban igualadas. Eddie Seng se reunió con ellos en lo alto de la pasarela. Actuaba como primer oficial del *Ibis*, mientras Hali Kasim desempeñaba ese papel en las otras dos encarnaciones del *Oregon* en aquella gran estratagema.

Los dos hombres bajaron juntos la pasarela. Un funcionario de aduanas, verdaderamente corrupto, esperaba mientras los hombres salían de las camionetas. No se veían armas, pero Cabrillo sabía que todos iban armados.

Éste era otro aspecto engañoso de toda la treta. Tres sindicatos criminales diferentes eran propietarios de El Contenedor, junto con su socio o socios norteamericanos desconocidos. Ninguno confiaba en los demás, de modo que reinaba tensión en el muelle incluso sin la presencia de un contenedor lleno de dinero. Nadie habló, mientras transcurrían los minutos. Entonces se acercaron tres vehículos más. Todoterrenos Mercedes, negros con las ventanillas tintadas. Cada uno iría tan bien protegido como la furgoneta blindada de un banco.

Los jefes habían llegado. Más guardias descendieron de los vehículos cuando pararon, y estos hombres no hicieron nada para ocultar las metralletas que portaban. Por fin, los señores del crimen bajaron de los asientos traseros de los vehículos. Iban vestidos con ropa informal occidental, y tenían el aspecto inocuo de comerciantes de té. Un occidental seguía a cada uno. Estos hombres eran más grandes que sus anfitriones iraquíes, y si bien iban vestidos de civil se movían con precisión militar. Se tocaban con gorras de béisbol bajadas sobre la frente y gafas de sol envolventes, a pesar de que el sol se había puesto una hora antes.

Como Ali Mohamed, Cabrillo saludó a los tres jefes del crimen por su nombre. Había conocido a dos de ellos en el pasado y había negociado con el hijo del otro en anteriores tratos. Dicho jefe ya tenía setenta y pico años, y su hijo estaba a punto de sustituirle, pero por algo tan importante como El Contenedor, había querido acudir en persona.

Después del florido intercambio de saludos y expresiones de respeto, los hombres se pusieron serios. Cabrillo no fue presentado a los occidentales, que permanecieron lejos de la pasarela.

—Veo a más de cuatro guardias aquí —dijo al fin—. Nuestro trato era sólo cuatro hombres.

—No se preocupe, mi querido capitán —dijo el jefe de Bagdad—. Hasta que este contenedor esté a bordo de su barco y lejos del puerto, nos complace ofrecerle protección extra. En el barco sólo le acompañarán cuatro hombres, tal como prometimos.

—Quiero que vayan desarmados —insistió Cabrillo. Había sido un punto esencial de la negociación desde el principio.

—A mí también me gustaría, pero, ay, debemos insistir. ¿No dijo Ronald Reagan aquello de «confiar pero verificar»? Aquí hay representados cuatro grupos, cuatro hombres en su barco, así como cuatro armas para, mmm..., ¿verificar? Tal vez necesite su ayuda si les atacan esos malditos piratas somalíes.

Cabrillo rió.

—Creo que podremos encargarnos de los somalíes —contestó con sinceridad—. El último grupo que nos atacó salió muy mal parado.

—Sabe lo que hay en ese contenedor, ¿sí?

—No me lo han dicho, pero lo supongo.

El jefe, que se había mostrado cordial hasta aquel momento, bajó la voz y endureció la mirada.

—Le conviene no hacer suposiciones. Si algo le pasa a la carga, toda la gente a la que usted conoce y estima morirá.

Cabrillo esperó un segundo a contestar.

—Eso no es necesario. Ya hemos hecho negocios en el pasado, y continuaremos haciéndolos en el futuro. Me paga bien por el peligro que corro. Yo pago bien a mi tripulación. Todo el mundo es feliz. No veo la necesidad de sumar problemas a mi vida y a la de ellos alterando dicho equilibrio.

El iraquí mantuvo la expresión imperturbable antes de asentir.

—Muy bien —dijo—. Creo que nos entendemos a la perfección.

—Sí, en efecto. Estaré en el muelle cuarenta y tres C, puerto de Yakarta, dentro de diez días. Igual que usted me confía este contenedor, yo confío en usted para que la policía indonesia no nos reciba a nuestra llegada.

—No hay de qué preocuparse —dijo otro de los jefes—. Nuestros contactos de Al Qaeda se han puesto en contacto con los Hermanos Musulmanes de Yakarta. Una pandilla de fanáticos idiotas, todos ellos, pero útiles. Se encargarán de que nadie les moleste cuando lleguen.

Cabrillo reparó en que al individuo de Bagdad no le hacía gracia que mencionaran a sus contactos de Al Qaeda, de modo que se apresuró a romper el incómodo silencio.

—En ese caso, creo que estamos preparados para cargar.

El funcionario de aduanas se adelantó para firmar los sellos de un contenedor al que había intentado con todas sus fuerzas no prestar atención.

Cabrillo vio que los tres occidentales se estrechaban las manos. Uno habló en voz lo bastante alta para oírle.

—Buena suerte, Gunny.

Cabrillo se encogió. Había confiado en que el guardia armado norteamericano tuviera un rango superior a sargento de artillería, porque así sería más fácil averiguar quién estaba por encima de él en la cadena de mando militar. Al menos, ahora sabía que el hombre había estado en el cuerpo de marines. El sargento llevaba un talego al hombro, y Cabrillo identificó sin problemas el contorno de un rifle de asalto en el interior. Los jefes del crimen iraquíes conferenciaron con sus hombres, y sin duda repasaron por enésima vez los protocolos de comunicaciones. El Presidente se sintió maravillado de la confianza que suponía entregar más de mil millones de dólares a un subalterno, quien probablemente se sentía molesto por la posición superior de su jefe, al tiempo que le lamía las botas.

Intentó estrechar la mano de cada hombre cuando subieron a la pasarela, pero ninguno aceptó la oferta o le correspondió cuando les dijo su nombre en clave. Los tres iraquíes y los tres norteamericanos caminaban en silencio, aunque cada uno estudiaba su entorno con ojos depredadores. Cuatro hombres duros, pensó Juan Cabrillo, y se preguntó cómo lo llevarían durante los diez días siguientes.

El jefe de Bagdad le dedicó un saludo irónico, y después agitó la mano sobre la cabeza. En las alturas, el operario de la grúa había estado esperando esta señal. El generador diésel que alimentaba los motores de la grúa cobró vida con un bramido de gases de escape. Al cabo de pocos segundos, los cables empezaron a desenrollarse, y la estructura volante, diseñada para cargar contenedores de tamaño estándar, descendió sobre el camión aparcado. Se posó con un ruido metálico, y después sujetó automáticamente con abrazaderas las cuatro esquinas de El Contenedor. Los cables invirtieron el trayecto e izaron la caja.

Juan dedicó un segundo a estudiar a los jefes y a los tres norteamericanos del muelle. Todos estaban contemplando El Contenedor con la misma expresión fascinada de codicia que pronto sería satisfecha. Habían estado sentados durante años sobre una fortuna que no podían gastar. En tan sólo un par de semanas recibirían cuentas numeradas con las que podrían comprar todo cuanto desearan sus oscuros corazones.

El operario de la grúa movió El Contenedor sobre la barandilla del *Oregon*. Ya habían abierto la escotilla de la bodega número dos, de modo que El Contenedor pronto desaparecería en su interior. El camión se había alejado en cuanto el remolque se vació, y otra plataforma ocupaba su lugar con un contenedor idéntico.

No estaba construido para el transporte de contenedores, pero la bodega del *Oregon* todavía podía albergar unos veinte en filas apiladas. Los demás estaban vacíos y los transportaban a Extremo Oriente, donde los llenarían de productos para la exportación. Por si acaso, cinco contenedores vacíos más fueron cargados en la cubierta en cuanto la escotilla se cerró.

Los jefes habían regresado a sus respectivos vehículos para esperar durante las horas que tardaran en cargar el barco. Cabrillo había contemplado el proceso desde el puente, mientras acompañaban a los cuatro guardias armados a camarotes que ninguno de ellos tenía la intención de utilizar. Había una sola puerta de acceso a la bodega, y si bien el dinero estaba enterrado bajo una montaña de contenedores vacíos, la intención de los cuatro era vigilarlo durante la semana y media que tardarían en cruzar el océano Índico.

Max Hanley se reunió con el Presidente, cargado con un termo lleno de té helado y dos vasos. Aunque de noche refrescaba, la temperatura todavía se mantenía por encima de los veinticinco grados. Cabrillo habría preferido una cerveza, pero estaba interpretando el papel de un saudí, y quién sabía cuántos hombres estaban observando el barco a través de los teleobjetivos de sus rifles, apostados en los techos de los almacenes cercanos. Apostó a que cada uno de los jefes contaba al menos con dos equipos. Sonrió para sí cuando pensó en que el último equipo en llegar se habría dado cuenta de que todos los mejores sitios ya estaban ocupados.

—Un céntimo por tus pensamientos —dijo Max Hanley, mientras servía té sobre gajos de limón.

—Francotiradores malhumorados

Max pensó en la incongruencia por un momento, y después comprendió el chiste.

—Vamos a ver cuál de los imbéciles de la bodega se decidirá a apoyar la espalda contra la puerta.

—Supongo que harán turnos.

—Pandilla de paranoicos.

—Mil millones de dólares, amigo mío. ¿No lo estarías tú?

—Sería muy amable por parte del Tío Sam permitir que nos los quedáramos. Hasta se me han ocurrido un par de ideas sobre cómo robarlos.

—A mí también —admitió Juan—, pero sólo ha sido un ejercicio mental —añadió con una sonrisa torcida.

—Por supuesto.

Ambos hombres sabían que ninguno de los dos estaba hablando en serio. Oh, desde luego que habían pensado en planes para hacerse con el dinero, pero ninguno se lo tomaba en serio.

—Acabo de revisar la cinta con Linda y las secuencias que tomó Eddie con la cámara de la solapa.

—¿Y?

—No tenemos gran cosa. Los tres norteamericanos que se mantuvieron en un segundo plano sólo levantaron la vista cuando subieron el contenedor a bordo, pero estaban sumidos en las sombras. Eso sin contar las gorras y las gafas de sol. Ni siquiera sería posible el reconocimiento facial. Nunca se acercaron lo suficiente para que Eddie consiguiera una toma decente.

—Sabía que no iba a ser fácil. ¿Y el sargento de artillería?

—Muchas fotos bastante buenas cuando subió a bordo y le hicieron la visita turística de su camarote, el comedor y la puerta de la bodega.

—¿Han descubierto ya el nombre?

—El Pentágono está revisando su base de datos mientras hablamos. En cuanto le identifiquemos, investigarán todos sus destinos y oficiales superiores, y después empezaremos con el sistema jerárquico. ¿Das crédito a la idea de Overholt de que el Pez Gordo norteamericano recibirá al barco en Indonesia?

—Aquí no estaba, de eso estoy seguro. Pez Gordo sería incapaz de distinguir un sargento de artillería de un agujero en el suelo. Está demasiado arriba para eso. Supongo que uno de los tipos de hoy fue un comandante que estaba por encima del sargento de artillería, y que el otro es un amigo mutuo de Pez Gordo y del comandante.

Max reflexionó un momento.

—Las edades parecen coincidir. El sargento y el comandante sirvieron juntos, se hicieron amigos. Maquinan el plan, se lo cuentan al amigo de Pez Gordo para que les conceda protección desde arriba, y de repente hemos perdido mil millones de dólares en dinero contante y sonante. Necesitarían un montón de ayuda sólo para mover tanta pasta.

—Lo más seguro. Ahí es donde entran los iraquíes. Aportan la mano de obra, mientras nuestra pequeña camarilla de traidores facilita el acceso al dinero.

—Debería decirle a Langston que el Pentágono se concentre en comandantes en cuanto tengamos el nombre del sargento.

En aquel momento, el práctico de puerto regresó.

—Ah, ¿y quién es éste, capitán Mohamed?

—Mi jefe de máquinas, Fritz Zoeller.

Max saludó al hombre, utilizando un horrendo acento alemán, y después insistió en que debía regresar a la sala de máquinas mientras terminaban de cargar.

Una hora después, el barco llegó a mar abierto, y el práctico se trasladó a una lancha pequeña para regresar a puerto. Había luna llena, de modo que sólo las estrellas más brillantes refulgían en el cielo sin nubes. Como de costumbre, las aguas del protegido golfo Pérsico estaban tan calmas y tibias como el agua de una bañera. El radar mostraba mucha actividad. Los ecos grandes eran petroleros que transportaban petróleo del Golfo o se dirigían al norte para llenar sus monstruosos cascos de crudo. Otros ecos más pequeños correspondían a los innumerables pesqueros que surcaban aquellas aguas. La mayoría eran modernos, pero algunos veleros de vela latina todavía rondaban por el golfo como lo habían hecho durante centenares de años.

El tráfico radiofónico era intenso, con tripulaciones que charlaban entre sí para mantenerse despiertas durante los largos turnos de noche. Sin saber si uno de los cuatro guardias se aventuraría hasta la timonera, Juan Cabrillo ordenó que un hombre estuviera a cargo del timón en todo momento. Cabrillo hizo las veces de oficial de cubierta, mientras Hali Kasim se derrumbaba sobre la rueda de madera en un esfuerzo por mantenerse despierto. Al Presidente le gustaba montar guardia, incluso de noche, mientras que a su experto en comunicaciones le mataba de aburrimiento. A medianoche, como si estuvieran manejando el barco en realidad, fueron relevados.

Durante los dos días siguientes todo continuó igual, si bien no fue necesario guardar las apariencias en el puente. Los cuatro hombres encargados de custodiar El Contenedor sólo abandonaban el pasillo de la bodega para ir al lavabo. Debían haber fraguado una especie de pacto, porque dormían por turnos. Uno de los empleados de la cocina del *Oregon* les llevaba la comida, sin ir vestido como cuando servía en el opulento comedor, sino con el manchado uniforme de pinche de cocina.

De momento, sabían que el único norteamericano del grupo era el sargento de artillería Malcolm Winters USMC (jubilado). El Pentágono había enviado por correo electrónico docenas de fotos de oficiales con los que Winters había trabajado durante sus veinte años de carrera, pero ni Cabrillo ni Eddie pudieron identificar gracias a ellas a ninguno de los norteamericanos que estaban en el muelle. Pronto llegarían más fotos.

23

Llegaron el tercer día de travesía, nada más salir el sol. Tal como Cabrillo sospechaba, había tres embarcaciones (potentes lanchas motoras planeadoras) que surgieron de la oscuridad previa al alba como tiburones preparados para la matanza. Tenían menos de treinta centímetros de francobordo, de manera que nunca aparecían en el radar. Les acompañaría otro barco, un buque nodriza que esperaría en el horizonte, y que habría remolcado las lanchas hasta el punto de la emboscada. Había cinco piratas en cada embarcación, somalíes de piel color café que habían convertido aquel tramo del océano Índico en uno de los lugares más peligrosos de la Tierra. Juan Cabrillo sospechaba que era el señor del crimen de Basora quien les había indicado qué barco debían atacar. Al fin y al cabo, Basora era una ciudad portuaria, de modo que tendría contactos con los líderes de los piratas.

Casi todos los hombres esgrimían AK-47, pero uno en cada barco utilizaba el característico lanzacohetes RPG-7. Atacaron por la popa, de modo que los vigías del puente no llegaron a verlos, y de hecho no se enteraron de su existencia hasta que un proyectil se estrelló contra el castillo de popa justo por encima de la línea de flotación, en un intento de inutilizar la hélice y el timón del *Oregon*.

En cualquier otro barco, la explosión les habría dejado indefensos, pero el *Oregon* estaba reforzado y blindado en zonas críticas, de modo que la granada no consiguió otra cosa que arrugar el cinturón acorazado y chamuscar un poco de pintura.

Como de todas formas alguien tenía que hacerse cargo de las maniobras en el puente de mando, Cabrillo decidió pasar el control allí desde el centro de operaciones, con una sola persona que se ocupara de la habitación de alta tecnología, en lugar de las dos acostumbradas. Segundos después de que la explosión resonara en todo el barco, MacD Lawless saltó de la silla donde dormitaba aburrido y se ocupó del sistema armamentístico, situado en la parte delantera de la habitación. Si bien era el miembro más reciente de la Corporación, conocía los sistemas del *Oregon* tan bien como cualquiera.

Tardó tan sólo unos segundos en utilizar las cámaras para localizar las embarcaciones piratas. Se mantenían a unos cincuenta metros del barco, fuera del alcance de las mangueras de incendio que algunos cargueros desplegaban para protegerse. Estaban esperando a que su presa aminorara la velocidad a causa de los daños infligidos por el cohete. Si no disminuía la velocidad, dispararían otro par de proyectiles. De una forma u otra, no se quedarían sin su presa.

MacD pensó al principio en utilizar las ametralladoras Gatling de 20 milímetros del barco, pero sus cuatro invitados eran todos exmilitares y reconocerían el silbido industrial de las Gatling cuando escupieran tres mil balas por minuto. Lo mejor sería emplear un arma más propia de un barco contrabandista. En una esquina de la pantalla principal, una cámara oculta mostraba a los cuatro guardias en la bodega, paralizados por la indecisión. No sabían qué hacer. ¿Debían subir y colaborar en la defensa del barco, o debían quedarse en sus puestos, dispuestos a plantar batalla hasta el final si los piratas llegaban hasta allí?

MacD activó un par de ametralladoras M60 que el Presidente llamaba «repelentes de huéspedes». Las ametralladoras estaban escondidas dentro de bidones de petróleo soldados a la cubierta, cerca de la barandilla. Las tapas de los bidones se abrieron y las armas quedaron al descubierto, tras lo cual giraron hasta adoptar una posición de disparo horizontal. Hizo clic en el icono de apuntar en la pantalla de su ordenador y disparó.

Las ametralladoras disparaban los proyectiles de 7,62 milímetros habituales de la OTAN, y si bien no eran muy potentes, estas armas compensaban tal defecto con el volumen de disparos. Cincuenta proyectiles barrieron la primera lancha de proa a popa antes de que alguien se diera cuenta de lo que estaba sucediendo. El piloto murió al instante, y también dos de los pistoleros. Los otros dos fueron arrojados al mar cuando la lancha, fuera de control, se estrelló contra una ola y volcó.

En la otra banda del *Oregon*, la segunda ametralladora obró un efecto todavía más devastador en otra lancha pirata. Ésta estalló cuando la gasolina del depósito perforado prendió en el motor. La bola de fuego fue algo digno de Hollywood. La tercera lancha atacante aceleró y corrió hacia el horizonte antes de que la M60 pudiera apuntarle, pero el buque nodriza, que se había acercado estúpidamente, no vio o no comprendió lo que les había sucedido a sus camaradas. Mantenía un curso fijo, con el fin de lanzar otro proyectil contra el castillo de popa de su presa.

MacD hizo clic de nuevo en el icono del objetivo. En la cubierta, el cañón de la M60 se movió de manera mecánica y apuntó algo más hacia arriba para compensar la distancia mayor y la resistencia del viento. El ordenador incluso tomó en consideración los cambios balísticos producidos por el recalentamiento del cañón después de la primera ráfaga.

La ametralladora crepitó de nuevo justo cuando el hombre del cohete apoyaba el tubo contra el hombro.

Fue alcanzado múltiples veces, pero logró apretar el gatillo antes de morir. El problema para sus camaradas consistió en que el lanzacohetes estaba apuntando hacia la cubierta de su propio barco. El cohete atravesó el fondo del buque nodriza sin apenas variar de velocidad y se hundió sin estallar. El agujero del casco se transformó en un enorme hueco que habría condenado a la tripulación, aunque la ametralladora no hubiera continuado disparando contra ella.

En conjunto, transcurrieron unos segundos escasos entre el primer disparo y el último. Lawless exhaló un largo suspiro, mientras los tripulantes invadían el centro de operaciones, capitaneados por Cabrillo. Llevaba un bañador bajo un albornoz de algodón, y chorreaba agua sobre el suelo sin darse cuenta. Olía al cloro de la piscina del barco.

—Piratas en lanchas rápidas. Tres en total. Dos destruidas, y una tercera huyó hacia el horizonte. Entonces el buque nodriza se acercó y recibió su merecido también —informó MacD sin que nadie le hubiera dicho nada. Sabía lo que el Presidente deseaba.

—¿Daños?

—Un proyectil en la popa. A la espera de un informe de control de daños. Velocidad y rumbo inmutables. Las armas ya están guardadas.

Juan Cabrillo miró la cámara que mostraba a los cuatro guardias en la entrada de la bodega. Estaban hablando animadamente entre sí, y por fin llegaron a una especie de decisión. Uno de ellos se colgó el rifle al hombro y se encaminó hacia la escalera más cercana, que le conduciría a la cubierta principal.

—Supongo que debería contarle lo sucedido —dijo el Presidente—. MacD, vuelve a sacar dos de las ametralladoras. Linc y yo fingiremos que las disparamos.

Max Hanley apareció por fin.

—¿Daños? —preguntó Juan, pues sabía que Max comprobaría el estado de su amado barco antes que nada.

—No cambiaremos nuestro nombre durante un tiempo. Mi señal magnética está fastidiada, pero por lo demás todo va bien.

—De acuerdo, sospechábamos que esto iba a suceder. Ahora esperaremos a ver si vuelven a atacarnos, lo cual demostraría de una vez por todas que no existe honor entre ladrones.

Linda Ross se encontraba al mando del centro de operaciones seis días después, cuando el *Oregon* se estaba acercando a la isla de Sumatra, para la etapa final hasta Yakarta. Juan y Hali se ocupaban del control de la superestructura. Cada pocos minutos, la mujer examinaba las diversas pantallas de ordenador y paneles de control en busca de alguna señal que indicara que existían problemas a bordo del barco. Después volvía a inspeccionar la pantalla principal. En ella aparecían tomas del mar, tanto a proa como a popa, así como la actividad detectada por el radar, refrescado por el brazo giratorio del repetidor. Otra parte de la pantalla recibía una cadena informativa por cable donde los presentadores estaban hablando de las crecientes tensiones entre China y Japón tras el descubrimiento de un enorme yacimiento de gas cerca de unas islas en disputa. Otra mostraba el pasillo de la bodega, donde sus cuatro invitados custodiaban la puerta. Los hombres iban sin afeitar, y la tensión de la vigilancia constante durante los últimos días se manifestaba en sus ojos hundidos y en los hombros encorvados.

Debía reconocerles el mérito. Eran extraños desconfiados que se habían mantenido unidos. Aunque los tres árabes se permitían ahora media hora de descanso en la cubierta, Winters nunca abandonaba su puesto.

Vio que no pasaba nada, y sólo se dio cuenta de que algo iba mal después de mirar la pantalla otros veinte segundos.

En todos los días y noches transcurridos desde que habían subido a bordo, sólo uno de los guardias dormía, mientras los demás mantenían la vigilancia. Al estudiar la imagen, tardó un tiempo valioso en caer en la cuenta de que tres de los guardias estaban durmiendo y el cuarto había desaparecido. La resolución no era la mejor, pero pronto comprendió que ya no podía ver a Gunny Winters, y que los tres hombres tendidos en el suelo habían sido ejecutados. Había muy poca sangre, pero cada uno tenía un agujero en la cabeza.

Estaba a punto de llamar a Juan al puente y contarle lo que estaba ocurriendo, cuando los motores se detuvieron de repente. Winters había contado con tiempo más que suficiente para salir de la bodega al puente y hacerse con el control del barco. Linda estaba convencida de que había obligado al Presidente a parar el barco. Ahora, el *Oregon* iba a la deriva al mando de un traidor y ladrón. Y justo cuando los somalíes habían atacado, Cabrillo había pronosticado algo por el estilo. Y la orden general, cuando se produjera el siguiente ataque, había sido esperar a ver adónde conducía.

Linda convocó a Max en el centro de operaciones, junto con Eric y Mark. De momento, tenía controlado el timón en el puente, pero enviarían al Equipo A en cuanto reconquistaran el barco. Verificó el repetidor del radar. Había un barco a ochenta millas de distancia y, mientras miraba, el icono se dividió en dos ecos diferentes. Supo en cuestión de segundos que de aquel barco misterioso, que se acercaba a toda velocidad, había despegado un helicóptero y volaba a más de cien nudos.

—Allá vamos.

De haber podido elegir, Cabrillo habría terminado con el motín de Winters en cuestión de segundos. Winters lo había hecho bien, había subido subrepticiamente hasta la timonera, pero el Presidente le había visto en el reflejo de una vieja cafetera que descansaba sobre un estante bajo las ventanas delanteras.

En lugar de reaccionar, se quedó sentado, al parecer ajeno a lo que sucedía, hasta que Winters apoyó el cañón todavía caliente de su Beretta contra su nuca.

—Lo lamento, capitán, pero se ha producido un cambio de planes.

Hali, que estaba ante el timón, se volvió de repente porque no había oído a Winters hasta que habló.

—Tranquilo —le dijo Juan Cabrillo en árabe.

—Sí, señor.

Hali adoptó el papel de tripulante asustado.

—¿Qué quiere? —preguntó el Presidente, de nuevo en inglés.

—En primer lugar, quiero que pare los motores.

Winters se apartó para poder cubrir a Cabrillo y Kasim a la vez. Llevaba un rifle de asalto M4 colgado sobre el pecho.

Juan sospechaba que un hombre como Gunny Winters, un veterano de tres estancias en Irak, hablaría por lo menos un poco de árabe, de modo que dio las órdenes correctas a Hali. El ritmo de los motores, un ruido artificial creado para apagar el lloriqueo de la verdadera central eléctrica del *Oregon*, se aplacó hasta que sólo se oyó el sutil silbido del agua que pasaba junto a los costados de acero del barco.

La mañana era tan hermosa como sólo puede serlo en los trópicos. El sol estaba alto, pero el calor y la humedad aún no se habían apoderado de la atmósfera. Soplaba una ínfima brisa, y las olas eran largas y pesadas, y apenas alcanzaban unos centímetros de altura.

—¿Qué más armas llevan, aparte de las M-Sesenta que utilizaron contra los piratas el pasado viernes? —preguntó Winters.

Cabrillo tuvo que admitir que estaba impresionado. A juzgar por las vetas plateadas de su pelo cortado al cero, Winters estaba más cerca de los cincuenta que de los cuarenta. Había estado funcionando bajo presión, a base de pastillas de cafeína, y había dormido poco durante más de una semana, pero aun así presentaba un buen aspecto. Sí, le había crecido barba, y tenía los ojos inyectados en sangre, pero no había perdido ni un ápice de su disciplina militar y muy poco de su porte. En un mundo diferente, los dos habrían podido ser amigos.

—Guardo una pistola Tokarev en la caja fuerte de mi camarote, y mi jefe de máquinas tiene una escopeta.

—Ordene a su hombre que vaya a buscarlas. Ha de deslizarlas por la puerta de la parte posterior del puente. Si le veo a él, o a cualquier otro miembro de su tripulación, usted morirá. ¿Comprendido?

—Sí.

Juan impartió la orden, y observó con ironía que Winters daba la impresión de comprender, porque asintió cuando dijo la combinación de la caja fuerte. Dos minutos después, la recortada se deslizó por la puerta y un momento después fue el turno de la maltrecha pistola Tokarev. La corredera de la pistola estaba echada hacia atrás para que no pudiera disparar, y los cañones dobles de la recortada estaban abiertos, para demostrar que no estaba cargada. Winters examinó la pistola, y se quedó satisfecho cuando vio que habían extraído el cargador.

—Tire ambas por la borda, capitán, por favor.

Cabrillo recogió las dos armas, se encaminó hacia el alerón de estribor y las arrojó por la borda del barco. Sabía que a Winters no le preocupaban demasiado las M60 de la cubierta. En los estrechos confines del puente, un arma semejante mataría tanto al rehén como al secuestrador.

Regresó y se quedó junto al timón. Winters se había situado alejado de las ventanas, por si le habían mentido y alguien tenía un rifle con mira telescópica. Una vez más, Juan se quedó impresionado.

—Y ahora, ¿qué?

—Quiero que dos tripulantes se encarguen de manejar esa grúa de la cubierta y empiecen a tirar los contenedores vacíos por la borda.

—¿Y sus tres compañeros? Tendrán algo que decir al respecto.

—Han muerto —replicó Winters—. Ahora obedezca mis órdenes. Y dígale a su timonel que vuelva al pasillo que hay detrás de nosotros para recibir más instrucciones.

Juan explicó a Hali a gritos lo que debía hacer. Tardó un poco más en organizar un grupo de trabajo. Eddie Seng y Franklin Lincoln salieron de la superestructura y se dirigieron hacia la grúa. Eddie encendió el motor diésel que alimentaba los controles, y si bien echó humo como si estuviera a punto de expirar, funcionó con la misma delicadeza que una máquina de coser.

Mientras Linc se ocupaba de los controles, Eddie se subió al primero de los contenedores depositados sobre la cubierta. Tiró de un cable de acero oxidado provisto de cuatro ganchos, que podían sujetarse a las cuatro esquinas de un contenedor, y un lazo central para el gancho procedente del cable principal de la grúa.

Cuando tuvieron un contenedor colgando por la borda, oyeron un nuevo ruido, el inconfundible golpeteo de los rotores de un helicóptero. El ruido fue en aumento, hasta llenar la cabeza de Cabrillo. No veía el aparato porque llegaba del sudeste, y pronto estaría sobre la popa. Indicó por gestos a Winters que quería mirar desde el alerón. El exsargento asintió.

Un vendaval artificial producido por un Sikorsky S-70, la versión civil del helicóptero Black Hawk, recibió a Carrillo. La puerta lateral ya estaba abierta, y en cuanto el aparato se estabilizó sobre el castillo de popa, un par de gruesas cuerdas cayeron sobre la cubierta. Dos hombres las siguieron incluso antes de que se hubieran desenrrollado del todo, y cayeron como piedras hasta frenar justo antes de estrellarse contra el acero. Otro par les siguió al cabo de un segundo.

Y entonces, el helicóptero se elevó y empezó a alejarse en dirección sur. Los hombres iban vestidos con traje de camuflaje negro, provistos de aparatos y armas. Habían caído con la precisión de las Fuerzas Especiales, porque eso habían sido.

—Su tripulación se quedará dentro del barco en todo momento —dijo Winters, acuclillado—. Me da igual dónde, siempre que no se les vea. Si se acercan demasiado a una puerta o a una ventana, les dispararán.

—Hali —llamó Juan.

—Estoy aquí, capitán. ¿Qué ha sido ese ruido?

—Cuatro soldados más han abordado el barco. Pasa la voz de que quiero que todos los tripulantes vayan al comedor y no se muevan de allí. Nadie ha de acercarse a la cubierta en ningún momento. ¿Comprendido?

—Sí, capitán. Esperaremos en el comedor hasta que venga a buscarnos.

Juan se preguntó si él y su tripulación sobrevivirían a aquella odisea, o si Winters y sus amos les eliminarían como testigos en potencia. Sospechaba esto último. No sólo eran los tripulantes testigos del secuestro, sino que sabotear el barco impediría atribuir el robo a los señores del crimen. Una señal de SOS sensata, y una partida de rescate que descubre el barco ya hundido y sin posibilidad de salvación, y *voilà*, tus socios se quedan sin mil millones de dólares, libres de impuestos.

El contenedor vacío golpeó el agua con un tremendo impacto y osciló como un cubito de hielo rojo en una bebida. Eddie recobró el cable de acero después de que el contenedor se soltara y lo devolvió a bordo.

Winters maldijo cuando miró por la ventana del alerón. Ya no tenía miedo de un francotirador, puesto que sus hombres controlaban la cubierta.

—Olvidé decirle que abran las puertas de los contenedores para que se hundan.

—Daré la orden.

Había un viejo megáfono en un armario, bajo la mesa de derrota.

—Salga, capitán, y mis hombres le matarán antes de que pueda dar dos pasos. ¿Alguno de sus hombres habla inglés?

—Sí.

El exinfante de marina cogió el megáfono y salió al alerón.

—Atención. Al habla Winters. —Su voz amplificada resonó y despertó ecos, mientras dos de los guardias recién llegados levantaban las armas y apuntaban, para luego relajarse de nuevo—. Ustedes dos, los que manipulan la grúa. A partir de este momento, abran las puertas de los contenedores para que se hundan. Alcen el brazo si me han entendido.

El tripulante asiático que se había reunido con ellos en el muelle de Umm Qasr levantó una mano nerviosa. Winters volvió al puente. Aunque había hablado con los hombres de fuera, en ningún momento había desviado la vista, ni el cañón de la pistola, del Presidente.

Tardaron tres horas en descargar todos los contenedores vacíos. Cuando Eddie y Linc terminaron, un barco ya se había acercado. Tenía el aspecto de la típica gabarra de los campos petrolíferos, con una superestructura cuadrada encorvada sobre la proa y una larga cubierta posterior abierta. Sobre la cubierta descansaba el helicóptero Sikorsky que había transportado a los hombres de Winters, así como una enorme grúa de orugas. Entre los dos había suficiente espacio para El Contenedor.

Cabrillo comprendió enseguida por qué habían traído su propia grúa. Cuando fraguaron el plan para robar El Contenedor, Winters y sus socios norteamericanos desconocían si el barco encargado de sacar de Irak el dinero contaría con sus propias grúas para trasladar la carga. Con prudencia, habían supuesto que no, y traído su propia grúa para la cita en alta mar.

—Por si se lo está preguntando, no vamos a matarles —dijo Winters como si tal cosa, mientras veía acercarse a sus socios.

—Eso no me tranquiliza —replicó Juan.

—No. Es verdad. Tal como lo hemos planeado, es imposible que puedan aparecer en Yakarta contando que hemos traicionado a los demás. Tal vez les creerían, tal vez no, pero sin duda les harían pagar por perder su dinero. Su única posibilidad de sobrevivir es vender este barco en algún puerto apartado y desaparecer.

Cabrillo no dijo nada.

—Ya estoy harto de matar —continuó Winters—. Esos tres de ahí abajo…

Enmudeció cuando un nuevo sonido envolvió el barco, el tableteo de una de sus ametralladoras Gatling de 20 milímetros abriendo fuego contra el buque de apoyo logístico que se aproximaba. Las balas perforaron el casco como un felino depredador araña las ancas de su presa. El acero se desmenuzó con tanta facilidad como si fuera papel. El timón del barco saltó en pedazos, y las balas destruyeron el prensaestopas por donde el único eje de transmisión atravesaba el casco y se acoplaba a la hélice. El eje en sí se partió a causa de la andanada, y la hélice de bronce se soltó como una muela careada.

El agua empezó a inundar la sala de máquinas en tal volumen que la tripulación no tuvo la menor oportunidad. La ráfaga duró tan sólo unos segundos, pero fue suficiente para condenar el barco a una muerte veloz.

Juan había estado esperando las ráfagas de las Gatling. Lo habían planeado todo con antelación hacía días, mientras barajaban las diversas posibilidades de un abordaje. Si un helicóptero se acercaba al *Oregon* en un punto donde hubieran podido izar El Contenedor, sería derribado. No habían destruido el Sikorsky porque todavía era necesario sacar los contenedores vacíos de la bodega, y también porque no tenía capacidad para elevar el contenedor lleno de dinero.

Si todo estaba en billetes de cien dólares, todavía pesaría ocho toneladas. Ocho mil kilos de dinero. Pesaría más si habían añadido billetes de menos valor.

La distracción que provocó la destrucción de la gabarra no proporcionó la menor ventaja a Juan. Gunny Winters estuvo a punto de dispararle en la cara cuando Cabrillo se dispuso a atacarle. El experimentado marine conservaba los reflejos de un esgrimista olímpico y la concentración de un maestro zen. Incluso mientras las Gatling continuaban su sinfonía mortífera, Winters ya estaba preparado para la lucha. Juan apenas había empujado a un lado el brazo de Winters cuando éste ya había disparado cuatro veces, y el estruendo atronó los oídos del Presidente. Chocaron, pecho contra pecho, y Juan experimentó la sensación de haberse estrellado contra una pared de bloques de cemento. Winters era aproximadamente de su misma estatura, pero debajo de su camisa holgada el cuerpo era muy musculoso. El norteamericano lanzó hacia delante la cabeza como una cobra rabiosa, y habría aplastado la nariz de Juan Cabrillo si éste no hubiera girado en redondo, sin soltar la mano de Winters que sujetaba la pistola. El exmarine le propinó una patada en la ingle a continuación, y Juan torció la pierna para recibir el golpe en el muslo. Perdió la fuerza en la pierna hasta los dedos del pie.

Casi todos los combatientes armados con una pistola se concentrarían en utilizar el arma, y se olvidarían de todo lo demás. Este hombre no. Se lanzó sobre el Presidente con todas sus fuerzas. Era como si la pistola aferrada en su mano derecha no sirviera de nada. Entretanto, Cabrillo encajó los puñetazos y las patadas, pues no tenía otro remedio que sujetar la mano que empuñaba el arma.

Las Gatling enmudecieron por fin, y surgió humo de los cientos de agujeros practicados en el casco de la gabarra. El combate ya duraba siete segundos cuando Cabrillo se dio cuenta de que probablemente iba a perder. Y eso, la idea de la derrota, le galvanizó. Golpeó la mano de Winters contra una ventana una y otra vez, hasta que la pistola cayó a la cubierta.

Soltó la mano, a sabiendas de que Winters ya no la podía utilizar, y lanzó una combinación de puñetazos que el exsargento paró con destreza. Sólo tenía que ganar unos segundos más. El plan consistía en que su gente redujera a los guardias de la cubierta y reconquistara el puente. Max irrumpiría por la puerta de un momento a otro, seguido de Linc y MacD.

Aunque la mano derecha de Winters debía de estar inutilizada, consiguió desenvainar un cuchillo de combate que llevaba sujeto dentro de la camisa. Cabrillo reprimió el impulso reflejo de alejarse de la hoja y se acercó más, con lo cual limitó la capacidad del norteamericano de mover el cuchillo. Winters hizo girar el cuchillo y se dispuso a clavarlo en el hombro de Juan. Éste le asió la muñeca, pero el exmarine gozaba de una posición mejor, y el cuchillo se hundió en la carne del músculo trapecio de Cabrillo. Winters movió en ángulo la hoja en busca de las arterias mayores que regaban el cerebro.

Brotó sangre de la herida y resbaló sobre el pecho del Presidente, que rugió cuando intentó impedir que el cuchillo continuara hundiéndose, mientras Winters intentaba con encono similar clavar la hoja hasta la empuñadura.

Se hundió dos centímetros. Cuanto más se hundía, menos podía Juan detener su implacable fuerza. Presintió que su adversario se estaba preparando para el último esfuerzo, un último empujón que le mataría.

Notó el chorro de sangre en la cara antes de oír el disparo. Winters se derrumbó sin vida, y el cuchillo desgarró salvajemente la carne de Cabrillo cuando se desplomó como un saco. Max se hallaba en la puerta que daba a popa, con una Glock en la mano todavía apuntada al techo, todavía humeante.

—Los otros cuatro se rindieron sin oponer resistencia —dijo.

—Yo contaba con casi todas las ventajas, y ha estado a punto de matarme.

Juan se quitó la camisa empapada para examinar la herida. Era un pequeño corte, del que salía un poco de sangre.

—Será mejor que suba Hux con su *kit* de coser —comentó Max Hanley.

—Tu preocupación por mi bienestar es conmovedora.

—Ah, pero acabo de salvarte la vida.

—Una acusación que no puedo negar. —Contempló el cadáver de Winters—. Era duro de pelar.

—Como suele decirse, no hay nada como un exmarine.

Al cabo de pocos minutos, el puente estaba abarrotado. Hux ordenó a Juan que se sentara en una silla descamisado para poder limpiar, coser y vendar la herida. Max estaba supervisando el rescate de los pasajeros y la tripulación de la vieja gabarra petrolera. El barco se estaba hundiendo por la popa, tan inclinado que la proa sobresalía del agua. Se estaba hundiendo demasiado deprisa para mandarles un bote salvavidas, de modo que los hombres saltaron al agua, con chalecos salvavidas si los encontraban, y empezaron a nadar hacia el gran carguero al que habían ido a asaltar.

Linda, MacD y Mike Trono, todos armados, se encontraban al pie de la pasarela bajada para dar la bienvenida a los nuevos huéspedes.

Cabrillo se negó a tomar algo más fuerte que Tylenol, y se puso en pie a tiempo de ver que la grúa sobre orugas se soltaba de sus cadenas, atravesaba la cubierta inclinada y destruía el helicóptero, ya sumergido.

—Alguien no va a recuperar sus juguetes.

—Diez a uno a que la gabarra y la grúa eran alquiladas —dijo Max mientras fumaba su pipa—, pero el helicóptero era propiedad de quien financió esta pequeña aventura.

—Yo estaba pensando lo mismo —admitió Juan Cabrillo.

La proa de la gabarra sobresalía en vertical entre un remolino de burbujas que escapaban de los incontables agujeros producidos por las balas de 20 milímetros. Y después desapareció. El agua continuó remolineando unos segundos, hasta que el casco fue engullido por el mar. Sólo quedó una pequeña mancha de aceite y algunos fragmentos inidentificables de restos flotantes.

El primer superviviente llegó a la escalera de abordaje. Cada uno fue cacheado minuciosamente, y les ordenaron que se sentaran con las manos apoyadas sobre una sección abierta de la cubierta, cerca de los cuatro hombres que habían descendido del helicóptero.

Juan y Max bajaron a la cubierta para inspeccionar su captura. Tal como habían supuesto, la tripulación de la gabarra consistía en personal contratado, en este caso indonesios que probablemente habrían trabajado en los campos petrolíferos de Brunei. Serían detenidos e interrogados, pero acabarían en libertad. Los que más interesaban a Juan eran los cuatro occidentales. Dos de ellos, sospechaba, eran los dos de Irak. Los otros dos eran mayores, y si bien presentaban aspecto de ratas ahogadas después de su zambullida inesperada, ambos conservaban una prudente dignidad y una altivez predispuesta. No reconoció a ninguno, y permanecieron mudos cuando les preguntó el nombre.

El Presidente puso los ojos en blanco. Sacó el teléfono, tomó fotos de sus rostros y las envió por correo electrónico a Mark Murphy, quien todavía estaba conectado con las bases de datos del Pentágono. Encontraron una identificación al instante, y la respuesta dejó estupefacto a Juan Cabrillo.

—Max, ¿sabes a quién tenemos aquí?

—Una rata.

—Cierto, pero una rata que fue subsubsecretario de la Marina.

—¿Subsubsecretario? ¿Eso es un cargo?

—Debe ser un enamorado de la burocracia. ¿No es cierto, señor Hillman? Aún no sé quién es su amigo, pero supongo que usted es el mandamás aquí.

—¿Quiénes son ustedes?

—Lo siento, amigo, pero el que pregunta soy yo. Considero curioso que creyera poder salirse con la suya. ¿De veras pensaba que el Pentágono iba a dar por perdidos alegremente mil millones de dólares? Mil millones de dólares de los cuales no se podría seguir el rastro. Este dinero financiará operaciones encubiertas durante años, y usted pensó que los militares se iban a olvidar de ellos.

A juzgar por la mirada alicaída que Hillman dirigió a Cabrillo, eso era precisamente lo que él y sus cómplices pensaban.

—Hace años que han estado planeando recuperar este tesoro —continuó Juan—. Nadie sabía quién lo tenía, cierto, pero estaban convencidos de que iban a recuperarlo. Incluso sabíamos que usted y sus colegas iraquíes se volverían unos contra otros al final. Cuando lleguemos a Yakarta, espero que algunos centenares de los miembros más fanáticos de Al Qaeda estén allí para recibirles.

—¿Dónde está Gunny Winters? —preguntó uno de sus amigos de Umm Qasr, uno de los hombres que sospechaban podía ser un exoficial superior de Winters.

—¿Era uno de sus hombres? —preguntó Juan.

—Tuve el privilegio de ser su superior durante su último período de servicio.

—¿Era un buen marine?

—El mejor.

—Ha muerto. —El hombre ya lo sabía, porque no reaccionó—. Max le disparó cuando intentaba ensartarme como a un perro, y a partir de ahora ese buen marine será conocido como un traidor y un ladrón. Espero que se sientan orgullosos de ustedes mismos.

—¿Qué pasará ahora? —preguntó uno de los guardias que se había descolgado del Sikorsky.

Parecía demasiado joven para formar parte de la camarilla original. Juan supuso que era un exsoldado que trabajaba de mercenario, y había sido contratado para este trabajo. Ni siquiera debía saber qué estaba en juego.

—Dentro de unas horas, un buque de guerra anfibio de la Marina que nos ha estado siguiendo desde que abandonamos el golfo Pérsico aparecerá en el horizonte. Enviarán un bote para recogerles, y un gran helicóptero Chinook para El Contenedor. Ustedes cuatro, que asaltaron mi barco, serán acusados, juzgados y condenados por piratería, mientras que estas bellezas pasarán el resto de su vida en la peor cárcel de cualquier país aliado, y lo más probable sin el beneficio de un juicio. Si me gustara apostar, yo diría que será alguna cárcel del África subsahariana, donde la tasa de sida entre los presos se acerca al cincuenta por ciento.

Hillman y los demás palidecieron.

—Ya sabrá, señor Hillman —añadió Juan Cabrillo—, que el Tío Sam no reconocerá que un robo de esta magnitud tuvo lugar. Conseguiría dejar como un inepto a nuestro gobierno, y eso significa que ustedes desaparecerán de la faz de la tierra.

—Eso demuestra lo que usted sabe —resopló el exsubsecretario de Marina—. Harán un trato, porque yo no soy el «mandamás». Puedo dar nombres, y saldré más limpio que una patena.

Cabrillo se acercó más para que el hombre pudiera apreciar el odio y la alegría que experimentaba por su derrota.

—Tenemos un problema. Usted ocupa un puesto bastante importante. Se va a llevar toda la culpa. Por más que cante, no le van a hacer caso.

Max y él se fueron. No tenía ni idea de si su amenaza era cierta, pero le gustaba ver temblar a Hillman cuando pensaba en su destino.

Eddie y Linc sacaron el último contenedor de la bodega y vieron cómo lo depositaban sobre la cubierta. Cabrillo y Max Hanley pasearon a su alrededor una vez. Los sellos de aduanas seguían en su sitio. El Presidente apoyó una mano sobre el lado metálico de la caja, como si pudiera sentir lo que había dentro.

—¿Tentado? —preguntó Max.

—No empieces otra vez. Pero he de hacer algo. A Overholt no le hará ninguna gracia, pero al menos he de echarle un vistazo.

Abrió la puerta trasera y rompió el delicado sello.

Vieron fajos cuadrados del tamaño de balas de heno envueltos en diferentes tonos de plástico coloreado. Los fajos estaban apilados como cualquier otro producto, y llegaban casi hasta el techo. Podrían haber sido paquetes de mandarinas, reproductores de DVD, o cualquier otro producto enviado en contenedores.

—Ajá —dijo Max—. ¿Qué esperabas? ¿La cueva del tesoro de Ali Babá?

Juan se sobresaltó por la precisión de su amigo.

—La esperanza es lo último que se pierde.

Sacó una de las balas de la pila y rajó el plástico con el cuchillo que siempre llevaba encima. Sintió un agudo dolor en el hombro, un recordatorio de que, durante unos cuantos días, se lo tendría que tomar con calma. Abrió el roto lo suficiente para sacar algo de dinero, un fajo de diez centímetros de grosor de billetes de cien dólares.

—Leí en algún sitio que un fajo de billetes de mil dólares norteamericanos tiene más de diez centímetros de grosor. Éstos son de cien, de modo que tengo cien de los grandes.

Ambos contemplaron la enormidad del tesoro, y comprendieron mejor que casi nadie del planeta lo que eran en realidad mil millones de dólares.

Juan devolvió el dinero a su lugar, y esta vez dejó que Max introdujera la bala en El Contenedor. Cerraron la puerta, y el brazo giratorio descendió con una determinación que clausuraba una operación de ocho años de duración. Irónicamente, sus honorarios saldrían casi sin la menor duda de esta misma pila de dinero, una vez que fuera ingresado en una cuenta de presupuesto negro.

Horas después, tras dar sepultura en el mar a los iraquíes muertos y trasladar a los prisioneros y el dinero al USS *Boxer,* el Presidente obsequió con una cena en el comedor a la tripulación y, tras una salva de aplausos enfervorizados, detalló la cantidad de dinero que cada miembro de la Corporación debía esperar por la recuperación de El Contenedor.

Por esas cosas del destino (y, en su negocio, el destino intervenía más que otra cosa), Juan acababa de servirse su segunda copa de Veuve Cliquot cuando su teléfono vibró.

Era el oficial de guardia del centro de operaciones.

—Lamento estropearle la fiesta, Presidente. Tiene una llamada por su línea privada.

—L'Enfant —susurró Juan. Tenía que ser él, y eso sólo podía significar que el informador había localizado a Pytor Kenin. Después de su inoportuna pero lucrativa distracción, había llegado el momento de volver a seguir la pista del asesino de Yuri Borodin.

24

Teniendo en cuenta su destino, era lógico que Eddie Seng acompañara a su jefe a la misión de exploración. L'Enfant sólo había proporcionado una dirección. Marc y Eddie habían llevado a cabo su investigación, como siempre excelente, del lugar, pero no hay nada mejor que inspeccionar el terreno en directo. Tomaron un vuelo comercial desde Yakarta a Shanghái.

Ninguno de ambos hombres se encontraba a gusto en el país natal de Eddie, a quien no le gustaba porque había pasado allí gran parte de su carrera de agente de la CIA, reclutando agentes que espiaran para él, y ya había tenido bastantes encontronazos con los diversos brazos de seguridad del gobierno del pueblo. Sospechaba que su expediente debía sumar más de mil páginas. Su aspecto era muy diferente del de aquellos tiempos, los mejores cirujanos plásticos de la CIA se habían encargado de ello, pero, no obstante, cada vez que regresaba a su país natal experimentaba la sensación de que le estaban vigilando.

Cabrillo era también otra persona que despertaba el interés del Ministerio de la Seguridad del Estado, puesto que en cierta ocasión había volado por los aires un destructor de la Marina china llamado *Chengdo*. Técnicamente, Dirk Pitt lo había volado, pero lo había hecho mientras estaba a bordo del *Oregon*. No obstante, no era eso lo que agobiaba al Presidente, sino el hecho de que esa batalla en particular le había costado una pierna. Dedicaba escaso tiempo a meditar sobre la pérdida, que había compensado de muchas formas, pero había momentos en que la sentía en lo más hondo.

Shanghái, que acoge una población de veinticinco millones de personas, debe de ser la ciudad más grande del mundo. Mientras

atravesaban suburbios y hectáreas de bloques de apartamentos adornados con colada puesta a secar, a bordo del tren Maglev al que habían subido en el aeropuerto, Juan no lo puso en duda. Eddie había
visitado la ciudad en muchas ocasiones, pero ésta era la primera para
el Presidente. Con una velocidad superior en algunos momentos a
los trescientos setenta y cinco kilómetros por hora, el tren ultraligero,
que corría sobre un colchón de aire, tardó unos pocos minutos en
llegar al barrio de Pudong. Un taxi habría tardado horas en recorrer
los ciento veinte kilómetros.

Tan sólo unos años antes, Pudong, en la parte este del río Huangpu, estaba poco poblado, al contrario que la orilla occidental, que
albergaba los barrios antiguos de la ciudad y masas de insulsos rascacielos testimonio de la expansión de los años setenta. Ahora, Pudong era el rostro de la ciudad, con su mítico perfil de edificios de
excéntricas formas, sobre todo la Oriental Pearl TV Tower, con sus
dos extraños globos apilados uno sobre otro, y el hermoso Shanghai
World Financial Center. Las calles poseían el bullicio y el ruido de
Nueva York.

Llegaron al hotel, y se registraron por separado, puesto que una
habitación ocupada por dos hombres despertaría sospechas. Como
la suerte no les sonrió, ninguna habitación estaba encarada hacia la
dirección que les convenía, de modo que Juan tuvo que interpretar el
papel de norteamericano antipático y pedir una habitación diferente.
La segunda era perfecta.

La dirección que L'Enfant les había proporcionado se hallaba en
uno de los rascacielos más nuevos de Pudong, un reluciente rectán-
gulo de cristal negro reflectante que alcanzaba una altura de más de
ciento veinte metros. No era el edificio más alto del barrio, ni por
asomo, pero aun así era impresionante.

Eddie se reunió con Cabrillo en su habitación nueva, con vistas a
la torre que constituía su objetivo. El hotel no era tan alto como el
edificio, pero de momento la vista era excelente. Eddie había entrado en China como vendedor de instrumentos médicos, de modo que
podía llevar en la maleta algunos artilugios electrónicos poco usua-

les. En aduanas los habían examinado, por supuesto, pero sin detectar nada raro.

Acercó uno de los aparatos a la ventana, que abrió unos centímetros, extendió una sonda y la apuntó hacia el edificio cercano. Mientras apuntaba la sonda a cada planta, desde el suelo hacia arriba, vigilaba una pantalla digital. Cuando dirigió la sonda hacia el penúltimo piso, gruñó al ver la pantalla. El último piso le proporcionó información similar.

—¿Y bien? —preguntó Juan.

El aparato era un láser capaz de leer las vibraciones del cristal de una ventana. Con el *software* adecuado, estas vibraciones podían transformarse en palabras pronunciadas por alguien al otro lado del cristal. No se habían molestado en llevar un ordenador para interpretar las vibraciones. Sólo les interesaba saber si alguien del edificio en cuestión intentaba contrarrestar el uso de tal detector láser.

—Los dos últimos pisos tienen generadores de flujo aleatorio —contestó Eddie, mientras devolvía el aparato a su estuche—. Los cristales bailan como derviches. Es imposible obtener una lectura láser de lo que están hablando dentro.

Juan asintió con aire pensativo. Eso no significaba necesariamente que L'Enfant estuviera en lo cierto, pero indicaba que los ocupantes de los dos últimos pisos eran muy sensibles a la seguridad.

—Perfecto, pinta bien. Ahora nos separaremos y averiguaremos todo lo que podamos sobre los ocupantes de esos pisos.

Eddie ya se había puesto su primer disfraz, el de repartidor de paquetes. Más tarde, se pondría un traje, con el propósito de entrar en el edificio como inquilino en potencia.

Juan iba vestido de turista, incluida riñonera, gorra de béisbol y anorak con el logo de un panda. Gracias a un servicio de fotografía aérea *online*, ya sabían que el edificio contaba con un extenso jardín en el tejado, y había decidido cuál era el mejor lugar para investigarlo.

A cuatro manzanas de la torre negra, Juan Cabrillo entró en el adornado vestíbulo de otro edificio, tan nuevo que todavía olía a pintura. Había un ascensor exprés que subía a la plataforma de ob-

servación. Un grupo de colegialas con faldas y jerséis a juego habla-
ban, reían y practicaban complicados juegos de palmearse las manos
mientras esperaban el ascensor. Las dos profesoras conversaban con
un representante de la administración del edificio.

El ascensor llegó por fin y el grupo entró. Juan dedicó a las dos
profesoras una sonrisa tontorrona, y ellas no le hicieron el menor
caso. Salieron a una plataforma abierta que se hallaba a doscientos
treinta metros sobre la calle, rodeada por una barrera de cristal alta
hasta el pecho. La vista era espectacular. Abajo, se veían barcos en
el río Huangpu y el famoso Paseo Bund en el lado contrario. Hacia el
norte discurría el poderoso Yangtze. Y si miraban al este, más allá de
la ciudad, se encontraban las plácidas aguas del mar de la China
Oriental.

Las niñas lanzaron exclamaciones de admiración al ver las sor-
prendentes vistas. Por su parte, Juan Cabrillo se sintió bastante impresionado, pero había ido a por una vista en particular. Tardó un
momento en comprobar si alguien parecía fuera de lugar en la plataforma de observación. Había un guardia de seguridad, que iba rodeando poco a poco la plataforma como un tiburón que patrullara
por uno de aquellos enormes acuarios. El resto eran turistas como él,
o parejas jóvenes que se habrían escabullido del trabajo. Se acercó al
mejor lugar para ver el jardín de la terraza, pero apenas le dedicó un
vistazo antes de fijarse en la estructura central que albergaba la maquinaria del ascensor de la torre. Localizó la cámara de seguridad de
inmediato, la única que había en la plataforma de observación. Estaba
apuntada al lugar que Cabrillo había considerado el mejor para estudiar el edificio de marras. Alguien quería saber si le estaban vigilando.

No había reaccionado cuando vio la cámara. Era demasiado profesional para eso. También sentía curiosidad. Salió de su campo visual y paseó como el típico turista. Dedicó otros veinte minutos a
admirar las vistas. Las colegialas se habían ido, y habían sido sustitui-
das por un grupo de turistas alemanes de vacaciones. Calculó que
había transcurrido tiempo suficiente para que nadie le relacionara
con lo que estaba a punto de hacer. Ya se había quitado la gorra de

béisbol y puesto la chaqueta del revés. Antes era azul claro con un logo, y ahora verde oscuro y sin adornos.

Pasó bajo la cámara y, cuando nadie miraba, alzó la mano para alterar su ángulo un poco. Se alejó a esperar. Tardaron diez minutos. El chico que llegó llevaba traje, no el uniforme de los típicos empleados de mantenimiento. Se encaminó a la cámara y la devolvió a su posición original. El hombre llevaba un pinganillo de Bluetooth sobre un oído, y tras recibir instrucciones de quien controlara las imágenes de la cámara, torció el ángulo del aparato unos cuantos grados más.

Cabrillo ya había subido al primer ascensor disponible en cuanto el hombre empezó a manipular la cámara. Ahora deambulaba por la acera, delante del edificio. Sólo tendría que esperar unos minutos. El Señor Manitas no trabajaba en este edificio. Apareció en la calle, caminando a grandes zancadas, y él sabía adónde se dirigía, de manera que se desvió a una calle paralela. Llegó a tiempo de ver que el tipo entraba en la torre negra donde L'Enfant había dicho que Kenin se escondía.

Sí, en efecto, el ocupante de los últimos pisos era un maníaco de la seguridad.

—Debe de ser un paranoico —masculló el Presidente.

No habían considerado la plataforma de observación un lugar adecuado para vigilar la torre negra por la sencilla razón de que se cerraba por la noche. Sólo había ido para poner a prueba la resolución de su enemigo. Regresó al edificio y habló con una mujer que se ocupaba de los alquileres. Por mediación de una empresa fantasma, la Corporación ya había alquilado un espacio en la planta dieciséis que les concedía un lugar estratégico. La mujer le entregó las llaves de la suite, pero él declinó su oferta de enseñarle el espacio. Juan subió en ascensor.

Había tres habitaciones, la primera era una recepción, con un escritorio de secretaria y una zona de descanso con un sofá y butacas a juego. El mobiliario de los despachos era idéntico: escritorios, aparadores y sillas estándares. Incluso había obras de arte genéricas en las paredes. Cabrillo hizo caso omiso de todo. Sacó un par de prismáticos diminutos, pero sorprendentemente potentes, de su riñonera y los apuntó a la terraza del tejado que se hallaba a cuatro manzanas de distancia y sesenta metros más abajo.

La vista carecía de obstáculos. Al igual que este edificio, el tejado estaba rodeado de una barandilla de cristal, sólo que ésta medía dos metros y medio de altura, como mínimo, y sospechó que sería a prueba de balas. Se accedía a la terraza por un ascensor ubicado en un pabellón que se encontraba en la esquina sur del edificio. Había una larga y reluciente piscina rodeada de una tarima de teca. En un extremo de la piscina había apiladas rocas con agua que caía sobre ellas formando un conjunto artístico y natural. Cerca, y también dispuesto entre rocas para que pareciera un manantial natural, había un *jacuzzi* con hilillos de vapor que se elevaban de su superficie. Había cientos de plantas, y senderos que serpenteaban a través de los árboles y los arbustos. La terraza recordaba una creación de Disney para alguno de sus complejos recreativos, y Juan tuvo que admitir que el efecto le encantaba.

Más tarde, acarrearían su equipo desde el hotel. Juan se hacía pasar por fotoperiodista, y tenía objetivos mucho más potentes que los prismáticos que utilizaba en aquel momento. Para entrar en China, Eddie y él habían tenido que dar el nombre del hotel en el que se iban a hospedar, pero a partir de aquel momento la suite sería su hogar.

Horas después, estaban comiendo pollo del Kentucky Fried Chicken en uno de los despachos, comentando lo que habían averiguado. Juan Cabrillo acababa de terminar su informe, y animó a Eddie a que contara su historia. Les habría gustado que Max y los demás pudieran escucharles, pero era muy fácil interceptar las señales de los móviles, y si al gobierno le costaba demasiado descifrar el encriptado, la policía caería sobre ellos en cuestión de minutos.

—Hay dos guardias en la entrada —explicó Eddie—. Y a menos que tengas una identificación emitida por el edificio o una cita, no te dejarán deambular. Todas las entregas entran a través de una puerta trasera. Hay que firmar la recepción de los paquetes, y seguridad interior se encarga de entregarlos a la oficina adecuada. Hablé con un par de repartidores. No hay excepciones.

»Concerté una cita con una empresa de importación/exportación de la planta veinte. Los ascensores suben hasta el piso treinta y ocho y no hay restricciones, pero en cada uno de ellos hay una ranura para subir una planta más.

—Pero los dos últimos pisos cuentan con seguridad acústica —adujo Juan.

Eddie Seng asintió.

—Y ésa es la mala noticia. Conté los pisos desde el exterior. El edificio tiene cuarenta y un pisos. El piso al que sólo se accede con llave es un colchón entre el ático de dos pisos y el resto de la torre. A partir del treinta y nueve, has de cambiar de ascensor para llegar arriba.

—¿Los ascensores están en el centro del edificio?

Eddie se limitó a asentir.

—Se accede al ático desde la esquina sur. Al menos, hay un ascensor que sube al tejado.

—Hemos de localizar a alguien que tenga una de esas llaves.

—No nos servirá de nada. En primer lugar, apuesto a que tres de las ranuras son ficticias, y que la llave de acceso funciona en un solo ascensor. Y no te quepa duda de que seguridad se mostrará inflexible en eso. Alguien no autorizado que salga de esa cabina activará la alarma. El ascensor que sube a los dos últimos pisos y al tejado queda bloqueado, llaman a la policía, o los mismos guardias se encargan de resolver el problema.

—¿Disfraz?

—Hay que considerarlo —replicó Juan—. Pero eso significa averiguar quién exactamente tiene autoridad para subir al piso treinta y nueve, y después a los niveles del ático.

Eddie sacudió la cabeza.

—La única forma de hacerlo es utilizar ese ascensor todo el día.

—¿Y tú crees que seguridad te lo va a permitir?

—No —respondió Eddie contrito—. ¿Escaleras?

—Quedaremos bloqueados en el piso treinta y ocho. Podríamos forzar la cerradura, pero las cámaras de seguridad nos estarán vigilando. Y antes de que sugieras cortar la corriente eléctrica del edificio, ambos sabemos que tendrán baterías de emergencia y un generador.

—¿Estamos hablando como si ese edificio fuera inexpugnable?

—De momento, eso parece. Incluso aunque pudiéramos entrar en el pozo de un ascensor, eso nos dejaría un piso por debajo de Kenin. —Aquel elevado nivel de seguridad revelaba a Juan que había encontrado al almirante canalla, y que era el tipo de hombre que planificaba su seguridad hasta el último detalle—. Apuesto a que los sistemas de ventilación se detienen en el piso treinta y nueve, y a que los niveles del ático cuentan con sus propios sistemas de calefacción y refrigeración.

—¿Y los conductos estructurales para las tuberías de agua y alcantarillado?

—Demasiado estrechos, y yo tendría instalado un sensor de movimientos en el treinta y nueve.

—Bien, sabemos que no se va a marchar durante un tiempo.

Kenin se habría sometido a cirugía plástica para alterar su apariencia. El médico viviría y trabajaría dentro de la casa. Tal vez le permitirían salir a hacer recados, pero siempre iría escoltado. El almirante ruso se reintegraría a la sociedad sólo cuando las heridas se hubieran cicatrizado y no se pareciera en nada al de antes.

—Vamos a mantener vigilado el edificio durante unos días, a ver qué pasa.

Al amanecer de la mañana siguiente, vieron los primeros signos de actividad en la terraza. Las paredes de cristal negro del edificio continuaron tan opacas como siempre. Un destacamento de tres hombres de seguridad apareció en la terraza. Juan les observó a través de una lente telescópica montada sobre un trípode. Un hombre se quedó al lado del ascensor, mientras los otros dos, con las pistolas desenfundadas, examinaban cada centímetro del jardín de la terraza. Miraron bajo los arbustos y alrededor de la catarata. El revestimiento de la piscina era de un azul resplandeciente, de modo que nada podía pasar desapercibido a su examen. El revestimiento del *jacuzzi*, por su parte, era oscuro, y uno de los guardias investigó el fondo con un recolector. Examinaron todo y no dejaron nada al azar. Y Juan comprobó que se mantenían en contacto entre sí en todo momento.

Muy profesional y de lo más deprimente. Había estado pensando en acceder al tejado como fuera y colarse en el ático, en lugar de subir desde abajo. Aquellos tipos le habían estropeado la idea. En cuanto el contacto con uno de los guardias se perdiera, el del ascensor volvería al ático y lo aislaría. Cuando una fuerza atacante irrumpiera en el apartamento, Kenin ya se habría marchado.

Explicó aquella idea a Eddie.

—Pues le obligamos a salir y vigilamos todas las salidas, preparados para secuestrarle en la calle —resumió Eddie Seng.

Juan se fijó de inmediato en el fallo…, en los dos fallos. Kenin podía refugiarse en un despacho de una planta más baja y esperar a que el ataque terminara. Y dos, llamarían a la policía en cuanto descubrieran que se había producido una brecha en su seguridad. El ruso habría necesitado ayuda local para poner a punto su refugio, ayuda local muy influyente.

Las calles estarían llenas de policías en cuanto llegara a la planta baja. Sería imposible seguirle, y mucho menos secuestrarle.

Nada ocurrió durante varias horas. Eddie estaba estudiando el tejado, mientras Juan paseaba por la recepción y trataba de trazar un plan. El mismo destacamento de tres hombres salió de nuevo del ascensor y llevó a cabo otro registro para comprobar que nada había cambiado en su meseta aislada de acero y cristal. Eddie llamó al Presidente para que mirara con los prismáticos.

Tras la inspección, dos guardias bajaron, mientras el que estaba apostado junto al ascensor se quedaba en su sitio. Momentos después, apareció una mujer vestida con un sencillo albornoz blanco. Parecía china, y aparentaba tal vez un día más de dieciocho años. Por lo visto, a Kenin le gustaban jovencitas, pero legales. Cuando llegó a

la tarima de la piscina, dejó en el suelo el bolso de mimbre que llevaba y se quitó el albornoz. Eddie, que esperaba un bikini revelador, se
quedó sorprendido cuando vio que utilizaba el típico traje de baño
de una pieza empleado por los nadadores olímpicos.

Se puso unas gafas de natación, saltó al agua y empezó a nadar.

Cabrillo ignoró a la mujer y vigiló al guardia. Rara vez miraba en
dirección a la nadadora, sino que estudiaba el cielo y los edificios
circundantes, en busca de amenazas. Tuvo que admitir que el tipo
era bueno. Nunca se demoraba en un punto, ni siquiera cuando un
helicóptero pasó a menos de un kilómetro de la torre negra. Lo miró,
sí, pero no llegó a distraerle.

La muchacha nadó durante media hora sin tomarse ni un descanso.

Era casi mediodía. Un nuevo guardia llegó para relevar al hombre del ascensor, y otros dos registraron la terraza del tejado, como si
nunca la hubieran inspeccionado. Uno llevaba un rifle de francotirador, con una enorme mira telescópica sobre el hombro, mientras el
otro acunaba un rifle de asalto chino Type 95. El diseño *bullpup* era
el último grito en materia de armamento para el Ejército de la República Popular. El hecho de que aquel par fuera armado con algo más
que simples pistolas constituía una novedad. Significaba una sobre-
protección contra amenazas que presagiaba la aparición de Kenin.

A continuación, llegó un camarero, empujando el tipo de mesita
de ruedas propia de los hoteles. Dispuso la comida bajo un parasol,
al lado de la piscina. Cuando todo estuvo preparado, el vino abierto
en un cubo de plata, y los cubiertos frotados por última vez para sa-
carles más brillo, se retiró a una distancia respetuosa. La chica salió
del agua con la agilidad de una nutria y se secó con una toalla.

Una nueva figura emergió del pabellón.

Juan notó que el pulso se le aceleraba. Reconoció de inmediato a
Pytor Kenin. Llevaba sólo bañador y chancletas, de modo que pudo
ver el espeso vello plateado que cubría su torso de oso. Tenía las típi-
cas facciones eslavas (cabeza redonda, barbilla firme, ojos hundidos),
y se movía con el vigor de un hombre veinte años más joven. La chica

le ofreció la mejilla y él le dio un beso fugaz. La leve intimidad era casi creíble. Debía pagarle muy bien.

Juan observó que Kenin llevaba una oreja vendada, y la otra encarnada e hinchada. El ruso estaba iniciando cirugía plástica para cambiar su apariencia y, como con todo lo demás, era extremadamente cauteloso. Las orejas eran tan distintivas como las huellas dactilares o el ADN, y el nuevo y sofisticado *software* de reconocimiento facial, combinado con la profusión de cámaras de vigilancia en todas las principales ciudades del mundo, hacían necesario modificar algo más que la mandíbula, la nariz y la frente. Juan conocía a más de un sospechoso de terrorismo capturado sólo por la forma de sus orejas. Kenin era inteligente.

Comió sin prisas, como un hombre carente de preocupaciones. La jubilación le sentaba bien.

Después de comer, se puso a trabajar con un ordenador portátil. Juan confió en que estuviera utilizando un wi-fi que pudieran piratear, pero el ordenador estaba enchufado a una toma mediante un cable grueso, sin duda protegido. En un momento dado, Kenin llamó al camarero. El hombre desapareció unos momentos, y después reapareció con un humificador. El almirante eligió un puro y cortó el extremo con un cortador de oro, y lo encendió con un encendedor del mismo metal.

Permanecieron junto a la piscina hasta eso de las tres. La chica había nadado un rato, y durante unos minutos Kenin había chapoteado como un búfalo de agua, con cuidado de no mojar sus orejas inflamadas.

Después de que la pareja desapareciera en el interior, el camarero despejó la mesa, pero fueron los guardias de seguridad los últimos en marcharse. Llevaron a cabo una inspección minuciosa, la cuarta del día.

Eddie había tomado fotos de la cara de todos los guardias, para luego descargarlas en su teléfono. Había dejado a Juan en la oficina para que vigilara la terraza desierta, mientras él trabajaba fuera. Encontró un buen lugar para vigilar la entrada de servicio de la torre negra desde debajo de un coche aparcado. Si el conductor regresaba, dispondría de tiempo más que suficiente para desplazarse hasta el siguiente de la hilera que flanqueaba la calle. A medida que cada empleado del edificio se marchaba, Eddie comparaba su rostro con la base de datos. Se vio obligado a cambiar de coche un par de veces, y a eso de las diez de la noche quedaban pocos vehículos en la calle, y tuvo que abandonar su puesto de observación.

Para entonces, hacía rato que nadie había abandonado el edificio. Ninguna de las personas que había observado abandonando el edificio pertenecía al cuerpo de guardia. Al igual que Kenin, se habían encerrado en el edificio para pasar la noche.

Volvió a la oficina alquilada. Cabrillo estaba vigilando con el gran teleobjetivo la terraza a oscuras.

—¿Ha habido suerte? —preguntó sin volverse.

—Nada. Intentaré vigilar las puertas principales por la mañana, pero creo que se han encerrado como su jefe. ¿Y tú?

—Nada de nada —respondió Juan con acritud—. Da la impresión de que registran la terraza cada mañana, y siempre que alguien la va a utilizar.

Ambos estuvieron así una semana. Las rutinas apenas variaban. Kenin comía a veces junto a la piscina o paseaba por los senderos del jardín. Al sexto día, la chica fue sustituida por otra que no parecía muy diferente, salvo por la longitud del pelo. Sería necesario un equipo muy numeroso para seguirla, tan numeroso que se acabaría delatando.

También efectuaron otras observaciones. Sonaba música marcial en casi todos los espacios públicos de Shanghái, y había carteles patrióticos pegados por toda la ciudad. Abundaban los soldados, y la gente se precipitaba hacia ellos para estrecharles la mano. Y en el cielo, aviones de combate llevaban a cabo lo que parecían espectáculos aéreos improvisados.

En un país tan férreamente controlado como China, todo se hacía por un motivo concreto. La creciente exhibición militarista tenía como objetivo causar inquietud en la gente acerca de la inminente disputa con Japón sobre la propiedad de las islas Diaoyu/Senkaku. Lo que había empezado como una refriega diplomática se estaba agravando a marchas forzadas. Desde el descubrimiento de yacimientos de gas y petróleo en las aguas que rodeaban las islas, el ruido de sables entre Pekín y Tokio era cada vez más ensordecedor. Habían enviado barcos, y algunos aviones estaban jugando al gato y al ratón, pues los pilotos de ambos bandos se acercaban tanto los unos a los otros que un accidente parecía inevitable. Las consecuencias de tal acontecimiento eran incalculables, pero sin duda peligrosas.

Los dos hombres mataban las horas de aburrimiento discutiendo, y a la postre rechazando, idea tras idea, sobre cómo capturar a Kenin. Un ataque con helicópteros estaba descartado. El sonido de los rotores alertaría a los guardias, y Kenin se encerraría en el interior. Hablaron de ascender por un costado del edificio, pero eso atraería demasiada atención en la calle. Consideraron un lanzamiento nocturno de paracaidistas. Tenía sus posibilidades, pero con los guardias en constante comunicación, un repentino silencio cuando fueran reducidos alertaría a las fuerzas que todavía quedaran dentro. Además, el espacio aéreo chino estaba controlado estrechamente por el gobierno, y un vuelo no autorizado recibiría la visita de un par de cazas mucho antes de que llegara al distrito de Pudong.

Al final, Eddie y Juan llegaron a la misma conclusión: Pytor Kenin se había encerrado en el equivalente moderno de un castillo inexpugnable, y estaba más que preparado para un asedio.

Fue sólo después de regresar al *Oregon* y comentar su pesimista análisis con el resto de la tripulación cuando nuevas ideas afloraron. En un ataque de inspiración, fue el propio Juan quien dio por fin el paso decisivo. Sólo necesitaría la destreza de Max para llevarlo a la práctica. Su amigo meditó sobre el reto unos segundos.

—Es tu cuello, jefe.

—Será mucho más que mi cuello.

Los dos sonrieron como colegiales que conspiraran para cometer travesuras.

25

Tardaron dos semanas en prepararlo todo. Eddie había regresado a Shanghái casi de inmediato con un pequeño grupo, que se encargaría de mantener vigilado en todo momento el ático de Kenin. La oficina también servía de dirección a través de la cual podían introducir determinados artículos en el país. La avanzadilla también se puso a trabajar para modificar una furgoneta que habían comprado en el mercado negro. Su tarea final sería encontrar un lugar adecuado para transferir equipo desde un sumergible. Habían perdido el Nomad frente a la costa de Maryland, pero todavía les quedaba su hermano pequeño, el Discovery 1000. El *Oregon* permanecería fuera del límite de doce millas de las aguas territoriales chinas, y el equipo ilegal sería trasladado de forma clandestina. También utilizarían el Disco para sacar a la gente del país.

Juan habría deseado contar con más tiempo para practicar con la brillante obra de ingeniería de Max, pero las cubiertas del barco eran demasiado peligrosas, y utilizarla sobre el agua sería suicida si algo salía mal. Tuvo que conformarse con lo poco que ensayó en la bodega principal del *Oregon*. Mantener estable el artilugio era difícil, pero pensó que le había encontrado el truco. Si algo salía mal durante el ataque real, no sobreviviría.

Él mismo pilotó el sumergible. Abandonaron la «bañera» una hora antes del ocaso, y se sumergieron lo suficiente para que no pudieran verles desde arriba. En cuanto oscureció, podrían acercarse a la superficie. Linda Ross les acompañaba. Ella devolvería el minisubmarino con espacio para cuatro hombres al barco. Todo el equipo que llevaban estaba sujeto a lo alto del sumergible en un contenedor hermético.

—¿Puedo preguntaros algo? —dijo Linda cuando se dirigieron sin forzar la marcha hacia su cita en un muelle que no se utilizaba del río Huangpu.

—Dispara.

Se hallaban a una profundidad con luz suficiente para ver los fragmentos de restos flotantes biológicos que pasaban junto a la gruesa cabina abovedada. El sumergible navegaba guiado por un sistema lidar, o sea, un radar provisto de láseres.

—¿Por qué no enviarle un misil a Kenin mientras toma el sol? Habrá momentos en que esté a solas.

—Si esto fuera sólo una venganza, lo haría sin dudarlo —replicó Juan—. Pero quiero apoderarme de la tecnología que ha robado, o lo que sea, capaz de hacer desaparecer un barco y volcar el *Sakir*, contigo y Dullah dentro.

—Doy por sentado que quieres venderla a nuestro tío favorito.

—Abrí el apetito de Overholt mientras estábamos empantanados en las Bermudas. Dijo, y cito textualmente: «Consígueme eso y te extenderé un cheque en blanco del Departamento del Tesoro». Preveo un número uno seguido de ocho ceros.

Linda tardó un segundo en calcular la cifra.

—Cien millones. Vaya, vaya.

—Acabamos de devolverles los mil millones que les robaron. Creo que se lo pueden permitir. Aunque Lang rechinará los dientes cuando nos los entregue.

La idea hizo sonreír a Juan. Su antiguo mentor era famoso por ser un brillante estratega, pero también por ser el mayor avaro de Washington, D. C.

De vez en cuando, se acercaban lo bastante a la superficie para recibir señales de GPS actualizadas, con el fin de ajustar el rumbo. Iban en sentido contrario a la corriente del Yangtze, de modo que la velocidad era reducida. Como Shanghái es el puerto de contenedores más ajetreado del mundo, una cantidad inimaginable de tráfico fluvial pasaba sobre sus cabezas. En el sumergible, el silbido del acero al cortar las aguas y el ruido de las hélices era una sinfonía industrial. Se calmó un poco cuando giraron para seguir el río Huangpu, que dividía en dos la megalópolis.

Se quedaron cerca del centro del río. Juan sabía que ambas orillas albergaban kilómetros y kilómetros de muelles comerciales. Era una ciudad industrial, y sus ríos la sangre de sus venas. Cuando dejaron atrás el distrito de Pudong, navegaban a una profundidad de doce metros, pero aun así podían ver a través del agua el brillo artificial de los neones que proyectaban los numerosos edificios. Veinte minutos después, pusieron rumbo hacia su punto de cita. El lugar se hallaba en proceso de renovación. Una fábrica de cemento había ocupado una extensión de terreno que ahora iba a ser objeto de desarrollo residencial. Las torres que se construirían albergarían a más de cinco mil personas.

Ya habían demolido la fábrica, pero el muelle adonde antaño llegaban las materias primas todavía seguía en pie. Juan sacó uno de sus *walkie-talkies* encriptados.

—El Tritón ha llegado.

—Ya era hora, Tritón —contestó Eddie—. Durante un rato, mientras esperaba, pensé que habrías recuperado la sensatez y cancelado el proyecto.

Juan sacó el minisubmarino a la superficie a la sombra del muelle, y enseguida comprobó que podría deslizarlo entre éste y una barcaza hundida en parte. Serían invisibles. Eddie estaba aparcado en una imitación china de una furgoneta Toyota. Caía una fina lluvia, que desdibujaba las luces de la ciudad. Juan se quitó el cinturón de seguridad, dio a Linda un apretón en el hombro y se encaminó hacia la escotilla.

—Cuídate —dijo ella.

—Hasta pronto.

Eddie ya había soltado las correas que sujetaban el portaequipajes a la cubierta superior del sumergible, y Juan Cabrillo y él lo depositaron en el compartimiento de carga de la parte posterior de la furgoneta. El portaequipajes no era mucho más grande que los que llevan los coches en el techo, y pesaba menos de cincuenta kilos.

Una vez despojado de su peso, se elevaron burbujas alrededor del sumergible y se hundió enseguida en su elemento natural. Linda navegaría a favor de la marea y la corriente, de manera que estaría de vuelta a bordo del *Oregon* en la mitad de tiempo que habían empleado en llegar hasta allí. Eddie condujo la camioneta hasta un aparcamiento comercial que estaba a menos de tres kilómetros de la fortaleza de Kenin. Dedicaron la hora siguiente a examinar los objetos que habían entrado a escondidas en China con el fin de comprobar que ninguno había sufrido daños. La vida de Juan dependía de aquel equipo, de modo que la inspección fue exhaustiva y metódica.

Era demasiado tarde para buscar un taxi, así que volvieron a pie a la oficina alquilada que daba al ático de Kenin. MacD Lawless estaba observando la terraza a oscuras con un potente teleobjetivo. Mike Trono dormía en la oficina contigua. Cabrillo no le molestó, se envolvió en un saco de dormir y se aovilló sobre la alfombra. Se quedó dormido al cabo de unos momentos.

A la mañana siguiente, la lluvia se había intensificado, y la previsión decía que continuaría así al menos un día más. Los hombres se quedaron encerrados en la oficina. Eddie se vio reducido al papel de chico de los recados, el encargado de ir a buscar sus comidas. Mantuvieron la vigilancia de la terraza porque no había otra cosa que hacer. Todos habían trabajado antes en operaciones de vigilancia semejantes, y cada uno tenía su método de combatir el aburrimiento.

Treinta horas después de haber entrado a hurtadillas en el país, Juan estaba con Eddie en la camioneta. El tiempo había cambiado. Eddie Seng iba al volante, mientras el Presidente ocupaba la plataforma de carga. Se había sujetado la correa y estaba preparado para entrar en acción. Habían cortado los paneles del techo y les habían atornillado bisagras para poder abrirlas al tirar de una cuerda. Sólo tenían que esperar a Kenin.

Eddie encontró un espacio para aparcar cerca de donde habían pasado parte de la noche vigilando la puerta posterior del edificio. Tenía que quedarse en el vehículo, no fuera que un policía le ordenara moverse. MacD estaba un poco más adelante, preparado para la maniobra de distracción, mientras que Mike se hallaba en la oficina con una radio para avisarles en cuanto Kenin saliera a disfrutar del sol, después de tantos días confinado en sus aposentos.

Los guardias habían llevado a cabo la inspección matutina, y a las nueve la repitieron porque la chica salió a nadar. Mike informó de ello a los demás utilizando una serie predeterminada de clics en sus *walkie-talkies*. Al desconocer el nivel de control del gobierno, se comportaban con prudencia.

Juan oyó dos clics en el auricular de su radio. Kenin había aparecido. Sintió un nudo en el estómago. Faltaban minutos para entrar en acción. Apretó la cuerda con más fuerza. No abriría los paneles del techo hasta que oyera el solitario clic final, en caso de que alguien en los edificios circundantes mirara hacia abajo y sintiera suficiente curiosidad sobre la furgoneta con el techo abierto para llamar a la policía.

Tuvo que esperar a que Kenin se sentara junto a la piscina. Un guardia estaría apostado ante el pequeño pabellón que albergaba el ascensor. Pero el momento decisivo llegaría cuando Mike viera al guardia del ascensor cambiar la frecuencia de su radio para ponerse en contacto con los guardias del ático. Lo hacía cada cinco minutos. Un simple «Todo va bien». Una vez dijera eso, Juan contaba con aquellos cinco min...

Clic.

Juan Cabrillo tiró de la cuerda, y las dos secciones previamente cortadas del techo descendieron, bañando de luz el interior de la furgoneta. El vehículo se movió un poco cuando Eddie saltó al suelo y se encaminó hacia otro coche que habían aparcado cerca.

Unos metros más adelante, MacD dejó la bolsa de papel que llevaba entre dos coches aparcados, y se mezcló sin más entre las columnas de gente que recorría las aceras. Al cabo de unos diez segundos, el contenido de la bolsa empezó a estallar.

Estaba llena de diminutos petardos. Por una ironía, los habían entrado de contrabando porque no podían garantizar la calidad de los fuegos artificiales locales, fabricados por la nación que los había inventado. Detonaron como palomitas de maíz. La gente más cercana a la erupción humeante de diminutas explosiones retrocedió al instante, mientras casi todos los demás peatones se adelantaban para ver qué estaba pasando. En media manzana, todos los ojos estaban fijos en la bolsa de la que saltaban chispas. Nadie prestaba la menor atención a la furgoneta.

No vieron lo que salía del techo.

La tecnología existía desde la década de 1960. Max había descubierto las especificaciones de diseño en Internet. El único problema había consistido en encontrar suficiente peróxido de hidrógeno puro para repostar el ingenio.

Cabrillo había pasado la mañana sujeto a un cinturón cohete. Ahora, con la abarrotada calle distraída por el continuo chorro de fuegos artificiales que estallaban, manipuló el interruptor que provocaba la reacción del combustible con un catalizador, plata en este caso, y se expandía en una reacción exotérmica que proyectaba gas supercaliente a través de las toberas del aparato. El ruido era como el del vapor escapando de un accesorio suelto, pero los gases de escape eran invisibles.

Los primeros intentos de Juan de utilizar un cinturón cohete en la bodega del *Oregon* habían sido desastrosos. Segundos después de salir disparado de la cubierta, empezó a dar volteretas en el aire, y de no haber sido por los cables que le sujetaban se habría matado una docena de veces. Pero entonces llegó el momento en que comprendió de manera intuitiva la dinámica de este tipo de vuelo, y fue capaz de mantenerse erguido y estable hasta que los depósitos se vaciaron y aterrizó de pie con la gracia de un águila que regresa a su nido.

Max había efectuado los cálculos, y Cabrillo confiaba ciegamente en él, pero mientras se elevaba desde el compartimiento de carga de la furgoneta era consciente de que podría morir en menos de treinta segundos. Era el único tiempo con el que contaba para elevarse ciento veinticinco metros en el aire y aterrizar precisamente sobre la caja del ascensor de techo plano. Si no lo conseguía, se quedaría corto de velocidad límite cuando se estrellara contra el pavimento.

Cabrillo emergió de la furgoneta con la majestuosa y lenta ascensión de un cohete Saturno, mientras el peso del impulso tensaba las correas entre sus piernas y sobre su espalda. No pensaba tomarse la molestia de utilizar casco, pero Max le había convencido de llevarlo después de montar una cámara en él, para que el *Oregon* pudiera seguir sus progresos a medida que iba ascendiendo. El mundo disminuyó de tamaño bajo sus pies, y comprendió que el vuelo había pasado desapercibido, tal como habían planeado.

No podía hacer nada si la gente que rodeaba los edificios circundantes le veía. Sólo podía confiar en que lo tomaran como una especie de truco publicitario. A los diez segundos del vuelo, la terraza del edificio no parecía más cercana en la pantalla monocular del casco, y había consumido ya la mitad del combustible.

Pero a medida que el peróxido de hidrógeno atravesaba las toberas de escape, el peso disminuyó y la velocidad aumentó. Su aceleración era geométrica, y su objetivo se le antojó enseguida a su alcance. La pantalla de la cuenta atrás que calculaba el tiempo de impulsión mostró que le quedaban ocho segundos de combustible, y aún debía subir doce pisos. La ciudad se fue abriendo ante él a medida que ascendía paralelo a la pared de cristal del rascacielos, pero no le prestó atención. Se concentró en mantener el cuerpo inmóvil y los movimientos al mínimo. Ése era el secreto de volar en turbo-vacío, como lo llamaba Max. Tómatelo con calma y no hagas demasiados gestos correctores. Osciló apenas mientras ascendía, y supo que si sobrevivía a aquello experimentaría una emoción que jamás olvidaría.

Transcurrieron cuatro segundos y pasó ante el piso treinta y nueve. Manipuló con delicadeza el acelerador para disminuir la velocidad de la ascensión. No quería subir más de lo absolutamente necesario.

Rebasó el último piso cuando quedaba un segundo de carburante, y entonces cayó en la cuenta de que aún tenía que superar el muro de cristal que rodeaba la parte superior del edificio. No recordaba si Max había incluido esa barrera final en sus cálculos.

No podía hacer nada al respecto. Se preparó para lanzarse contra la pared y consiguió superarla a base de patalear hacia delante. Esto desequilibró su aerodinámica, pero ya daba igual. El cinturón expulsó los últimos restos de carburante, y Cabrillo cayó con los dos pies sobre la cabina del ascensor. Consiguió aterrizar de rodillas sin hacerse daño, gracias a las almohadillas embutidas en las perneras térmicas de seguridad que llevaba.

Apretó el botón de liberado rápido del cinturón y se desprendió del aparato como si fuera una capa. Vacío, pesaba menos de veinte kilos. Se puso en pie un segundo después, empuñando una pistola FN Five-seveN. Iba equipada con un silenciador y un cargador ampliado que contenía treinta balas, más el que ya estaba en la recámara.

El guardia apostado ante el ascensor había oído que algo se posaba sobre el edificio y estaba alejándose poco a poco de la estructura para ver mejor. Había alzado un poco la pistola, aunque no del todo. Juan le llevaba ventaja. La alta velocidad y el pequeño tamaño de las balas de la FN le abatieron.

El Presidente se quitó el casco y las perneras térmicas, para luego saltar los dos metros y medio que distaba la terraza. Estaba más cerca del lado sudeste del edificio, de modo que se internó en la jungla artificial. Se movía con celeridad, las venas saturadas de adrenalina. Sus sentidos estaban amplificados hasta el punto de que podía oír el tráfico de las calles, incluso a pesar de la barrera de cristal. El segundo guardia era el francotirador, y Cabrillo le vio mientras estaba apuntando a un rascacielos que se hallaba a unas cinco manzanas de distancia. Por su inmovilidad y la forma de mantener el arma apuntada a un solo sitio, comprendió que no era tan profesional como los demás. El edificio que estaba mirando tenía balcones, y sin duda había visto a alguien que estaba tomando el sol.

Murió mientras echaba un vistazo.

A Cabrillo todavía le quedaban tres minutos antes de que el equipo de seguridad recibiera el aviso de una anomalía. Debería abatir al tercer guardia, pero se encontraba cerca de lo que habían identificado como la entrada de aire del sistema de ventilación del ático. El mecanismo consistía en una anónima caja gris situada entre los árboles. Juan se agachó y soltó un panel lateral que permitía el acceso al sofisticado sistema de filtración. Tiró de las rejillas de filtradores moleculares hasta que el aire que circulaba abajo fue el mismo *smog* asfixiante con el que el resto de ciudadanos de Shanghái contaminaba sus pulmones a diario. A continuación, sacó el pequeño cilindro de gas. Era un gas adormecedor similar al que el Spetsnaz ruso había utilizado para combatir a los terroristas que habían tomado un teatro de Moscú en 2002, pero mucho más seguro. Abrió la tapa y dejó que los ventiladores condujeran el gas hacia la suite y lo distribuyeran por todos los rincones.

Después fue a por el tercer guardia.

Mike Trono había dicho que el hombre se hallaba en el lado oeste del edificio. Pero esa información tenía cuatro minutos de antigüedad, y estos guardias deambulaban de un lado a otro. De todos modos, se encaminó en dirección oeste, manteniéndose lo más alejado posible de los senderos y los parterres. Evitó por completo la zona de la piscina. Si Kenin veía a alguien merodeando por su pequeño oasis urbano, huiría al instante. El hombre tenía los instintos de una rata de muelle y era tres veces más astuto.

Juan Cabrillo encontró un lugar desde el que podía ver todo el borde oeste del edificio, pero no había nadie. Continuó avanzando, con cuidado de no alterar nada. El hombre se delató con un estornudo. Se encontraba a menos de tres metros de Juan, escondido tras una muralla de helechos. El Presidente estaba a punto de disparar cuando oyó la voz de Kenin y la contestación de la chica. Su cacería le había llevado más cerca de la piscina de lo que había creído.

Esperó. El guardia hizo algo de lo más inesperado. Atravesó la muralla de helechos, en lugar de continuar por el sendero. Incluso con silenciador, la Five-SeveN hacía suficiente ruido para que se oyera desde la piscina. Un rifle de asalto se abrió paso entre el follaje. Cabrillo lo agarró, y consiguió que el guardia perdiera el equilibrio incluso antes de salir de la selva artificial. Cuando apareció la cabeza del hombre, la golpeó con la culata de la pistola, y luego volvió a golpearla mientras acompañaba el cuerpo del hombre hasta el suelo. Buscó su pulso. Lo encontró, pero débil. Sobreviviría.

El gas que había liberado alcanzaría la máxima saturación al cabo de pocos minutos. Era absurdo retrasarlo más. Caminó hasta el sendero de al lado, salió poco a poco de la selva y pisó la zona de la piscina. La chica fue la primera en verle y chilló. Kenin alzó la vista de su ordenador, sobresaltado. Alguien había violado su sanctasanctórum.

—Arriba las manos —ordenó en ruso Juan, y repitió la frase en chino, tal como Eddie le había enseñado. Les concedió medio segundo para obedecer, antes de disparar contra la jarra de té helado que descansaba sobre la mesa entre las dos sillas. La núbil acompañante de Kenin chilló de nuevo, pero esta vez los dos levantaron las manos.

—Dígale que se meta en la piscina y que se quede ahí —dijo Juan, todavía en ruso.

La chica china debía comprender el idioma, porque se levantó de la tumbona y se arrojó al agua azul, con los ojos como platos y su bonita cara pálida de miedo.

Kenin recuperó parte de su compostura perdida, con una dura mirada en los ojos, y aunque todavía conservaba las manos en alto, ya no estaban cómicamente extendidas hasta el límite como unos segundos antes.

—¿Quién es usted? —preguntó con altivez.

—El padrino de boda de Yuri Borodin. Y en este momento le suplico que me proporcione una excusa para meterle una bala entre los ojos.

El almirante comprendió.

—Usted es el Presidente. Usted es Juan Cabrillo.

Éste percibió el movimiento por el rabillo del ojo y reaccionó por puro instinto. Disparó media docena de balas con tanta velocidad como si la FN fuera un arma automática. Miró a la izquierda y vio que el mayordomo de Kenin salía dando tumbos de detrás de un árbol del caucho. Cinco de los seis disparos le habían alcanzado, y la sangre manchaba su chaqueta blanca. Una metralleta A MAC-10 cayó de sus dedos carentes de vida mientras se desplomaba sobre el suelo de baldosas.

Kenin aprovechó la momentánea distracción y empezó a correr hacia el ascensor. Gozaba de una ventaja de unos segundos y estaba seis metros más cerca de su destino. Juan no quería dispararle por la espalda, de modo que lo persiguió. Era veinte años más joven que el ruso, pero el almirante corría con la desesperación de un animal acorralado. Sabía que su vida estaba en juego, y alcanzó una velocidad de la que, probablemente, no se creía capaz.

Cabrillo fue acortando distancias. Kenin vestía pantalones de hilo y calzaba sandalias, que resonaban a cada zancada que daba. Juan se estaba preparando para placarle por detrás, cuando el ruso se detuvo a menos de tres metros del vestíbulo del ascensor, se volvió y lanzó el puñetazo para el que se había entrenado toda la vida.

Juan también se había parado en seco y retrocedido un poco, pero aun así recibió el puñetazo más brutal de su vida. Kenin sabía que su contrincante iba a derrumbarse, aunque todavía no había caído. El ruso se había roto la muñeca a consecuencia de aquel puñetazo, pero daba igual. Lo importante era que estaba a punto de escapar. No se dio cuenta de que el hombre que había violado su seguridad alzaba la pistola lo suficiente para que, cuando disparó una bala, se llevara por delante el meñique del ruso hasta la primera falange.

Kenin se aferró la mano ensangrentada cuando aquel dolor nuevo y más agudo se impuso al dolor de la muñeca rota. La sangre salpicó la pared que tenía detrás, mientras el dedo amputado aterrizaba sobre un arriate a su derecha.

—La próxima será en el corazón —rugió Juan. Todavía estaba mareado por el golpe, pero se iba recuperando a toda prisa. Movió el arma para indicar a Kenin que regresara a la piscina.

La chica continuaba en el extremo menos hondo, aferrada al borde, y sólo se veían sus ojos oscuros.

Cabrillo tiró una toalla a Kenin para que restañara la hemorragia, y cerró el ordenador portátil del ruso. También se guardó en el bolsillo un par de teléfonos móviles de la mesa donde el almirante había estado sentado. Encontró otro en el bolso de mimbre de la muchacha. No contendría información útil, de modo que, con un encogimiento de hombros a modo de disculpa en dirección a la chica, lo tiró al agua.

—Vámonos —ordenó. Kenin y él regresaron al ascensor. Como precaución para defenderse del gas que había dispersado antes, Juan sacó un par de máscaras de su bolsa, se caló una sobre la nariz y la boca, y entregó la otra al ruso.

Las puertas del ascensor se abrieron.

—Siéntese en la esquina sobre sus manos.

Esperó a que Kenin adoptara la postura correcta para pulsar el botón del piso treinta y nueve.

Juan le obligó a estar así durante casi todo el trayecto, y le ordenó ponerse en pie cuando la cabina del ascensor redujo la velocidad. A continuación le puso en pie por el brazo derecho herido. Kenin inhaló aire entre dientes a causa del dolor.

El ascensor se abrió. El Presidente estudió la habitación por detrás de Kenin, con el cañón de su FN Five-seveN clavado en la espina dorsal del ruso. Había tres guardias vestidos con uniformes idénticos. Se trataba de un nivel de protección dos, no la élite de arriba. Dos estaban encorvados sobre un tablero de ajedrez, mientras que el tercero tenía los pies apoyados sobre el escritorio y la nariz hundida en una revista. Detrás de ellos había ventanales y el hermoso paisaje de la ciudad.

Esta planta debía estar ventilada como el resto de la torre, porque aquellos hombres estaban conscientes. Juan se quitó la máscara y gritó en ruso:

—¡En pie!

Los tres hombres se volvieron y vieron a su jefe, y dieron por sentado que la orden había partido de él. Se incorporaron de un brinco con aire culpable y se pusieron firmes. Sólo entonces reveló Juan su presencia. Un hombre cometió la estupidez de llevar la mano a la pistola enfundada. El Presidente no podía correr riesgos, de modo que le pegó al guardia dos tiros en la cabeza.

Los demás alzaron las manos y empezaron a suplicar por su vida. Juan ordenó que arrojaran sus armas, y después que se esposaran mutuamente al escritorio con las bridas de plástico que llevaban.

Utilizó una brida para inmovilizar también las manos de su prisionero.

Juan Cabrillo estaba empujando a Kenin en dirección a la puerta que les sacaría de aquella oficina cuando se desató el infierno. La puerta salió disparada de sus goznes, y hombres chinos uniformados, como los que Eddie había dicho haber visto en el vestíbulo, entraron corriendo. Iban armados, pero no estaban bien entrenados, porque cuando vieron la pistola de Juan empezaron a disparar como posesos. Las ventanas que el Presidente tenía detrás cayeron a la calle, destrozadas por incontables balas. Kenin recibió una ráfaga, y su cuerpo saltó hacia atrás debido al impacto. Cayó como un borracho mientras Juan se arrojaba al suelo. El ruso rodó sobre la espalda de Juan, al tiempo que el impulso le lanzaba a través del marco de la ventana. Se hallaban a cuarenta pisos de la calle, y Juan logró ver la rabia y la sorpresa en los ojos de Kenin justo antes de que la gravedad se lo llevara para siempre.

A Yuri le habría gustado la ironía de que el hombre malvado y cruel que había ordenado su muerte muriera a manos de sus ineptos guardias. Ésta no era exactamente la venganza que Juan había imaginado, pero no dejaba de ser satisfactoria.

Cabrillo devolvió el fuego. Aún le quedaban veinte balas en la Five-seveN, y soltó una ráfaga que le permitió retroceder hacia el ascensor. Oprimió el botón y cambió el cargador agotado. El nuevo era el único que le quedaba. Oyó balas que impactaban en la puerta de fuera mientras él se ponía a salvo. El ordenador portátil había sido alcanzado en una esquina, pero daba la impresión de que no habían destruido nada vital.

Los guardias que habían irrumpido debían haberse apostado ante los ascensores principales de la planta treinta y nueve. Eran la carne de cañón por si alguien atacaba el piso desde el ascensor principal. Uno de los guardias de la oficina interior debía tener un medio de enviarles señales, y lo había hecho sin que Juan se diera cuenta.

Volvió a ponerse la máscara y subió un piso. La puerta se abrió a un espacio utilitario. El lujoso apartamento estaría más arriba. Esta zona estaba reservada a los guardias y el personal de servicio. Una mesita auxiliar estaba apoyada contra la pared que había frente a los ascensores. La arrastró hasta las puertas para impedir que se cerraran y el ascensor fuera utilizado por los hombres de abajo. No tendrían acceso a esta planta por la escalera de emergencia, pero la vigilarían para que nadie bajara. Se podía decir que estaba atrapado.

Pero estaba seguro de que Pytor Kenin habría ingeniado una tercera vía, una salida secreta del ático. Buscó sin pérdida de tiempo. Encontró algunos guardias más y miembros del personal inconscientes en sus habitaciones. Y entonces descubrió el conducto de escape que el ruso había instalado. Era una habitación del tamaño de una cabina telefónica fabricada a propósito. El techo estaba abierto, de modo que pudo ver el último piso del ático. Miró hacia abajo y sólo vio un abismo negro.

Pero justo delante de él había un tobogán de evacuación, con un tubo elástico interno que le permitiría controlar el descenso. Juan se introdujo en el conducto, con la sensación de estar entrando en los intestinos de una ballena. Inició el descenso sin saber adónde le conduciría. Por fin, vio destellos de luces bajo sus pies y, momentos después, salió del tubo de escape a una habitación con ventanales en una pared.

Kenin había pensado en todo. En el suelo, al lado de la puerta, había una mochila que sería su bolsa de supervivencia, con elementos esenciales como identificaciones falsas, dinero y armas. Por si el almirante ruso tuviera tiempo de sobra después de huir del ático, había diferentes mudas de ropa en un perchero: un traje a medida, ropa informal y uniformes de conserje, repartidor y guardia de seguridad.

Juan se puso una camisa limpia que le venía un poco demasiado grande, pero serviría. Se quitó todo el equipo táctico que llevaba todavía. Los pantalones estaban algo sucios, pero no hasta el punto de llamar la atención. Fue a la puerta y la abrió como si tal cosa. Al otro lado había un pasillo idéntico a cualquier otro. Podía pasar por un edificio de oficinas como los que hay en cualquier ciudad del planeta. Tranquilizadoramente banal. En la puerta vio que el conducto de escape de Kenin le había arrojado a la habitación 3208. Había bajado casi diez pisos.

Lamentó haberse dejado la pistola, de modo que a partir de allí tendría que abrirse paso gracias a la oratoria, en lugar de a la fuerza bruta.

Cargado con el ordenador personal de Kenin, salió de la oficina y dejó que la puerta se cerrara a su espalda. Pasó ante varias oficinas cerradas y saludó con un cortés cabeceo a la única persona con la que se cruzó, un hombre de edad madura que le correspondió del mismo modo y no pareció sospechar de él. Aún no le había salido un morado a causa del puñetazo del ruso. Dentro de una hora exhibiría una fea mancha negroazulada.

Encontró el ascensor y tuvo que esperar menos de treinta segundos. Había pocas personas dentro cuando las puertas se abrieron con un susurro. Juan entró, se volvió hacia el frente como todo el mundo y esperó. Se oyó una campanilla y las puertas se cerraron. Unas paradas después, el ascensor se abrió al vestíbulo. A primera vista, todo parecía normal. Entonces vio a un grupo de seguridad acurrucado en su puesto. Los hombres parecían agitados y vacilantes mientras escuchaban por un *walkie-talkie*, probablemente a los tipos del piso treinta y nueve. Juan desvió la vista. No debía atraer la atención. Un coche de policía frenó fuera, y él estuvo a punto de cambiar de dirección, pero eso habría despertado sospechas. Bastantes personas habrían llamado para denunciar a un tipo que había subido volando por el lado del edificio, de modo que las autoridades habían decidido al final enviar una patrulla para que investigara. Se encontró ante dos policías en la enorme puerta giratoria. Salió. Ellos entraron. Quién sabía qué pasaría cuando descubrieran todo.

Hizo un clic en su transceptor para pedir a Eddie que viniera. Momentos después, la segunda furgoneta apareció en la esquina. Eddie comprendió la situación. El Presidente iba solo, de modo que no era preciso acercarse a toda velocidad al bordillo para arrojar al prisionero a la parte de atrás. Encontró un hueco algo más adelante y esperó a que su jefe subiera.

—Vámonos —dijo Juan en cuanto cerró la puerta.

—¿Qué ha pasado?

Eddie llevaba botellas de agua sobre la tapa del motor, entre los dos asientos. Al verlas, Juan Cabrillo notó de repente la garganta seca. Desenroscó el tapón y se bebió medio litro de golpe.

—Lo creas o no, a Kenin lo mataron a tiros sus propios guardias. Todo iba de acuerdo con el plan. Acababa de neutralizar a los hombres que custodiaban su ascensor privado cuando los guardias encargados de vigilar los ascensores principales del edificio aparecieron disparando sus armas.

—Los rusos cargarán con el mochuelo —comentó Eddie.

—Cuando me puse por primera vez en contacto con mi hombre en el Kremlin y le dije que iba a por Kenin, me dio la impresión de que Moscú se sentiría complacido por este desenlace. Les salva del apuro de tener que explicar lo que ha hecho, montar un juicio bufo y fusilarle. —Levantó el ordenador portátil—. Sólo espero que Murph y Stone puedan extraer algo valioso de este trasto, para que toda esta operación haya valido la pena.

—Si ahí hay algo, ellos lo encontrarán. —Continuaron en silencio unos minutos. Eddie formuló por fin la pregunta del millón—. ¿Cómo fue?

—¿Cómo fue qué?

—Venga ya. Debió ser asombroso.

El Presidente sonrió.

—«Asombroso» no le hace justicia. Antes pensaba que la caída libre era lo más parecido a volar. No es nada comparado con el viaje que acabo de hacer. Creo que quiero que Max me construya otro cinturón cohete para Navidad.

Siguieron en el coche hasta el ocaso y se dirigieron hacia la fábrica de cemento abandonada. Eddie, MacD y Mike se encontraban en el país legalmente y se marcharían a la mañana siguiente, conservando su tapadera por si la volvían a necesitar en un futuro. Como Juan había entrado de tapadillo en China, tendría que salir de la misma manera. Eddie lo acompañó hasta que el Discovery 1000 emergió a la sombra del muelle. El Presidente saltó a la parte posterior del minisubmarino y esperó a que la escotilla se abriera. Max Hanley en persona pilotaba el sumergible.

—¿Cómo fue el vuelo?

—Es lo más divertido que puedes hacer sin quitarte la ropa —replicó Juan—. Para resumirlo en pocas palabras.

Charlaron animadamente durante todo el trayecto hasta el *Oregon*, ambos hombres satisfechos de una misión que había salido bien. Era algo muy conmovedor para Cabrillo. Consideraba a muy pocos hombres amigos, y Yuri Borodin había sido uno de ellos. Ahora había vengado a su amigo. El alma de Yuri podía descansar un poco más en paz.

La Corporación no tenía nada a la vista en aquel momento, y si Eric y Mark podían acceder al disco duro del ordenador, recibirían una buena cantidad del gobierno norteamericano, más un pago final por el asunto de El Contenedor. Cabrillo pensó que debería dejar amarrado el *Oregon* durante una temporada y conceder a su gente unas bien merecidas vacaciones.

El destino estaba a punto de intervenir de nuevo. En lugar de unas vacaciones, el *Oregon* y sus tripulantes no tardarían en luchar por sus vidas.

26

Max Hanley era un pragmático nato. Le gustaba la idea de Cabrillo de fondear el barco en un puerto una temporada para que la tripulación se tomara unas vacaciones. También sabía dónde podrían conseguir un sustituto del sumergible Nomad 1000, y pensó que el sitio donde estaban era un lugar tan bueno como cualquier otro para que los tripulantes se dispersaran.

Había estado negociando con una universidad de Taiwán, la cual se hallaba en posesión de un Nomad que ya no necesitaba. La universidad había sido en otro tiempo un centro de preparación técnica para la pesca comercial, y el sumergible había sido un regalo no solicitado. Max siempre habría podido comprar uno nuevo a un fabricante, pero era de los que no malgastaban ni un céntimo, y mucho menos varios millones de dólares.

Max se adelantó en helicóptero al barco cuando zarpó hacia Taipei, con el fin de reunirse con las autoridades de la universidad. Su tapadera consistía en que estaba negociando el acuerdo en nombre de una compañía de prospecciones petrolíferas recién fundada, el sector que se llevaba la parte del león de la producción anual de Nomads y Discos norteamericanos. El *Oregon* era el carguero que había alquilado para transportar el sumergible a los yacimientos petrolíferos marítimos del golfo de México.

La inspección reveló el buen estado del minisumergible. La universidad había puesto en la reserva el Nomad, y lo había sometido a frecuentes revisiones. Cargaron las baterías, aunque Max ya sabía que sería necesario sustituirlas. Había ciertas cosas que no compraba usadas. Tenía nuevas a bordo del barco. Todos los sistemas electrónicos y mecánicos funcionaban, y no descubrió corrosión ni daños de ningún tipo en ninguno de los conductos hidráulicos. El único problema que detectaron fue en la pieza manipuladora del extremo del brazo robot, que no funcionaba bien. Para Max, se trataba de una reparación sencilla, pero les convenció de que le rebajaran unos cuantos miles del precio final.

Cuando llegó el *Oregon*, despertó la atención de cientos de estudiantes. Se quedaron boquiabiertos al ver el enorme buque. Max había gestionado que un inspector de aduanas viniera desde Taipei para autorizar la carga.

El propio Juan, vestido como un desaliñado lobo de mar, se hallaba a los controles de la grúa principal del barco. Los tripulantes prepararon la máquina, pasaron eslingas bajo el casco de nueve metros de eslora del sumergible, y una hora después de la llegada descansaba de través en la bodega de proa, y el barco estaba preparado para zarpar. Max tuvo que atenerse a su papel de intermediario, de modo que fue en coche a Taipei.

La capital taiwanesa se hallaba en el extremo norte de la isla, y podrían haber llegado a la ciudad en unas catorce horas, pero Cabrillo condujo al *Oregon* lejos de las rutas marítimas tradicionales, tanto para buques costeros como para aquellos que atravesaban el Pacífico en dirección a los puertos de las Américas. Además, necesitaba la protección de la oscuridad. Un barco que lanzara al agua un sumergible, si bien no era común, tampoco resultaba tan extraño. El barco que abandonara la zona sin recuperar el submarino de bolsillo suscitaría preguntas.

Como no habían puesto a prueba el Nomad, Juan Cabrillo no permitió que nadie más se encargara de la inmersión inicial. Durante las horas que habían tardado en llegar a una zona marítima apartada, la tripulación había sustituido las baterías antiguas por unas nuevas, y sujetado al casco un sistema de cámaras de aire inflables, por si el sumergible no respondía a los controles del Presidente. Había también en el agua buceadores de salvamento, y la zona que rodeaba el *Oregon* se hallaba iluminada por potentes reflectores encima y debajo de la superficie.

Después de bajarlo al agua y quitarle las sujeciones, Juan inundó poco a poco los tanques del sumergible. Los llenó a modo de ensayo cuando el agua se elevó por encima de su cabina de observación. Ascendió de una forma tan resuelta como un submarino de juguete en una bañera.

A continuación, lo condujo en paralelo al flanco de acero del *Oregon* y lo elevó con delicadeza hasta el *moon pool*. Allí había más tripulantes para sujetar los cables. Al cabo de pocos momentos, el submarino se encontraba sano y salvo en su nuevo hogar, y Cabrillo se encaminó al comedor para disfrutar de una cena tardía.

Observó que los espárragos que le servían eran de lata. Sería estupendo fondear pronto. Todas las provisiones frescas se habían agotado, y cuando preguntó al camarero, éste le manifestó que sólo quedaban tres sabores de helados, los más impopulares.

Juan Cabrillo no pudo dormir aquella noche, pero no estaba relacionado con las verduras frescas o el helado de caramelo. Algo aguijoneaba su inconsciente, una espinita clavada en su mente que el agotamiento era incapaz de convertir en una perla como haría una ostra. A medianoche, se resignó al insomnio y saltó de la cama. Se puso la pierna y se vistió con la ropa que se había quitado una hora y media antes.

No estaba de humor para beber, y quedarse sentado en su camarote carecía de todo interés. Julia Huxley era una de esas raras personas que sólo necesitaban unas cuantas horas de sueño por las noches. Fue a buscarla, pero no la encontró en su camarote, sino en el centro médico. Estaba conectada a Internet, a un servicio para gente que necesitaba aclaraciones médicas inmediatas, pero no tenía acceso a médicos.

—Hola, Juan. ¿No puedes dormir? —Le saludó cuando se detuvo en la puerta de su despacho, que daba a la sala de reconocimientos médicos.

Su despacho era un pequeño cubículo que apenas tenía espacio para el escritorio y una silla. Una pared estaba cubierta de diplomas y premios enmarcados. En una ocasión había confesado que su «pared del ego» era más para sus pacientes que para ella. Ver que había acumulado tantos reconocimientos los tranquilizaba.

—Salta a la vista —dijo él sonriendo, al tiempo que ocupaba la silla vacía.

—Deja que termine esto. Tengo a un tipo en Fiji que creo que tiene herpes zóster. —Ella y su paciente estuvieron tecleándose un par de minutos—. Ya está. Concluido. El pobre tipo lo está pasando fatal. Bien, ¿qué pasa por tu mente?

—No lo sé. Algo.

—Por ahí se empieza —bromeó Julia con una sonrisa—. Vale, prueba esto. ¿Desde cuándo te está preocupando «algo»?

—Desde esta noche. He estado en la cumbre del mundo desde que escapé de Shanghái, y cuando me he ido a la cama esta noche no he podido conciliar el sueño. Tengo la sensación de que he pasado algo por alto.

La doctora compuso una expresión seria.

—Tú yo hemos pasado muchas cosas juntos. —Julia había supervisado la recuperación de Juan desde que había perdido la pierna—. Te conozco, y sé que cuando crees que has pasado algo por alto sueles tener razón.

—Lo sé. Por eso lo estoy pasando tan mal.

—Podemos dar por sentado que está relacionado con tu reciente misión, de modo que podríamos analizarlo juntos.

Y así lo hicieron, desde que Misha Kasporov, el ayudante de Yuri Borodin, les había telefoneado para anunciarles la encarcelación ilegal de su amigo, hasta el momento en que la escotilla del Discovery 1000 se había cerrado en el río Huangpu para regresar al *Oregon*. Julia no había caído en la cuenta de lo cerca que había estado Juan de dejarse la piel en el empeño, y le había reñido por su imprudencia. Él se tomaba sus comentarios como un fumador empedernido cuando su médico le dice que abandone el vicio. Buen consejo, pero eso no va a suceder.

—Tiene que ser la traición de L'Enfant —concluyó Julia—. Todo lo demás parece estar muy claro.

—Es evidente que nunca más podremos utilizarle como contacto. Es cierto que descubrió el escondite de Kenin, pero la confianza se ha roto. Ambos lo reconocemos. Y sí, es el mejor del mundo en su campo, pero podemos abordar a otros.

—¿Estás diciendo que no es eso?

—Sí. No. No lo sé. —Se pasó la mano por el pelo, corto como el de un recluta de la marina—. Kenin dedujo quiénes éramos después de que rescatáramos, bien, de que casi rescatáramos a Yuri. Debía estar enterado de nuestra reputación, porque empezó a eliminar de inmediato cualquier conexión con su barco furtivo. También presionó a L'Enfant para descubrir dónde íbamos a estar. Envió su barco para volcar el *Sakir*, y supongo que para hundirnos a nosotros también.

Hizo una pausa cuando algo empezó a cristalizar en los recovecos de su mente.

—¿Cuánto crees que costó desarrollar ese barco furtivo?

—¿Quién sabe? Aunque tuviera la fórmula de Tesla para hacer invisible un barco y muestras de su maquinaria, estamos hablando de cien millones, como mínimo.

—Exacto, pero no obstante lo puso en peligro para perseguir el barco del jeque y a nosotros. Si tenía acceso a un submarino, sin duda contaba con elementos leales en la flota. ¿Por qué no se limitó a lanzar unos cuantos misiles contra el yate de Dullah y contra nosotros?

—Podríamos haberlos destruido —señaló Julia.

—Él no lo sabía. Lanzó algo valorado en cien millones de dólares contra un problema de cien. Eso es lo que me preocupa. Era su gran jugada, su acto final antes de abandonar a la Madre Rusia de una vez por todas. Es inconcebible que alguien estuviera dispuesto a pagar ese dinero por matar a un jeque de los Emiratos, que por casualidad era cliente nuestro en aquel momento. Es una coincidencia demasiado grande.

Cogió el teléfono del escritorio de Julia y marcó el número de la habitación de Mark Murphy. Éste descolgó al segundo timbrazo. Juan supuso que estaría en manos libres.

—¿Cómo os va con ese ordenador portátil?

—Linc nos lo acaba de devolver.

Eric gritó algo sobre la espantosa música tecno que sonaba al fondo.

—Baja ese ruido —le reprendió Juan.

—¿Ruido? —repuso indignado Mark—. Son los Howler Monkeys.

—Estoy seguro. —Por suerte, el volumen disminuyó—. ¿Por qué se llevó Linc el ordenador?

—¿No recibiste mi correo electrónico?

—Es evidente que no, de lo contrario no lo preguntaría.

—El ordenador iba equipado con una bomba trampa de C-4. Eric y yo imaginamos que estaría amañado, de modo que antes lo examinamos por rayos X. Menos mal. Supusimos que la carga detonaría después de abrir el ordenador y no entrar la contraseña en determinado período de tiempo. Linc ha estado ocupado hasta esta noche en quitar el detonador y los explosivos.

—¿Cuánto tardaréis en obtener algo?

—Ahora estamos empezando con la contraseña. Después de eso, es imposible saber las capas de encriptación que Kenin utilizó. Yo diría que una tonelada.

—¿Cuánto? —repitió Juan en tono áspero y acusador.

—Días. Semanas. No hay forma de saberlo. Lo siento, Presidente.

—Veinticuatro horas —replicó Juan—. Es una orden.

Colgó el teléfono con brusquedad. Julia parecía preocupada.

—Trabajan mejor cuando creen que estoy enfadado y hago peticiones irracionales.

—¿Era sólo teatro?

—En parte, pero necesitamos respuestas cuanto antes.

—No lo entiendo —admitió la mujer—. ¿A qué vienen tantas prisas?

—¿Estás enterada del conflicto entre China y Japón por unas islas?

—Sí, algo acerca de derechos de soberanía y un yacimiento de petróleo o gas que acaban de descubrir.

—No creo que se trate de un descubrimiento reciente. Creo que China lo conoce desde hace tiempo. Recuerdo que cuando fui a rescatar a Yuri me preguntó sobre los acontecimientos actuales. Hice algún chiste malo, pero le dije que la guerra civil en Sudán estaba tocando a su fin.

—¿Y?

—China era uno de los patrocinadores principales de ese conflicto, porque estaban sacando un montón de petróleo de esa región. Dejaron de financiar la guerra porque cayeron en la cuenta de que no necesitarán importar combustibles fósiles de África si tienen décadas de extracciones justo delante de su costa.

—Pero los japoneses... —repuso Julia.

—No podrían hacer nada sin nuestra ayuda. ¿Y qué hacemos en situaciones como ésta, en que dos poderes navales colisionan entre sí?

—Pregunta a Max o a Eddie. Ellos son tus militares.

—Venga ya, Hux. Todo el mundo sabe lo que hacemos.

—Enviamos un portaaviones.

—Exacto. Proyección de poder de primera calidad. Y no sólo un portaaviones. Es todo un grupo aeronaval con varios destructores, una fragata, algunos cruceros y dos submarinos. Todos actúan de pantalla con tal de proteger el portaaviones. El sistema está tan bien diseñado que también se considera inmune al ataque. En los viejos tiempos de la Guerra Fría, los soviéticos pensaban que necesitarían como mínimo cien misiles de crucero para hundir un solo portaaviones, con suerte.

—Va-le —soltó Julia—. Llega nuestro portaaviones, ambos bandos se repliegan, y la crisis se ha evitado.

—Piénsalo bien, Doc.

Y el horripilante pensamiento que atormentaba a Juan se formó también en la mente de la mujer. Palideció.

—Hay otro de esos barcos furtivos ahí fuera.

—Por fuerza. El barco fue concebido antes de que se disolviera la Unión Soviética, como forma de contrarrestar a nuestros portaaviones. Los rusos ya no necesitan algo semejante, pero una China cada vez

más próspera y hostil se sentiría encantada de hundir un gran portaaviones nuclear, y de tal manera que nadie pudiera echarle la culpa.

—¿Por qué iban a ser tan osados?

—Hace años que se está gestando. Todos nuestros sistemas in-
formáticos pirateados y el espionaje industrial. Estamos en guerra no
declarada con China desde hace una década, por lo menos. Ahora
que la independencia energética está a su alcance, harán cualquier
cosa con tal de cumplir su promesa. —Una nueva idea alumbró en la
mente de Cabrillo—. Hundir el *Sakir* sirvió para demostrar a los chinos la potencia del arma. Debían estar controlando el hundimiento
desde el barco que se nos escapó cuando estábamos inmovilizados en
el agua. Kenin eligió el barco de Dullah para vengarse de mí, y apuesto a que contrató a alguna facción de Oriente Medio para que apor-
tara algunos dinares al atentado contra el emir.

—¿Qué vamos a hacer?

—Avisaré a Langston, pero sin nada concreto, como un archivo
titulado «Documento de compraventa» guardado en el ordenador
de Kenin, poco podemos hacer. La Marina no actuará basándose en
algo tan insustancial.

—Nuestras vacaciones van a terminar incluso antes de empezar-
las, ¿verdad?

Juan la miró fijamente. Llamó al centro de operaciones y pidió al
oficial de guardia que localizara la ubicación del grupo aeronaval
más cercano. Si accedía a la región, tenía que saber la ruta, puesto
que los chinos situarían su mortífero buque furtivo en su camino. Le
tranquilizó saber diez minutos después que el *Johnny Reb*, pues ése
era el mote que recibía el USS *John C. Stennis*, acababa de zarpar de
Honolulú con rumbo a la base naval de Yokosuka, Japón. Les quedaban unos días de respiro, aunque el presidente les ordenara dirigirse de inmediato a la zona en disputa.

Había que pensar en otras consideraciones prácticas. Cabrillo
dio las gracias a Julia y se dirigió a la oficina que había frente a su
camarote. Despertó a Max en su suite del hotel de Taipei para avisar-
le del cambio de planes, y para que se reuniera con el *Oregon* en los

muelles del barrio de Bali al día siguiente. Ya habían reservado un espacio para amarrar durante las dos semanas de vacaciones teóricas de la Corporación. Juan Cabrillo llamó a las autoridades portuarias para avisar de que sólo lo necesitarían unas cuantas horas.

La penalización por el cambio fue severa, y el Presidente no estaba seguro de haber tomado la decisión correcta. Gracias a que se encontraban en la línea internacional de cambio de fecha, era la una de la tarde del día anterior en Washington, D. C. Llamó a Langston Overholt.

Tras explicar la situación, Cabrillo preguntó a su antiguo mentor y Espía Emérito de la CIA qué le recomendaba.

—Esto no es suficiente para lanzar una operación de inteligencia, Juan —dijo el octogenario—. Todo son conjeturas y suposiciones. Desde luego, al proceder de ti me bastan para acudir al secretario de Defensa, pero en este caso necesitaré algo más.

—¿Como pruebas halladas en el ordenador portátil de Kenin?

—Eso sólo demostraría que vendió un arma semejante a la República Popular. A menos que él también hubiera trazado sus propios planes de combate, creo que no podremos hacer gran cosa. Por supuesto, enviaré un informe urgente, y eso tal vez pueda traducirse en una advertencia de amenaza inconcreta al almirante que esté al mando del grupo aeronaval. Pero has de comprender que si les envían para intervenir en este embrollo de las islas Senkaku/Diaoyu ya estarán en situación de máxima alerta. Tu aviso de «¡Que viene el lobo!» no cambiará nada.

Eso era lo que Cabrillo había supuesto. Era el problema de Washington. La inercia burocrática avanzaba a paso de caracol. El sistema no estaba diseñado para el pensamiento lateral veloz. Las noticias no eran del todo malas. Langston continuó.

—Hablaré con Grant, de la sección de China, para averiguar si ha oído algo. Somos conscientes de que China está llevando esto mucho más allá que con otras islas en disputa, como la bronca que armó por las Spratlys. Japón tampoco quiere dar marcha atrás, y por eso hemos enviado el *John Stennis*.

—Creía que ya había un portaaviones con base en Japón.

—Sí, el *George Washington*. Se declaró un incendio a bordo la semana pasada. Murió un marinero. Afirman que no está preparado para misiones en el mar.

Overholt utilizó un tono peculiar cuando dijo eso, y Cabrillo sospechó saber la causa. Lang era un veterano de la Segunda Guerra Mundial. Enviaban de regreso al combate a sus barcos tan sólo días después de haber sido alcanzados por kamikazes. Hoy, serían necesarios meses de inspectores de seguridad, paneles de investigación y abogados militares para tomar la decisión de que el portaaviones podía navegar sin problemas.

—Estamos observando la situación —dijo Overholt—. ¿Dónde estarás?

—Intentaré proteger la entrada al mar de la China Oriental.

27

Cabrillo estaba sentado en el centro de operaciones, cuando recibió la llamada de Mark Murphy, que le convocaba en la sala de juntas del *Oregon*. Consultó la hora en la pantalla principal. Sus frikis favoritos habían rebasado el plazo señalado en tan sólo tres horas.

Ya habían amarrado en el nuevo puerto de Taipei, posados como un patito feo entre dos hermosos cisnes, que adoptaban la forma de cruceros dedicados a escupir pasajeros que iban a pasar el día visitando la capital de Taiwán. El camión de los proveedores ya había llegado al muelle, y al cabo de una hora de su llegada ya habían subido a bordo las cajas de productos perecederos y otros alimentos.

Juan Cabrillo cabeceó en dirección al oficial de derrota para comunicarle que estaba al mando y se dirigió a la sala de juntas. Murph y Stone tenían pinta de no haber dormido desde que Linc les había devuelto el ordenador. Ambos hombres tenían los ojos enrojecidos con grandes ojeras. Pero también sonrisas de oreja a oreja.

—¿Debo deducir que hay buenas noticias? —preguntó Juan, al tiempo que tomaba asiento a la cabecera de la mesa.

—Oh, sí —contestó Mark—. Acabamos de vaciar la última cuenta de Kenin. En total, tenía cincuenta millones en diversos centros bancarios de todo el mundo, las Caimán, Dubái, Luxemburgo, lo que se te ocurra.

—Bien hecho —dijo Juan—. ¿Qué sabéis de la existencia de otro barco furtivo? ¿Construyeron alguno más?

—Seguro —confirmó Eric Stone—. China pagó veinte millones por él, y además pagaba los gastos del lujoso refugio de Kenin en Shanghái.

En casi todos los casos, a Cabrillo le encantaba acertar en sus suposiciones. Hoy no. La noticia le heló el corazón, porque aquello significaba que China se sentía lo bastante envalentonada para utilizar esta nueva arma contra un objetivo estadounidense.

—Fueron construidos en 1989 —añadió Stone—. Al principio, los rusos querían construir uno para cada uno de nuestros grupos aeronavales. Pero abandonaron el proyecto después de que sólo se construyeran dos. Estaban acumulando polvo en un astillero, y daba la impresión de que todo el mundo se había olvidado de ellos. Kenin los descubrió hace dos años Y los mandó reequipar, añadiendo nueva tecnología descubierta en el dragaminas de Tesla. Sabía que los chinos serían sus únicos clientes en potencia, y los cortejó durante meses. Por fin, llegaron a un acuerdo más o menos al mismo tiempo que se hablaba en los medios por primera vez de la disputa por los yacimientos de gas.

La coincidencia en el tiempo le pareció acertada a Cabrillo. Los chinos sabían que, si se ceñían a su plan, la Marina estadounidense intervendría. Necesitaban algo para repeler una intervención estadounidense sin desencadenar la Tercera Guerra Mundial. En su opinión, Kenin tendría que haber pedido más dinero. Pero el ruso ya tenía más dinero del que podría gastar durante el resto de su vida, de modo que ¿para qué molestarse en pedir algo que no vas a necesitar?

—¿El ordenador contiene las especificaciones técnicas?

—Lo siento, presidente —dijo Eric con aire abatido—. Abrimos todos los archivos del ordenador. Había uno que describía las añagazas que utilizó para engatusar a los chinos, pero nada acerca del funcionamiento del arma o qué maquinaria había recuperado del barco de Tesla.

—Seguiremos en ello, Presidente —contestó Mark—, pero pinta mal. A Kenin no le interesaban los detalles técnicos. Le daba igual cómo funcionara el barco, sólo que funcionara.

—De acuerdo —dijo Juan—. Gracias a los dos. Habéis hecho un buen trabajo. Id a descansar.

Abrió un mapa del mar de la China en la pantalla grande situada al fondo de la sala de juntas, y trató de introducirse en la mente del hombre que se hallaba al mando del barco furtivo. Necesitaba posicionarse de antemano delante del grupo aeronaval y dejar que se acercara a él, puesto que su estela sería visible cuando el barco estuviera en movimiento, y sin duda llamaría la atención de un piloto de la patrulla aérea de combate. Todo dependería de la habilidad para seguir al grupo aeronaval y proyectar su rumbo, una tarea sencilla debido a la constelación de satélites espía chinos.

Overholt podría revelarle el rumbo del grupo aeronaval, de modo que contaría con la misma información que su contrincante. La pregunta fundamental era: ¿a qué distancia de las islas en disputa querría yo acabar con mi presa? Cuanto más lejos, mejor. Sin embargo, eso disminuye las probabilidades de los barcos que se mantienen en el rumbo proyectado. Zigzagueaban a intervalos aleatorios, al tiempo que seguían un curso inalterable en dirección oeste.

Imaginó una docena de escenarios y encontró una docena de lugares donde esperar. Era infructuoso, pero revelador al mismo tiempo. Infructuoso porque, después de más de dos horas de contemplar el mapa, no se hallaba más cerca de encontrar la solución, y revelador porque demostraba lo desesperadamente importante que era aquello para los chinos. Si el portaaviones llegaba a la zona, cualquier esperanza de tomar las islas por la fuerza se desvanecería.

Los chinos habían estado utilizando la táctica de desgastar a la flota japonesa con la esperanza de que abandonaría la zona, y de esa forma podrían reclamar las islas. Tal como el mundo había visto con los portaaviones que recorrían el golfo Pérsico durante casi dos décadas, es imposible desgastar a la armada de Estados Unidos.

El capitán Kenji Watanabe apuntó al H-6 con su visor y apretó con mucha suavidad el disparador de la palanca de mando. No pasó nada. Pero él ya lo sabía. No había armado los sistemas armamentísticos de su F-16. Pasó por debajo del avión nodriza de dos motores, mientras un caza J-10 repostaba combustible.

Si bien el J-10 era un avión moderno que parecía un cruce entre su Fighting Falcon y el sueco Gripen, el avión nodriza era un antiguo diseño soviético de los años cincuenta. Como gran parte de la flota aérea china, era una imitación construida bajo licencia, y no duraría ni cinco minutos en un combate real. Ni siquiera el J-10 podía compararse con el F-16. Tenía alcance limitado, de ahí la necesidad de abastecimiento constante mientras el avión cruzaba los cielos alrededor de las islas Senkaku, y el F-16 era mucho más manejable.

La auténtica ventaja de Watanabe era el hecho de que tenía diez veces más horas de vuelo que el piloto chino.

Era lo bastante veterano para conceder amplio espacio al avión conectado para que llevara a cabo la difícil operación. Los chinos sólo habían perfeccionado en fecha reciente el abastecimiento por aire, de modo que los pilotos no tenían mucha experiencia. Era absurdo provocar un accidente con su estela. Watanabe dio la vuelta para colocarse detrás de los aviones conectados. De esa forma, cuando el J-10 Dragón Vigoroso se separara de la gasolinera volante, estaría en su seis. El último caza chino al que Kenji había hecho eso no se lo había podido sacar de encima, hasta que al fin había desistido y regresado a la base. El veterano piloto se sentía confiado en que este nuevo aspirante chino no sería mucho mejor.

El F-16 de ala en flecha descendió de repente cuando topó con una turbulencia atmosférica. El piloto del J-10 tendría que haber retrocedido e interrumpido la conexión con el avión nodriza, pero en cambio intentó quedarse con el avión de mayor tamaño y sobrecompensar. Ante el horror de Watanabe, los dos aviones chocaron, para luego saltar por los aires en una nube de fuego que floreció como un segundo sol. Hizo descender su aparato hacia la izquierda, con el fin de esquivar la devastación, pero aun así notó que fragmentos de metralla se estrellaban contra el armazón del F-16. No podía apartar la vista de la espantosa visión. Los restos de los dos aviones destrozados emergieron al fin del fondo de la explosión, como cáscaras descartadas. Ningún fragmento era mayor que una hoja de madera contrachapada, y todos estaban carbonizados.

No habría paracaídas.

Watanabe informó por radio, con la esperanza de no haber sido testigo de un acontecimiento que enviaría a su amado Japón a la guerra.

Pese a las protestas de inocencia desde el más alto nivel, incluida una invitación para inspeccionar el caza de Kenji Watanabe con el fin de demostrar que no había disparado contra los dos aparatos chinos, Pekín no se aplacaría. Insistiría en que había sido un acto de guerra deliberado y exigiría la retirada de todos los barcos y aviones japoneses de las islas Diaoyu, y que Japón cediera su soberanía al instante.

China hizo preparativos para enviar casi toda su flota al mar, incluidos buques de transporte de tropas, cargados con más de mil comandos que ocuparían las islas por la fuerza.

Los canales diplomáticos echaban humo con intentos de calmar la situación, pero ningún bando iba a dar marcha atrás. Japón aumentó su presencia militar en las islas al enviar un hidroala y tropas. El presidente norteamericano no tuvo otra elección que ordenar al USS *John C. Stennis* que zarpara hacia el territorio en disputa. También azuzó al secretario de Defensa para que el maltrecho *George Washington* volviera al servicio ipso facto, dijeran lo que dijeran los abogados.

Antes de una semana, a menos que la presencia disuasoria estadounidense lo impidiera, estallaría la tercera guerra chino-japonesa.

El *Oregon* patrullaba la vía marítima que conducía a las islas como un oso inquieto en una jaula. Peinaba las aguas de un lado a otro, con el radar al máximo, la tripulación con los nervios alterados por grandes dosis de cafeína y adrenalina. El tiempo colaboraba, y les permitía enviar aviones no tripulados para ensanchar la zona de búsqueda. Juan hasta convenció a Langston Overholt de que les diera permiso para acceder a datos de satélites, si bien, en verdad, no tenían la experiencia necesaria para interpretar las imágenes de alta definición con cierto grado de precisión. Por eso, todo el mundo confiaba en los expertos de la Oficina Nacional de Reconocimientos, un grupo todavía más hermético que la NSA.

Por su parte, Cabrillo estaba sentado en mitad del centro de operaciones, vestido con tejanos y camiseta de manga larga. Cabalgaba las suaves olas que mecían el barco con la facilidad de un vaquero al frente de una partida de ganado, el cuerpo vuelto hacia su entorno, de manera que los mínimos ajustes de su postura se producían de forma inconsciente. El sujetavasos construido en su silla pocas veces estaba vacío, aunque Maurice cambió en secreto a descafeinado después de la tercera taza. La guardia se turnaba a intervalos regulares, pero el Presidente continuaba como un mueble en la sala, meditando en silencio, mientras sus ojos paseaban entre pantalla y pantalla. Inspeccionaba el radar una y otra vez por encima del hombro del vigía de guardia, y las imágenes de los drones por encima del hombro del responsable del control remoto. Y lejos de distraerse, la tripulación se tranquilizaba debido a su constante atención. Mientras él estuviera allí, todo iría bien.

Dormía cuando podía, por lo general cuando el barco llegaba al final de la zona de patrulla, con lo cual era más difícil que se topara con el barco fantasma. No se molestaba en acostarse, sino que se dejaba caer en el sofá de su oficina y se tapaba con una manta que habían rescatado del *Normandie* después de que se incendiara en el puerto de Nueva York en 1942. Se levantaba al cabo de un par de horas y ejercía el ritual de afeitarse para convencer a su cuerpo agotado de que ya había disfrutado de bastante sueño. Después regresaba al centro de operaciones, donde merodeaba incesantemente, igual que su barco.

Cabrillo acababa de regresar de su siesta de dos horas cuando vio algo en el radar que llamó su atención. Era una señal luminosa. Eso le sorprendió poco. Aunque se estuvieran acumulando nubes de guerra, se trataba de vías marítimas muy transitadas, y así continuarían hasta que empezaran los cañonazos. Hali Kasim se hallaba de guardia, como oficial de comunicaciones y operador de radio.

—Hali, ese objetivo a nuestro norte, ¿cuál es la distancia?

—Cincuenta millas, más o menos.

—¿Desde cuándo lo captamos?

Kasim tecleó un momento.

—Unos veinte minutos.

Cabrillo efectuó unos cuantos cálculos mentales, utilizando el alcance del radar, la velocidad y el rumbo del *Oregon*.

—Navega a menos de tres nudos. ¿No te parece raro?

Kasim se mostró de acuerdo. Seguía trabajando con el ordenador.

—Tengo algo todavía más raro. Había un objetivo en ese mismo punto la última vez que peinamos esa cuadrícula.

Daba la casualidad de que Gomez Adams estaba de guardia, pilotando el aeroplano en miniatura que utilizaban como plataforma de vigilancia aérea.

—No hace falta ni que me lo pidáis —dijo—. Tardaré un poco, no obstante. Ya tengo un pájaro en el aire, pero se encuentra a cincuenta millas al otro lado de nosotros.

Juan Cabrillo aceleró. No era momento de esperar. Había algo allí, y necesitaba respuestas.

—Te diré una cosa, Adams: haz aterrizar a ése y envía otro.

—¿Estás seguro?

—Descontaré la pérdida de mi parte del botín.

Adams obedeció, precipitó al agua ese UAV y lanzó otro desde la cubierta. El avión de metro veinte tardó casi media hora en acercarse al blanco. El Presidente no había alterado la pauta de búsqueda del *Oregon*, pero sí aminorado su velocidad para no perder contacto por radar. A veinte millas de distancia, Gomez Adams dejó caer el dron desde una cómoda altitud de ciento cincuenta metros hasta seis metros, casi rozando las olas.

Ahí era donde entraban en juego sus instintos y pericia de piloto. Era preciso permanecer por debajo de la cobertura del radar del objetivo, perdidos en la maraña de ecos de las olas. No había mejor piloto a bordo que Adams, de modo que ningún tripulante del barco furtivo sabría que les estaban espiando. La cámara del dron mostraba el oscuro océano al parecer centímetros por debajo del tren de aterrizaje del pequeño aparato, mientras que, delante, el sol poniente era una pálida llama amarilla contra el horizonte.

—¡Allí! —gritó Cabrillo cuando divisó una silueta cuadrada aposentada sobre la línea que separaba el cielo del mar.

Adams, que le llevaba ventaja, ya la había visto y alterado el rumbo del UAV para interceptarla.

Necesitaron unos cuantos minutos más para que la expectación se convirtiera en decepción. No era el barco furtivo. El buque en cuestión medía unos doscientos setenta metros de eslora y tenía forma de caja. Sólo en sus proas ensanchadas, cerca de la línea de flotación, se veía un intento de aerodinamizar el buque. Hacia la parte delantera había un puente en forma de pastillero que rompía la monotonía de la cubierta superior lisa, mientras que a popa de sus chimeneas gemelas había alerones despuntados apiñados en el cuarto de popa de estribor. Había una puerta grande estilo garaje en la sección media, y otra en el espejo de popa. Todo el barco estaba pintado de un verde insípido.

Juan Cabrillo reconoció el tipo de barco de inmediato. Estaba especializado en transporte de automóviles, un aparcamiento flotante capaz de transportar un mes de producción desde una fábrica de coches a cualquier parte del mundo. Abundaban en estos mares, pues tanto China como Japón eran grandes exportadores de vehículos. Por qué iba tan despacio era un misterio que hoy podría desvelarse.

La transmisión de imágenes se interrumpió de repente. Adams maldijo. Juan sabía lo que había pasado, y no era la primera vez. El UAV había volado tan bajo que una ola lo había arrebatado del cielo. Eran los peligros archiconocidos de acercarse a la altura del oleaje.

—Por eso, amigos —dijo Adams—, utilizamos aviones no tripulados; así no arriesgo el trasero a bordo de un helicóptero en misiones de reconocimiento rutinarias.

—Esto no tiene nada de rutinario. —Cabrillo saltó de la silla y se irguió bajo la pantalla principal—. Adams, pasa otra vez los últimos segundos de la cinta.

El piloto jefe pasó los últimos veinte segundos grabados por el dron. No vio nada de particular, pero Cabrillo hizo un gesto a su espalda para que pasara el fragmento por tercera vez. Y después, por cuarta. Por fin, a la quinta, segundos antes de que la ola se estrellara contra el UAV, gritó:

—¡Alto! —Estudió la imagen—. Avanza poco a poco. —La grabación se agitó al avanzar—. ¡Alto! ¿Qué ves?

Adams vio el gran transporte de vehículos en un ángulo de noventa grados, mientras iba invadiendo con rapidez el ángulo de la lente de la cámara. La popa apenas dejaba estela, ni las proas levantaban una gran cantidad de agua, lo cual significaba que no se movía muy deprisa, pero eso ya lo sabían. Una vez más, no vio lo que había despertado el interés del Presidente. Tampoco nadie de los que estaban de guardia, porque la tripulación guardaba silencio.

—Mirad un metro y medio por encima de la línea de flotación —dijo Cabrillo, como si presintiera su confusión—. ¿Alguien ve una tenue línea blanca? —Su pregunta fue recibida con un coro de asentimientos—. ¿Alguna idea sobre lo que es?

Le respondió el silencio. Por fin, fue Gomez Adams quien dedujo lo que el Presidente había comprendido de inmediato. Saltó de su asiento.

—Tendré el pájaro a punto en cuanto estés preparado.

—Tíos, eso no es un transporte de automóviles —dijo Cabrillo—. Es un dique seco flotante. La banda blanca es una franja de restos de sal de la última vez que estuvo bajo lastre. —Tecleó en el intercomunicador general del barco—. Soy Cabrillo. Puestos de combate. Puestos de combate. Hemos encontrado la base marítima de operaciones del barco fantasma chino. Linc, Eddie y MacD, presentaos en el helicóptero con equipo de combate completo. Iremos de negro.

Dio varias órdenes más, y después salió en compañía del piloto del centro de operaciones. Max se dispuso a tomar el mando del barco.

Juan Cabrillo corrió a su camarote, gritando a los tripulantes que le dejaran pasar. Toda señal de agotamiento se había disipado. Se puso lo que él llamaba su «pierna de combate». Era una verdadera navaja suiza de armas. Llevaba empotrada una pistola calibre 44 de una sola bala que se disparaba desde el talón, y un escondrijo donde ocultar una pistola Kel-Tec 380, una pequeña cantidad de explosivos y un cuchillo. A continuación, se puso el uniforme táctico negro, hecho de tela resistente a las llamas, y botas de combate negras. Guardaba sus armas personales en una vieja caja fuerte que había estado abandonada en una estación de tren del sudoeste, clausurada mucho tiempo atrás. Giró las ruedas para abrirla, sin hacer caso de los fajos de billetes y las monedas de oro que guardaba por si se presentaba alguna emergencia. Habían acumulado un bonito alijo de diamantes, pero el mercado había acertado al convertirlos en dinero contante y sonante.

El fondo de la caja era, en la práctica, un arsenal. Se puso un chaleco de combate y enfundó una nueva FN Five-seveN. Se ciñó una granada de gas, así como dos granadas ensordecedoras. Su arma principal para esta operación era una Kriss Arms Super V. Era la ametralladora más diminuta jamás fabricada, y parecía un artilugio de ciencia ficción, con su empuñadura delantera corta y gruesa y su culata esquelética. El diseño revolucionario le permitía albergar los gruesos cartuchos ACP calibre 45, y dotar al tirador de control incomparable sobre una bala muy difícil de disparar en automático. Provista por lo general de un cargador normal Gluck de trece balas, la suya iba provista de un extensor de treinta balas. Guardó cargadores extras en los bolsillos apropiados.

De haberse tratado de una misión prolongada, habría ido provisto de armas del mismo calibre por si podía necesitar más cartuchos para la Super V, pero esto iba a ser un toma y daca rápido, no un tiroteo excesivamente largo. Los arneses de combate ya iban provistos de un cuchillo arrojadizo, un cable de garrote, un botiquín y una radio, de modo que en cuanto se ciñó el pasamontañas negro estuvo preparado para ponerse en marcha.

Abrió la puerta del camarote con brusquedad, y a punto estuvo de derribar a Maurice. De hecho, tuvo que sujetar al anciano inglés para evitar que dejara caer la bandeja de plata.

—Te mueves tan silencioso como un gato —le reprendió Cabrillo.

—Lo siento, capitán. Estaba a punto de llamar. Le he traído algo para comer.

Juan estuvo a punto de decirle que no tenía hambre, pero de repente se sintió famélico.

—No tengo mucho tiempo.

—Lléveselo —dijo Maurice, al tiempo que levantaba la tapa de la bandeja. Dentro había un burrito humeante, la comida perfecta para consumir en movimiento—. Tiritas de cerdo y buey, tiernísimas.

Juan cogió el burrito y guardó la botella de refresco energético en el bolsillo del muslo de los pantalones. Se puso a correr, y gritó sin volverse antes de dar un monstruoso mordisco.

—Eres un buen hombre, digan lo que digan de ti.

—De hecho, dicen que soy un gran hombre —respondió Maurice.

El *Oregon* ya había disminuido lo bastante la velocidad para que el helicóptero despegara. Gomez Adams se hallaba a los controles cuando Juan salió a la cubierta de popa y se dirigió a la escotilla situada más hacia popa, que era el helipuerto retráctil del barco. El aullido de la turbina era ensordecedor, de modo que no oyó a MacD llegar corriendo por detrás y darle una palmada en el hombro. Dentro de la cabina, vio que Eddie y Linc ya se habían abrochado los cinturones de seguridad. MacD Lawless le dedicó una gran sonrisa pletórica de dientes. Alrededor de su cuello colgaba una venerable Uzi, un arma que había cambiado poco desde su aparición a principios de los años cincuenta.

Juan le saludó con un cabeceo.

MacD ocupó el asiento de atrás mientras el Presidente se sentaba al lado de Adams. El aparato se estremecía como una lavadora desequilibrada, y los rotores giraban cada vez a mayor velocidad. El ruido se suavizó en parte cuando cerraron las dos puertas.

Juan se puso unos auriculares. Adams levantó los pulgares en dirección al trabajador de cubierta para que quitara los calzos que impedían al helicóptero resbalar y caer al mar, y el MD 520N se elevó hacia el cielo.

Aquel despegue inicial sería la velocidad máxima que alcanzarían durante todo el vuelo. Adams les mantenía por encima del oleaje, aunque gozaba de visión periférica para impedir que una ola como la que había derribado al UAV les golpeara. Volaban tan bajo que el rotor levantaba espuma que los limpiaparabrisas apenas podían eliminar.

—¿Cómo nos va, Max? —preguntó Cabrillo por radio.

—Vamos bien. No hay mucho tráfico en este momento. No veo nada a veinte millas de vuestro objetivo, a menos que tengáis un pequeño pesquero a sotavento.

—De acuerdo.

Volaron en dirección al sol, mientras éste continuaba ardiendo sobre la línea del horizonte. La verdadera oscuridad en esta parte del mundo tardaría en llegar una media hora, como mínimo. No era necesario hablar acerca del plan. Aquellos hombres habían combatido y derramado su sangre juntos las suficientes veces como para poder comunicarse casi de forma telepática entre sí. Aunque MacD era el miembro más reciente del grupo, se había ganado sobradamente la confianza de sus camaradas.

Adams les había conducido hacia el sur para acercarse al barco por detrás, su punto ciego. Y de repente, el punto en el horizonte se transformó en la popa fea y truncada de un transporte de automóviles/dique seco, si la teoría de Cabrillo era correcta. En caso contrario, estaban a punto de llevar a cabo un acto involuntario de piratería en alta mar.

El helicóptero voló bajo hasta el último segundo posible. La popa del barco abarcaba por completo su campo de visión. El Presidente estudió la rampa posterior. Parecía auténtica, y la franja blanca que había creído de sal era mucho menos convincente de cerca. Sintió la sombra de una duda.

Era demasiado tarde para abortar la misión.

Se puso el pasamontañas.

Hizo caso de su intuición y no dijo nada cuando Adams colocó el helicóptero sobre el castillo de popa, con los patines casi rozando la barandilla. Recorrió el barco en toda su longitud y el helicóptero planeó a escasos metros de la parte posterior de la timonera, erizada de antenas. Los hombres abrieron las puertas y saltaron a la cubierta. En cuanto abandonaron el helicóptero, Adams dio marcha atrás y descendió tras la popa del barco, donde esperaría para rescatarles.

El Presidente guió al equipo por encima de la barandilla que protegía la ruta hacia los alerones del barco. Echó un vistazo al interior del puente. Había un timonel al timón tradicional de un barco. Un oficial y otro tripulante se disponían a investigar el estruendo de los rotores del helicóptero. Todos eran chinos. El oficial reparó por fin en los hombres armados que corrían hacia la timonera y gritó a su compañero. Cabrillo abrió fuego, y disparó a posta por encima de la cabeza de los chinos. El marco de cristal de la puerta del puente se desintegró, y pesadas balas rebotaron en el techo y acribillaron la pared opuesta.

MacD se precipitó a través de la abertura, aterrizó de rodillas y apuntó con su arma al oficial. Eddie le siguió. Cubrió al timonel. Cabrillo era el tercer hombre, mientras que Linc seguía fuera para proteger la retaguardia.

El tercer tripulante había escapado. Todo el mundo se puso a gritar, los tripulantes de miedo, y el equipo de la Corporación para ordenar que se arrojaran al suelo.

El Presidente persiguió al tercer hombre que había huido del puente por mediación de una escalera situada en la parte posterior de la habitación. Bajó un par de peldaños, antes de que alguien comenzara a disparar contra él. Al menos, una bala se estrelló en su pierna artificial, con el efecto de la coz de una mula. Se apartó a toda prisa de la línea de tiro del hombre que disparaba y lanzó una granada aturdidora hacia la siguiente cubierta. Dio media vuelta y se tapó los oídos, pero aun así el efecto fue paralizante.

Esta vez, apoyó las manos sobre las relucientes barandillas que flanqueaban los peldaños y descendió hasta la cubierta superior con el estilo de un tripulante de submarino. El tirador era rápido. Estaba desapareciendo a través de otra puerta, con las manos sobre los oídos. Cabrillo disparó un par de balas, pero pensó que no le había alcanzado. Eso le reveló que el marinero sabía lo que era una granada aturdidora y sabía cómo protegerse de su estruendo y el intenso resplandor. Había otro tripulante en la sala de mapas, donde también estaba instalada la radio. Estaba sentado detrás de un viejo transceptor marino, aferrándose la cabeza mientras la granada continuaba resonando en su cráneo. El Presidente le golpeó detrás de la oreja con la Super V, y los esfuerzos del hombre cesaron. Cayó al suelo. MacD vendría a echar un vistazo más tarde, por lo cual no perdió el tiempo esposándole.

El tirador se había dirigido a otra parte, y Cabrillo tenía que averiguar dónde. Pero hasta el momento nada le aseguraba haber analizado bien la situación. Los tripulantes armados no abundaban, pero tampoco eran infrecuentes. Y tal vez el tipo había visto montones de películas de acción y reconocido la granada.

La salida conducía a un pasillo flanqueado de puertas. Serían los camarotes de los oficiales. Uno se abrió de repente, su ocupante alarmado sin duda por el alboroto. El tipo iba vestido con pantalones cortos, y también blandía un arma. El Presidente no le concedió la oportunidad de usarla. Disparó una bala en cada uno de los hombros del oficial. Fue suficiente para ponerle fuera de combate, pero sin matarle. Se negaba a utilizar fuerza letal a menos que no hubiera otro remedio.

Llegó a otra escalera y utilizó su última granada aturdidora, al tiempo que se lanzaba al suelo mientras el estallido resonaba en todo el barco. Había visto gotas de sangre en el suelo. Había herido a su hombre, y ahora el reguero le conduciría hasta su presa.

Al pie de la escalera había otro pasillo gris de metal, con cables y tuberías que corrían sobre el techo. La sangre parecía negra a la tenue luz, pero bastaba para seguir la pista. Cabrillo atravesó la puerta de su derecha y paró en seco, mientras la cabeza le daba vueltas.

Se había equivocado. Por completo.

Fila tras fila de sedanes estaban alineados con tanta pulcritud como coches en el aparcamiento de un aeropuerto. Se extendían hasta perderse de vista. Todos los colores del arco iris estaban representados, y si bien se hallaban cubiertos de polvo, brillaban como joyas en los estrechos confines de la bodega del transporte de coches. Habían asaltado un barco inocente, y él había disparado contra dos sencillos marineros. La culpa y la derrota eran aplastantes.

Llevó la mano hacia el micro para decir a los demás que se habían equivocado, cuando reconoció la placa decorativa en todos los capós de los coches. Por un momento, se creyó de vuelta en Uzbekistán con el viejo Yusuf, cuando estaban mirando el coche en el que su hermano había muerto tras hundirse el transbordador en el que viajaba. Al igual que aquellos restos oxidados, estos coches compartían el distintivo adorno del capó en forma de barco vikingo que él había visto al regresar del mar de Aral. Eran coches rusos. Ladas. Y todos los neumáticos estaban desinflados. El significado de tal descubrimiento fue inmediato, y su respeto por los planificadores bélicos rusos aumentó un par de puntos.

Cabrillo empezó a perseguir de nuevo al marinero herido.

Para que los barcos furtivos soviéticos pudieran ser utilizados en caso de guerra con Estados Unidos, tenían que mantenerse cerca de los grupos aeronavales en todo momento. Los portaaviones estaban desplegados por todo el globo, y para seguirlos sin despertar sospechas, los rusos disfrazaban sus barcos de apoyo de transportes de automóviles, hasta el punto de cargarlos con los míticos coches rusos, los ubicuos Lada. Eso en el caso de que el barco fuera abordado por inspectores de aduanas. Los coches de este buque estaban polvorientos y con los neumáticos desinflados porque llevaban encerrados en la bodega desde la caída de la Unión Soviética. Ni Kenin ni los chinos se habían tomado la molestia de descargarlos.

El rastro de sangre fue bajando por una rampa para coches. Caminó más despacio cuando llegó al pie para echar un vistazo al compartimiento de carga contiguo. Más Ladas, más neumáticos desinflados, y manchas de herrumbre que cubrían muchos de los vehículos debido a los años de exposición al aire salado. Una bala rebotó en un accesorio al lado de su cabeza, y una esquirla de metal le golpeó en la sien. Resbaló sangre sobre su mandíbula. Disparó hasta agotar el cargador, de manera que cristal y fragmentos de metal saltaron al aire, mientras el tirador se acuclillaba detrás de una ranchera Lada. La ráfaga bastó para que se pusiera a correr de nuevo.

Cabrillo no quería matar al hombre. Quería que continuara corriendo y le enseñara cómo entrar en las partes secretas del barco, aquellas que, como en el caso del *Oregon*, los oficiales de aduanas no veían nunca. Cambió de cargador mientras corría, al tiempo que escuchaba por la red de comunicaciones a MacD y Eddie, coordinados para reunir al resto de la tripulación.

El tirador descendió un nivel más antes de lanzarse en línea recta hacia la popa. El Presidente le pisó los talones como un sabueso, y dejó que se alejara lo bastante para no tener que dispararle. Por fin, le vio llegar a una puerta que daba la impresión de estar situada en el mamparo más a popa. Debían de estar directamente sobre la hélice, y habría debido de notar sus vibraciones a través de la suela de las botas. Echó un veloz vistazo hacia la proa.

Cabrillo gozaba de una gran imaginación espacial, y supo al instante que la lejana penumbra de la parte delantera de la bodega correspondía a una distancia mucho menor que el límite de los doscientos setenta metros de eslora del barco, de modo que el cuartito debía estar empotrado en una pared falsa.

Miró hacia atrás y vio por encima del hombro del fugitivo que era un cuarto para guardar cosas. Ésa era la explicación. El *Oregon* tenía la misma configuración. Cabrillo corrió, acortando las distancias, esquivando y sorteando coches, hasta que golpeó sin querer el retrovisor de un vehículo muy oxidado, el cual se soltó. El ruido alertó al pistolero. Estaba manipulando algo en la pared posterior del cuarto. Giró en redondo y levantó la pistola.

Cabrillo ya había apoyado contra el hombro la Super V, y le derribó con una veloz presión del gatillo que soltó media docena de grandes balas calibre 45.

—Eddie, ¿estáis ahí? —preguntó. El protocolo de seguridad de la operación exigía que no apartara la vista del cuerpo, pero sabía que el tirador estaba muerto.

—Recibido.

—¿Tenéis controlada la situación?

—Sólo el puente y las zonas de la tripulación. Aún no hemos peinado la sala de máquinas y la zona de carga.

—No os preocupéis por eso. Venid a popa de la cubierta tres. Creo que nos ha tocado el gordo.

Se acercó al hombre caído y confirmó que había muerto. Dejó caer la Super V en su eslinga y quitó el cuerpo de en medio. No encontró el mecanismo de apertura que le daría acceso a la zona secreta del barco, de modo que le adosó un bloque de explosivos de plástico.

—Ya vamos —anunció Eddie por radio cuando MacD y él se acercaron a donde estaba Cabrillo. Era absurdo ser abatidos por fuego amigo.

—¿Algún problema?

—Nada que un garrotazo con el cañón de una vieja Uzi no pueda remediar —dijo MacD—. ¿Qué pasa? ¿Les vamos a fregar las cubiertas?

—Mira y aprende.

Cabrillo les alejó del cuarto de herramientas y tecleó el detonador electrónico. La explosión fue un agravio para los sentidos, ruidosa y ensordecedora, y despertó ecos a lo largo de las hileras de coches.

Había abierto un agujero en la parte posterior del cuartito. Al otro lado había algo salido de una película de James Bond. La sección de popa del barco, con sus buenos cuarenta y cinco metros de longitud, era un espacio cavernoso repleto de pasarelas y escaleras metálicas. Abajo, el agua lamía un par de muelles que se alzaban a casi seis metros de altura. Entre los muelles sobresalía del agua un calzo de madera que acogería al barco fantasma, una vez estuviera en posición, y al barco nodriza reflotado hasta su asiento

Ante la decepción de Cabrillo, el calzo estaba vacío. El barco furtivo había salido a la caza del *Stennis*.

Sobre uno de los muelles había una pequeña estructura que debía de ser una sala de control. Tenía un gran ventanal que dominaba el muelle flotante. Los tres hombres se pusieron a correr por la pasarela y bajaron la escalera. La puerta de la sala de control no parecía cerrada con llave. MacD cabeceó en dirección a Juan, quien la abrió. En cuanto estuvo entreabierta, MacD tiró una granada ensordecedora, y su jefe cerró la puerta de golpe para contener la explosión.

La granada detonó con un estruendo que combó el cristal, pero sin romperlo. Cabrillo volvió a abrir la puerta. Dos chinos, vestidos con mono de mecánico, se tambaleaban de un lado a otro, aturdidos y casi enloquecidos por la explosión. El Presidente se encargó de uno, MacD del otro. En cuanto estuvieron inconscientes, Eddie los esposó.

Cabrillo estudió la habitación, y al final se sentó ante lo que parecían los controles principales. Toda la información técnica estaba escrita en alfabeto cirílico, y entonces observó que la habitación estaba pintada del verde insípido que tanto les gustaba a los soviéticos. Los ordenadores eran complementos nuevos. Mark Murphy se había reunido con el Presidente justo antes de que saliera a la cubierta para entregarle un lápiz de memoria de aspecto normal.

—Uno de mis mejores trabajos —dijo con orgullo—. Enchúfalo en un puerto USB y él se encarga del resto. Lo llamo Dyson Oreck Hoover 1000, porque vaciará cualquier cosa.

Cabrillo enchufó el lápiz y, momentos después, el ordenador dormido despertó. A continuación, no hubo mucho que ver. Mark había dicho que aparecería un cursor en la pantalla en blanco y empezaría a parpadear en cuanto su aparato hubiera absorbido toda la información extraíble del sistema.

Ojalá pudieran utilizar los controles de lastre para hundir el barco, pero habría protectores mecánicos para impedir eso. Mejor disponer cargas explosivas y acabar de una vez por todas. Mientras esperaba a que el ordenador cumpliera su cometido, dividió el resto de

C-4 con Eddie y MacD para que se ocuparan de aquella tarea en concreto.

—Linc, ¿me recibes?

—Recibido.

—Reúne a los prisioneros y ocúpate de que suban a un bote salvavidas.

—Entendido.

—No los envíes todavía. Tengo dos más aquí.

—¿Habéis encontrado el barco furtivo?

—No, pero ésta es su base, de eso no cabe duda. —Un cursor empezó a parpadear, tal como Mark había programado. El Presidente desenchufó el lápiz de la unidad USB y le echó un vistazo—. Y es posible que podamos ver sus entretelas.

Diez minutos después, la tripulación estaba embutida en su bote salvavidas encapsulado. Eddie había encontrado dos hombres más en la sala de control de máquinas. Uno se hundiría con su barco, pues el muy idiota se había creído capaz de arrebatarle la pistola. Ya habían colocado las cargas, y Gomez Adams tenía el helicóptero esperando sobre la cubierta. Aunque el aparato pesaba menos de una tonelada, ocupaba tan poco espacio que ejercía una presión tremenda sobre cualquier cosa en la que se posaba. Mantener en marcha los motores impedía que dañara las planchas de la cubierta y quedara atrapado.

Los hombres subieron a bordo del helicóptero, y Adams, con gafas de visión nocturna porque había oscurecido por completo, les elevó. Dejaron que Linc hiciera los honores, porque la de él había sido la parte más aburrida de la operación. Oprimió el botón del detonador.

Las explosiones fueron poco más que estallidos de burbujas por debajo de la línea de flotación, y dio la impresión de que algo tan insignificante no obraría el menor efecto en el gigantesco barco. Pero Eddie era un maestro en el arte de la demolición, y MacD había sido un alumno muy aplicado. Colaboraba el hecho de que Cabrillo había colocado cargas en los grandes motores diésel del barco. La aceleración hacia delante provocó que entrara agua por los agujeros estratégicos que Eddie y MacD habían practicado en el casco. A medida que aumentaba la velocidad, también lo hizo el volumen de agua. Esto continuaría así hasta que los motores se inundaran, pero incluso entonces la inercia lograría que siguiera llegando agua.

El transporte de automóviles se hundiría bajo las olas al cabo de una hora.

28

Bajo el traje de vuelo, Slider llevaba una camiseta con la foto de un F-18. Abajo se leía «0 A 60 EN 7 SEGUNDOS». Con los dos turboventiladores chirriando detrás de él a la máxima potencia, envió un saludo al oficial de catapulta y sintió la aceleración en su cuerpo. La catapulta número dos del *Johnny Rob* le lanzó a él y a su F/A-18 Super Hornet por encima de la proa. El esbelto caza volaba a doscientos cincuenta kilómetros por hora cuando la cubierta desapareció bajo él, y sus alas en flecha generaron suficiente elevación para mantener el vuelo.

El capitán Mike Davis (USMC), indicativo Slider, lanzó un hurra cuando salió catapultado del portaaviones, y el avión, hasta entonces un pajarillo indefenso que necesitaba los mimos de los tripulantes de cubierta, se convirtió en un feroz velociraptor que dominaba los cielos. Alzó el morro del avión y salió rugiendo hacia el amanecer. Al cabo de unos minutos, se hallaba a seis mil metros de altitud y a cincuenta millas del *Stennis*. Su compañero y él, que saldría lanzado al cabo de pocos segundos, constituían la patrulla aérea de combate que sobrevolaría todo el grupo aeronaval.

Como habían puesto toda la carne en el asador para llegar al mar de la China Oriental, el grupo se había visto obligado a dejar atrás a su barco de reabastecimiento, más lento, pero los cruceros, destructores y fragatas se encontraban en sus puestos para proteger al *Johnny Reb* de cualquier ataque. Bajo la superficie acechaban un par de submarinos clase Los Ángeles, que no tenían ningún problema en seguir el ritmo frenético del portaaviones. El grupo se encontraba todavía a trescientas millas de las islas Senkaku, de modo que Slider no esperaba que sucediera nada de particular durante su patrulla. En el fondo, esperaba que las cosas se pusieran un poco más interesantes.

De momento, la pantalla de su radar estaba vacía de señales que no procedieran de los identificadores amigo-enemigo de los aliados. Sabía que uno de los aviones que le acompañaban era el E-2D Hawkeye AWACS, con la gran cúpula de radar sobre el lomo como el caparazón de una tortuga. Proporcionaba a las patrullas aéreas de combate una gran ventaja de alcance sobre cualquier otro aparato del teatro de operaciones. Vería aproximarse un caza chino poco después de que despegara del continente.

—Aguijón Once, cambio.

Era una llamada de operaciones. En esta salida él era Aguijón 11 y su copiloto Aguijón 12.

—Once, cambio.

—Once, doce se ha retrasado, cambio.

—Recibido.

Un problema con la catapulta debía de ser la causa del retraso. Deberían repararla, o bien colocar a Aguijón 12 en otra. En cualquier caso, a Slider no le importaba tener los cielos sólo para él.

Si bien tenía al alcance de las yemas de sus dedos aparatos electrónicos que le permitían ver el mundo virtual en más de cien kilómetros a la redonda, no paraba de mover la cabeza de un lado a otro, examinando los instrumentos, observando cada sección del cielo, comprobando que nadie estuviera oculto gracias al sol o detrás de él en un punto ciego. Sabía que los chinos estaban desarrollando tecnología furtiva, y si esto resultaba ser el Gran Espectáculo (y los cerebrines de inteligencia decían que tal vez), entonces la Fuerza Aérea de la República Popular desplegaría sus mejores juguetes. Buscaba un aparato que sus sensores pudieran pasar por alto pese a la vigilancia constante.

«Maldita sea —pensó—. Me encanta mi trabajo.»

Y de repente, ya no fue así.

Sin previo aviso, el F-18 viró a estribor y cayó en picado hacia el suelo. Había estado volando a seiscientos nudos, muy por debajo de la velocidad máxima de mach 1.8 del avión. El Super Hornet rompió la barrera del sonido incluso antes de que Slider reaccionara al bandazo. Por más que movía la palanca de mando, el avión continuaba con el morro hacia abajo, y desacelerar no afectaba en absoluto a la velocidad.

La Fuerza G aumentó, y su traje de presión le constriñó las piernas y el abdomen en un intento de evitar que la sangre se acumulara en sus extremidades inferiores. De todos modos, su visión se enturbió. Un chillido resonó en su cabeza. El altímetro no paraba de girar.

—SOS, SOS. Aguijón Once —dijo por radio con voz estrangulada.

No podía esperar una respuesta del *Stennis*. Tenía que salir ahora mismo.

Slider tiró de la palanca de su asiento eyectable, y si bien el sistema estaba reforzado contra el pulso electromagnético, la cantidad de magnetismo que golpeaba el armazón del avión era excesiva para la interfaz *hardware/software* del secuenciador del asiento. Tampoco es que fuera importante. El *shock* de salir disparado de un avión que se precipitaba al suelo a mil doscientos nudos habría matado a Slider al instante.

Gritó cuando el mar llenó su campo de visión. El avión se estremeció. Los motores estaban parados por completo, pero el F-18 continuaba lanzado hacia la tierra sin dejar de acelerar. Las fuerzas que actuaban sobre el aparato superaban sus parámetros de diseño, y fragmentos de su revestimiento de aluminio empezaron a desprenderse. Se puso a girar en espiral, al tiempo que continuaba despedazándose. Un ala entera se soltó.

Por suerte, Slider perdió el conocimiento.

El Super Hornet se hundió en las frías aguas del mar de la China Oriental con un chapoteo sorprendentemente pequeño, como un salto bien ejecutado desde un trampolín. El ala restante y el estabilizador vertical se desprendieron a causa del impacto, mientras que el fuselaje aerodinámico bajaba de golpe unas cuantas decenas de metros al cabo de escasos segundos del impacto, sólo a causa de la aceleración.

Todo esto había sido grabado por el avión AWACS del *Stennis*. Habían visto el dramático capirotazo del caza y su caída al mar. El controlador había intentado llamar al avión accidentado, pero no obtuvo respuesta. El accidente era extraño en muchos sentidos. Por lo general, si un avión era víctima de una catástrofe, el aparato disminuía la velocidad, pero Stinger 11 había acelerado. Era absurdo.

Lo más absurdo habría sido que hubiera un testigo ocular del accidente. Porque nadie había visto nada. En un momento dado, un avión de alto rendimiento estaba volando, y al siguiente, desapareció como si jamás hubiera existido. Su blanca estela de condensación de vapor de agua dibujaba en el cielo una línea recta, y después terminaba de repente, como si la mano de Dios la hubiera borrado.

El USS *John C. Stennis* se encontraba a sesenta millas del punto donde se había hundido el F-18, y avanzaba a toda máquina.

—¿Qué ha pasado?

Max estaba detrás de Cabrillo en el centro de operaciones. Eric manejaba el timón, Murph se encontraba en el puesto de armamento, y Hali y Linda se encargaban de las comunicaciones y el conjunto de sensores. Todos habían visto en el radar el accidente del caza.

—La han fastidiado —contestó el Presidente, con un brillo bélico en la mirada.

—El barco furtivo chino.

—Da la impresión de que el avión experimentó el mismo tirón magnético que sentimos cuando hundimos el primer barco furtivo de Kenin. Los chinos están demasiado lejos del *Stennis*, y este accidente significa que la zona se llenará de helicópteros de rescate, además de uno de los barcos auxiliares del grupo aeronaval.

—Lo cual significa que tendrá que largarse.

—Stone, ¿por qué no nos dirigimos hacia el lugar del accidente? —preguntó Cabrillo al timonel.

El incidente se había producido dentro de la zona de búsqueda que el Presidente había deducido. El único problema era que les había pillado patrullando el borde más alejado, casi a cincuenta millas de donde el avión había caído.

—Estoy en ello —dijo Stone, y el barco giró en redondo y las criobombas empezaron a chillar.

El Presidente tenía ahora que anticiparse una vez más al capitán del barco furtivo chino, y estaba empezando a arrepentirse de una decisión anterior. No había pasado el lápiz de memoria del transporte de automóviles a Eric y Mark porque sabía que los dos se habrían pasado la noche trabajando en él, y los necesitaba en plena forma. Ahora comprendió que necesitaba saber mucho más sobre las capacidades de su adversario.

Llamó a la despensa.

—Maurice, soy Cabrillo. Necesito que me hagas un favor.

—Le aseguro, capitán —respondió el inglés—, que todo lo que hago por usted no es un favor. Me paga espléndidamente por mis servicios.

—Estoy de acuerdo —contestó él—. En el cajón del medio de mi escritorio hay un lápiz de memoria. ¿Podrías hacerme el favor de enchufarlo en mi ordenador?

Tanto Eric como Mark le miraban como un par de perros observando un hueso. No les había gustado la decisión anterior de Cabrillo, y estaban ansiosos por saber lo que habían obtenido.

Un minuto después, la información había entrado en el ordenador principal, traducida al inglés, y los dos estaban pegados a unas tabletas.

Cabrillo todavía tenía que hacer una llamada acerca de dónde se ubicaría el barco fantasma para atacar de nuevo al portaaviones.

Linda interrumpió sus silenciosas meditaciones.

—Parece que un helicóptero de rescate acaba de despegar del *Stennis*. Y uno de los destructores acaba de romper la formación para ir a investigar.

Cabrillo también sabía que a la Marina de Estados Unidos no le iba a hacer ninguna gracia la presencia del *Oregon* en las inmediaciones. De hecho, suponía que le ordenarían largarse, sobre todo ahora que habían perdido uno de sus cazas. El viejo barco de vapor era el único comodín cuya existencia ignoraba el capitán chino. Habría estudiado tácticas navales y doctrina estadounidenses, y habría anticipado reacciones a casi cualquier situación. Pero no sabía que la Corporación iba a por él. El Presidente tenía que descubrir una manera de aprovechar aquella ventaja.

—Tienes razón en lo tocante a que la fastidió —dijo Eric, al tiempo que levantaba la vista de su tableta—. Cuando se activa el campo magnético, pierden el radar. Con el avión a reacción perdido entre las nubes, no sabían que regresaba.

—¿El campo que pueden activar es muy grande? —preguntó Cabrillo—. ¿Cuál es su radio de acción?

—Estoy leyendo esa sección —dijo Murph—. Necesito un poco más de tiempo. Los cálculos son muy complicados.

Inclinó su tableta para que Eric pudiera echarle un vistazo, y no tardaron en hablar entre susurros de niveles de Gauss, ángulos de incidencia y teravatios. Para el resto de la tripulación, era como si hablaran en chino.

Teniendo en cuenta el tiempo y la pésima visibilidad, el barco furtivo chino sólo tendría que alejarse un par de millas del lugar del incidente para esconderse. No necesitaría para nada su pantalla magnética, al menos hasta que intentara atacar de nuevo al *Stennis*. Cabrillo se preguntó si no desearían proveerse de una protección mayor. Un destructor de clase Arleigh Burke contaba con uno de los sistemas de radar más poderosos del mundo. ¿Hasta qué punto confiaban los chinos en la capacidad furtiva de su barco? ¿Bastaban un par de millas, o se alejarían más?

Si él fuera el capitán chino, se habría alejado mucho, a la espera de otra oportunidad. Aún se encontraban a casi trescientas millas de las islas, y al menos a doscientas del punto donde se situaría el grupo aeronaval.

Cabrillo tomó una decisión.

—Señor Stone, desvíese dos puntos más a babor, por favor.

—¿Crees que va a largarse? —preguntó Max, con la pipa apagada entre los dientes.

—Sólo un poco. Va a zigzaguear hacia el noreste, y después hacia el sudeste para volver a la posición de intercepción.

Escuchaban a hurtadillas el intento de rescate de la Marina. Un helicóptero Seahawk estaba sobrevolando la zona donde el Super Hornet se había hundido en el mar veinte minutos después del incidente, pero entonces el *Oregon* recibió una llamada directa.

—Aviso al barco situado a... —La voz femenina precisó al segundo la longitud y latitud exactas del *Oregon*—. Están a punto de entrar en una zona militar restringida. Hagan el favor de alterar su ruta.

Antes de que el Presidente pudiera contestar, Linda le informó de que uno de los cazas que patrullaban había roto su formación y se dirigía hacia ellos.

—¿Cuánto tardará en llegar?

—Unos tres minutos. Los mandamases le han dado permiso para disparar en caso necesario. Su velocidad se acerca a los mil nudos.

El Hornet debería descender de las nubes para obtener una visual, lo cual significaba que también debería aminorar la velocidad. Eso les conseguiría un par de minutos más. El *Oregon* navegaba a algo más de cuarenta nudos. Eso era poco usual. Pero ese tipo de velocidad en un cascarón oxidado y destartalado como el que aparentaba ser despertaría más suspicacias. Podrían engañar al destructor, puesto que sólo estaba observando la señal de radar. En cuanto el caza los viera, descubriría la añagaza. Cabrillo tenía que aminorar la velocidad, pero también aumentarla para alcanzar al barco furtivo.

—Es variable —dijo Mark Murphy.

—¿Qué? —preguntó mi jefe irritado. No quería distracciones.

—El campo magnético. Es variable hasta quince millas, pero, a esa distancia, el barco sigue siendo invisible, bien, casi, pero las fuerzas opuestas que experimentamos después de rescatar a Linda son insignificantes.

—¿El barco está acorazado?

—No, por lo que yo sé, pero aquí hay una montaña de información, y sólo estamos rascando las estribaciones.

Cabrillo no creía que estuviera blindado. El campo magnético era el arma, y para funcionar con eficacia tenía que estar cerca.

—¿«Estribaciones de datos»? —dijo Max en tono despectivo—. No te hagas el poeta.

Cabrillo estaba a punto de contestar al aviso radiado cuando la voz femenina invadió el centro de operaciones por segunda vez.

—Barco no identificado, le habla el USS *Ross*. Somos un destructor lanzamisiles y ustedes están entrando en una zona militar restringida. Den media vuelta cuanto antes, o tomaremos medidas para obligarles a abandonar la zona. ¿Recibido?

El Presidente sabía que se estaban echando un farol. Todavía se hallaban a una buena distancia del portaaviones, aunque era posible que el *Ross* estuviera protegiendo tanto el lugar del impacto como al *Stennis*. En cualquier caso, todavía estaban lejos de recurrir a una confrontación violenta.

—Presidente —gritó Linda—, acaban de despegar dos aviones más, que se dirigen hacia nuestra posición.

La Marina estaba reaccionando de una forma mucho más agresiva de lo que había supuesto. No cabía duda de que aquellos dos aviones iban armados con misiles antibuques, tal vez Harpoons. Tecleó en su micrófono.

—USS *Ross*, les habla el capitán Juan Rodríguez Cabrillo, del *Oregon*. Hagan el favor de repetir.

No sabía cómo manejar la situación. Dudaba de poder convencerles de que les dejaran pasar, pero tampoco creía que decir la verdad le fuera de gran ayuda.

—Está a punto de entrar en una zona de exclusión militar restringida. Ha de desviarse al menos noventa grados de su actual rumbo.

—Ese F-18 llegará aquí dentro de unos treinta segundos —le informó Linda.

Aún quedaban millas para llegar al punto donde creía que se ocultaba el barco furtivo. De repente, se le ocurrió la idea de que el barco se había escondido de manera prematura porque su tripulación sabía que un satélite espía norteamericano estaba pasando sobre la zona. La nueva generación no tenía problemas para observar desde el cielo a través de una capa de nubes tan espesa como la que se acumulaba sobre sus cabezas. Por lo tanto, los chinos sabían que los detectarían y tenían que ocultarse para evitarlo.

—¡Objetivo en radar! —anunció Mark Murphy.

—¿El *Ross*?

—No. El primer caza.

Cabrillo maldijo. Había confiado en la reticencia norteamericana a disparar primero y preguntar después. Que el F-18 les apuntara con sus armas no era un farol, puesto que un barco civil no sería capaz de detectarlo. O pensaban que el *Oregon* era un buque de guerra chino, o les daba igual hundir a un civil.

La cámara del mástil captó un punto que caía del cielo nublado hasta convertirse en el caza. Volaba por debajo de la barrera del sonido, de modo que el estruendo envolvió el barco segundos antes de que el caza los sobrevolara lo bastante bajo para que hasta el centro de operaciones lo notara.

—Aquí Víbora Siete. —El ordenador del *Oregon* descifraba las transmisiones con tal rapidez, que era casi como escuchar al piloto en tiempo real—. No es un buque de guerra, sino un viejo carguero oxidado.

—Nuestro radar muestra que navega a cuarenta nudos —replicó el controlador de vuelo.

—No miente —contestó el piloto—. Su estela es enorme, y va a toda máquina.

—*Oregon*, aquí el USS *Ross*. Dé media vuelta de inmediato. Es el último aviso.

—Linda, ¿cuánto tardarán en llegar los demás cazas?

—Cinco minutos.

—Víbora Siete —dijo el controlador aéreo—. Puede utilizar sus armas. Lance una ráfaga sobre su proa. Así demostrará a esos idiotas que hablamos en serio.

—Wepps —dijo Cabrillo a Mark Murphy—, no respondas.

—Recibido.

Sabía que Murphy no respondería a la inminente ráfaga, pero no tuvo otro remedio que dar la orden.

CLIVE CUSSLER

El F-18 ya había efectuado un giro cerrado y estaba a punto de regresar cuando llegó la orden de disparar. El piloto alteró apenas su ruta para que el avión pasara justo por delante del barco, en lugar de sobre el puente. A media milla de distancia, accionó el cañón de 20 milímetros de seis bocas situado en el morro del Hornet y lanzó una ráfaga de balas que rozaron la proa del viejo carguero, hasta el punto de que las últimas dos desprendieron pintura. Accionó los dispositivos de poscombustión y se alejó con un rugido, en una exhibición airada de poderío militar.

No podían continuar jugando al gato y al ratón.

—USS *Ross*, aquí el *Oregon*. Hagan el favor de no volver a disparar. —El Presidente fue al grano—. Escúchenme con atención. Hay un buque de guerra furtivo chino en estas aguas. Utilizó un arma EMP modificada para abatir su avión.

No iba a intentar explicar que era invisible.

—Nuestros cazas están protegidos contra armas EMP —respondió la mujer que iba a bordo del destructor—. Consideraremos una provocación que no alteren su rumbo. Den media vuelta ahora o inutilizaremos su barco.

Cabrillo se desesperó.

—*Ross*, se lo suplico. No disparen. Hay otro enemigo real que intenta hundir el *Stennis*.

La mujer (Cabrillo supuso que no era la capitana, sino más probablemente la segunda de a bordo) respondió con cautela.

—¿Qué sabe usted del *Stennis*?

—Sé que es el siguiente objetivo de la misma arma que derribó a su caza.

—Le concederé la última oportunidad de dar media vuelta, o la siguiente vez que disparemos no será para impresionar.

—Como cantaba Pat Benatar —dijo resignado Cabrillo—, «pégame tu mejor golpe».

—Ya lo tengo —dijo Hali.

—¿Por qué se muestra tan agresiva la Marina? Habría sido amable por parte de Overholt llamar para informar sobre nosotros —dijo Max malhumorado.

—Maldita sea.

El Presidente sacó el móvil del bolsillo de atrás y llamó a Overholt. Con un poco de suerte, podría conseguir que la Marina abandonara esta confrontación. El F-18 terminó su giro y aceleró. Cargó como un monstruo, pero él sabía que era un truco, porque el portaaviones aún no había dado la orden de abrir fuego.

El teléfono sonó por cuarta vez y se conectó el buzón de voz. Overholt era como una adolescente con todo lo relacionado con su móvil. Siempre lo llevaba encima y pocas veces estaba en sitios sin cobertura. Era raro que no descolgara.

—Lang, soy Juan —dijo después del pitido—. Necesito que me llames ipso facto. La Marina quiere convertir el *Oregon* en fosfatina.

El Super Hornet voló sobre el *Oregon* de popa a proa, lo bastante bajo para que el ruido, la vibración y la brutalidad de la estela destrozaran todas las ventanas del puente en una cascada de fragmentos que habrían herido a cualquiera que hubiera estado cerca.

—Aquí Víbora Siete. Acabo de volar las ventanas de su puente con mis gases de escape. Eso les convencerá.

—Recibido, Víbora Siete, pero prepárese para disparar una ráfaga de verdad si ese loco suicida no da la vuelta. Sólo ametralladoras.

—Voy a dar la vuelta. Además, llevo misiles aire-aire, no aire-tierra, de modo que no harían mella en un barco tan grande.

El Presidente estudió la imagen del radar que aparecía en la pantalla principal. Los otros dos cazas del *Stennis* se encontraban a unas veinte millas de distancia, pero sus misiles podían cubrir esa distancia en cuestión de segundos.

—Capitán Cabrillo del *Oregon*, le habla la comandante Michelle O'Connell del USS *Ross*. ¿Va a dar media vuelta?

El Presidente no contestó. Iba a dejarles creer que habían matado a todos los ocupantes del puente. La tripulación tardaría unos minutos en organizar una nueva guardia. Eso les conseguiría más tiempo.

—*Ross* a *Oregon*, ¿me recibe? —preguntó O'Connell. Había cierto tono de preocupación en su voz—. ¿Hay alguien ahí? Aquí el USS *Ross* llamando al carguero *Oregon*.

Cabrillo dejó que sufriera.

Escuchó la red militar mientras O'Connell discutía opciones con el comandante en jefe del grupo aeronaval, el almirante Roy Giddings. Al final, ordenaron al F-18 que diera otra batida para ver si quedaba alguien en el puente. El avión volvió a acercarse, esta vez más despacio.

—Negativo —llamó por radio Víbora Siete—. No veo a nadie ahí.

—Se han acercado lo suficiente —dijo Giddings—. Víbora Siete, lance una ráfaga a la línea de flotación. *Ross*, prepárese para recoger a los tripulantes cuando bajen los botes salvavidas.

—Recibido.

El caza se lanzó sobre ellos como un águila, y en cuanto los tuvo a su alcance, los cañones de 20 milímetros vomitaron fuego. Las balas blindadas alcanzaron al barco justo por encima de la línea de flotación, cerca de la proa, de manera que el agua hirvió como alcanzada por un torpedo. No penetró ninguna. El blindaje del *Oregon* las rechazó todas. De haber sido otro barco, el ataque habría sido determinante, y con la velocidad a la que navegaba se habría hundido por la proa en cuestión de minutos.

El viejo cascarón de nuez continuó adelante como si no hubiera pasado nada.

—Víbora Siete, informe —preguntó Giddings segundos después, mientras el avión describía círculos como un lobo alrededor de un ciervo herido.

—Nada —dijo por fin Víbora Siete, consternado—. No ha pasado nada. Le he dado, pero no se hunde.

—Alerta Uno —dijo Giddings. Debía ser el primer caza de los otros dos que habían enviado—. Prepárese para lanzar un Harpoon.

En el tiempo que tardó el superordenador del *Oregon* en descodificar la encriptación militar, el avión ya había dado media vuelta y disparado el misil.

—¡Wepps!

Recibir unas cuantas balas de 20 milímetros era una cosa. Casi un cuarto de tonelada de explosivos era algo muy diferente.

—Estoy en ello.

El misil Harpoon se deslizó sobre la superficie a la mayor veloci-dad posible y aceleró hasta alcanzar quinientas millas por hora. Su radar se fijó de inmediato en su sabrosa presa y voló hacia ella con la eficiencia de un robot.

Mark Murphy dejó caer las puertas que ocultaban la principal arma defensiva del *Oregon* y permitió que la Gattling de seis caño-nes, un clon de la que llevaba su atacante, girara a velocidad óptima. Su radar estaba alojado en una cúpula sobre el cañón que le daba el apodo de R2-FU, porque se parecía al simpático androide de *La gue-rra de las galaxias*, pero con una actitud mucho más desagradable.

Cuando el Harpoon se hallaba todavía a una milla de distancia, la Gatling abrió fuego y escupió una barrera de tungsteno que el misil debería atravesar para alcanzar su objetivo. Era el viejo proble-ma de darle a una bala con otra bala, pero en este caso la Gatling había disparado más de mil, todas dirigidas hacia el misil.

El Harpoon estalló muy lejos del barco, y Murph silenció el arma. Fragmentos del misil se hundieron en el mar, mientras que su bola de fuego florecía y se deformaba, mientras perdía la fuerza del poderoso motor cohete del Harpoon.

En el centro de operaciones siguieron el desarrollo de la batalla mediante una cámara montada cerca del emplazamiento de la ame-tralladora. La resolución no era lo bastante buena para haber visto llegar el misil, pero todos prorrumpieron en vítores cuando se mate-rializó de repente la explosión naranja y amarilla.

—¡Juan!

—¿Qué?

Era Linda. Estaba señalando la esquina inferior de la enorme pantalla, la cámara del mástil que habían utilizado para seguir al pri-mer F-18.

—Acaba de desaparecer.

—¿Qué?

—El avión. Lo estaba mirando y se desvaneció como si jamás hubiera existido. Acabo de mirar el radar, y ha desaparecido.

Cabrillo apretó la mandíbula.

—Timonel, rumbo treinta y siete grados. Velocidad de emergencia. Wepps, cañón principal preparado.

—Aquí Alerta Uno —informó el piloto del primer caza—. Llevan algo parecido al Sea Wiz, los cañones Gatling que utiliza nuestra Marina. Han destruido nuestro misil. —El piloto había informado sobre ello momentos antes—. Y ya no tengo a Víbora Siete en mi pantalla.

—Recibido, Alerta Uno. Disparen todos. Repito, disparen todos. Usted y Alerta Dos. —Esta vez, quien dio la orden fue la comandante O'Connell, a bordo del *Ross*, y el almirante que se encontraba en la nave insignia no la contradijo—. Sabía que este tipo era de los malos.

Cabrillo notó que la sangre se le retiraba de la cara. No podían hacer nada. El sistema había sido diseñado para destruir uno de los Harpoons. Llegarían siete misiles. Con suerte, podrían destruir cuatro. Con mucha suerte, pero tres penetrarían en el barco y estallarían con fuerza suficiente para desprender su casco como la piel de un plátano demasiado maduro. Les quedaban pocos minutos.

Pero aun así continuaron adelante, mientras el agua pasaba a través de los tubos de impulsión del *Oregon* con fuerza inimaginable, la proa hendiendo el mar, proyectando a ambos lados dos bucles simétricos de agua blanca.

—Presidente, no tengo objetivo —dijo Mark.

—Lo tendrás dentro de un momento.

Juan estudió la pantalla, y observó la posición exacta en la que Linda había visto desaparecer a Víbora Siete.

—Te das cuenta de que nos encontramos entre la espada y la pared, como suele decirse —comentó Max.

—Y cada vez peor. Tengo la intención de lanzarme de cabeza contra la espada.

—La última vez no nos fue muy bien —le recordó Hanley.

Cabrillo tecleó en el intercomunicador general.

—Tripulación, os habla el Presidente. Preparaos para el impacto. —Miró a su amigo más antiguo—. La rozamos el campo. Ahí reside su poder mortífero. En ángulo, volcará el barco sin el menor problema, pero si lo enfilamos de frente, deberíamos pasar a su través. ¿No es así, chicos?

Mark y Eric intercambiaron unas breves palabras antes de que Stone cediera la palabra a Murph.

—En teoría, es una buena idea, pero aun así vamos a sentir los efectos de la distorsión. No nos volcará, pero podría hundir las proas hasta tal punto que el barco se hunda, como si lo empujara.

—Entiendo —dijo Juan, en tono optimista.

El sonido de una lona al rasgarse a escala industrial resonó en todo el *Oregon* cuando la Gatling se encargó de uno de los Harpoons que se acercaban. Nadie prestaba atención. Todo el mundo miraba la cámara de proa. Cada vez se estaban acercando más al campo invisible.

Juan volvió a calcular posición, ángulos, deriva, viento y demás factores.

—Timonel, otro punto a estribor.

El barco estaba empezando a responder, cuando todo el casco se estremeció, como si hubieran aspirado el mar por debajo de la proa. Fue la sensación de precipitarse por una cascada. Habían llegado a la cúpula de camuflaje optoelectrónico que ocultaba al buque de guerra chino, y cuando el *Oregon* la atravesó, las fuerzas magnéticas atacaron el casco con diversos grados de intensidad. La popa no sintió nada, mientras que una fuerza inimaginable envolvía la proa.

Entonces se oyó el sonido, una vibración transónica que hendía el cráneo. Juan apretó las palmas de las manos contra los oídos, pero de poco le sirvió. El sonido ya se le había metido en la cabeza, y despertaba ecos en sus huesos, como si quisiera desmenuzar su cerebro. Sobre sus cabezas se oyó el bramido agudo del metal torturado. Sonaba como si la quilla estuviera a punto de combarse. Max se aferró al respaldo del asiento de Juan para no salir disparado contra la cubierta. El ángulo de inclinación aumentó todavía más. Artículos sueltos empezaron a resbalar hacia el mamparo delantero. Las luces parpadearon, y algunas pantallas de ordenador se apagaron, pues sus circuitos no estaban lo bastante reforzados contra las ondas magné-ticas y demás fuerzas que llegaban para combar la luz alrededor del barco furtivo y convertirlo en invisible.

La pantalla principal estalló sin previo aviso, porque la pared metálica de detrás se había doblado hasta acabar con la tolerancia del cristal. Montones de fragmentos llovieron sobre Mark y Eric, pero ambos se habían agachado, de modo que los cortes se limitaron a unos cuantos rasguños en la nuca.

El *Oregon* estaba tan inclinado hacia delante que los tubos de impulsión surgieron del mar, y dos grandes columnas de agua salie-ron disparadas al aire, como gigantescas mangueras accionadas al máximo. Otro par de grados más, y el *Oregon* se hundiría sin la me-nor esperanza de salvación. Juan había jugado y perdido. Su amado barco no podía competir con las fuerzas a las que le había pedido imponerse. Había dado todo de sí, pero era demasiado.

El movimiento fue tan repentino que Max casi se golpeó contra el techo. El barco había atravesado el borde invisible de la cúpula de camuflaje optomagnético, y la quilla se había nivelado con la energía frenética de un juguete de baño. El sonido que tanto les había tortu-rado enmudeció como si jamás hubiera existido. El *Oregon* saltó ha-cia delante cuando la fuerza de sus motores volvió a pelear contra la resistencia del mar.

Sin que la tripulación lo supiera, los seis misiles Harpoon restantes se estrellaron contra la barrera segundos después, y los seis experimen-taron un fracaso catastrófico debido a la sobrecarga de pulsaciones electromagnéticas. Se hundieron en el mar, en la estela del barco.

—¿Todo el mundo bien? —preguntó Cabrillo.

—¡Menudo viaje! —exclamó Murph.

Cuando quedó patente que el centro de operaciones no había sufrido daños, y Max empezó a preguntar al resto de su gente, Cabri-llo examinó las imágenes de las cámaras exteriores en la minipantalla empotrada en su silla. Al contrario que en su primer tropiezo con la barrera, esta vez una gran parte del barco estaba reforzada contra las ondas electromagnéticas. Se habrían producido daños sin duda, pero los motores no habían perecido y los principales embarrados no se habían desactivado. Tal como sospechaba, a menos de una milla de distancia se hallaba el barco furtivo de extraña forma. Sólo pudo preguntarse qué estaría pensando su capitán en aquel momento.

—Wepps, ¿ves lo que yo veo?

—Sí, señor —respondió Murph—. ¿Permiso para disparar?

—Fuego a voluntad. Y no pares hasta que no quede nada que destruir.

El gran 120 de la proa vomitó fuego y, un momento después, el disparo dio en el blanco. Le siguió otro incluso antes de que el humo se disipara. Un tercero segundos después. Ése fue el proyectil que alcanzó alguna maquinaria fundamental, algo descubierto por Tesla y manoseado durante más de un siglo, algo que vacilaba al borde de la física, porque cuando fue alcanzado, los restos del barco furtivo se desintegraron en una deslumbrante corona de fuego azul y destellos cegadores de electricidad elemental. Sucedió con demasiada rapidez para que la mente lo asimilara y, más adelante, cuando lo vieron en una cinta reproducida a la menor velocidad posible, el acto de la destrucción fue casi instantáneo. Sólo quedaron fragmentos diminutos del casco y una mancha de combustible diésel.

Los altavoces recogieron las voces de un grupo muy confuso de marineros y pilotos de avión que acababan de ver cómo un barco de una longitud que casi doblaba la de un campo de rugby se desvanecía de repente y reaparecía unos segundos después, por no hablar de los seis misiles que también habían desaparecido.

—Comandante O'Connell, le habla Juan Cabrillo, del *Oregon*. Estamos a la espera de instrucciones.

—Haga el favor de explicar lo que acaba de suceder.

—Piense en un dispositivo de tecnología furtiva. Le dije que había un buque de guerra chino al acecho en estas aguas. Deme una dirección de correo electrónico y se lo demostraré.

Mark preparó un archivo digital de su escaramuza con el barco furtivo. La comandante le dio una dirección.

Unos minutos después, O'Connell volvió a llamar.

—¿Quiénes son ustedes y cómo sabían que estaba aquí?

El móvil de Juan sonó. Era Overholt.

—Un segundo, por favor, comandante. —Contestó a la llamada—. Lang, voy a necesitar tu ayuda para convencer al almirante Giddings de que su gente y él nunca vieron nada ni han oído hablar del *Oregon*.

—¿Lo habéis conseguido?

—Sí, pero nuestra identidad secreta se ha ido a pique. También tenemos los detalles técnicos sobre cómo funciona el sistema furtivo.

Imaginó a Overholt frotándose las manos de satisfacción. Aquellos planos iban a ganarle mucha influencia en Washington.

—Lo que necesites, hijo mío. Lo que necesites.

—Eres una caña. —Cortó la llamada y se dirigió de nuevo a la comandante—. Dentro de un rato, el almirante Giddings la llamará por radio y le dirá que este incidente nunca ocurrió y que no carece de información sobre un barco llamado *Oregon*.

—¿Así que la CIA cuenta ahora con su propio barco?

—Si prefiere creer eso, tanto mejor. Además, ha de evitar una guerra, de modo que olvídese de nosotros y encárguese de hacer su trabajo.

—Capitán Cabrillo, quiero que…

Su transmisión se cortó de repente. Cuando volvió a hablar, lo hizo con cierto tono de admiración y asombro. Langstone se había superado en un tiempo récord.

—Que pase un buen día, capitán.

—Lo mismo digo, comandante, y buena suerte.

29

Dos días después, el *Oregon* estaba amarrado a uno de los largos muelles de hormigón de Naha City, en la isla de Okinawa. Se hallaban en la parte civil del puerto, no en la militar. Max había reservado un amarradero durante dos semanas, y solicitado la devolución de ciertos favores a antiguos miembros de la tripulación, para que volvieran a vigilar el barco mientras la actual tripulación se tomaba un más que merecido descanso.

Como era de esperar, la presencia en la zona del gran grupo aeronaval había calmado las tensiones. Ya estaban hablando de la explotación conjunta de los nuevos yacimientos de gas.

El viejo Teddy Roosevelt tenía razón, pensó Cabrillo mientras trabajaba en su escritorio: camina despacio, pero ve provisto de un bastón grande, pero no hay bastón más grande que un portaaviones nuclear.

Estaba efectuando transferencias electrónicas de dinero, y se sentía muy a gusto. Casi todos los tripulantes se habían ido de viaje. Le asombró saber cuántos se habían marchado en grupos de tres y cuatro. Trabajaban y vivían juntos a diario, y no obstante, cuando tenían la posibilidad de estar solos un tiempo, confraternizaban todavía más. De hecho, eran más que compañeros de trabajo o de tripulación. Eran una familia.

Deseaba incluir notas junto con el dinero, pero sabía que el anonimato sería lo mejor. Estaba dando instrucciones a uno de los bancos que utilizaban en las Caimán para efectuar donaciones de una empresa fantasma. Cinco millones serían para Mina Petrovski. No compensaría la pérdida de su marido, pero le facilitaría la tarea de criar a sus dos hijas. Ignoraba si su guía, el viejo pescador, había dejado familia, de modo que hizo una donación a una fundación que prestaba ayuda a pensionistas a los que la destrucción del mar de Aral había dejado sin un céntimo. El MIT recibió un regalo de cinco millones de dólares para dotar la Cátedra Wesley Tennyson de Física Aplicada. Imaginó que al viejo profesor le gustaría eso.

Juan nunca se olvidaría de ellos. Hombres muertos, una viuda, y todo para que otros hombres pudieran matar con más eficacia. Era un triste comentario.

—Toc toc —dijo Max desde la puerta abierta.

—Pensaba que ya te habías ido.

—El taxi llegará dentro de veinte minutos. ¿Ya sabes qué vas a hacer?

—Lo que quiera la dama.

—¿La dama?

—Pedí a Lang que moviera unos cuantos hilos por mí. Ella debía terminar su turno dentro de una semana, así que moví una última ficha y la comandante O'Connell llegará mañana por la tarde.

Max estaba sorprendido.

—Ni siquiera sabes cuál es su aspecto.

Cabrillo sonrió.

—¿Importa eso?

—No. Supongo que no.

—Además, ella tampoco sabe cuál es mi aspecto. Pedí a Mark que investigara sus antecedentes, y sé que no está casada y que se llama Michelle.

—*Mazel tov*.

—Antes de irte, ¿te gustaría saber qué me envió anoche Perlmutter por correo electrónico?

—¿No estaba investigando todavía como terminó el *Lady Marguerite* en un mar cerrado?

—Dale un misterio a ese hombre, y es como uno de los Hardy Boys.

Max se rascó la barbilla.

—Tengo la impresión de que nuestros dos aficionados a la ciencia ficción se van a llevar una decepción.

—Has dado en el clavo. Los hombres que Tesla contrató para pilotar el barco la noche de la prueba eran unos matones. Robaron el barco después de la prueba. A continuación apareció en La Habana, con el nombre de *Wanderer*, propiedad de un plantador de azúcar. Lo perdió jugando al póquer con un tahúr brasileño, el cual lo vendió a un comerciante marroquí. Sea como sea, va cambiando de manos hasta que termina en Sebastopol, en el mar Negro, en 1912. Allí, el barco fue desmontado y trasladado, primero por mar y después por tierra, hasta el Caspio, y después hasta el Aral. El responsable era un turco llamado Gamal Farouk. Su idea era utilizar el barco para conseguir inversores en vistas a un proyecto de criar peces en el lago. Acuicultura, lo llamamos hoy. En aquel momento, era una idea adelantada a su tiempo, y St. Julian cree que todo fue un timo.

—¿Cree que ese tal Farouk gastó tanto dinero en el barco para nada?

—¿Has visto alguna vez las barcazas que arrastraron hasta el Klondike durante la Fiebre del Oro? Esos trastos pesaban diez veces más que el *Marguerite*, y apuesto a que los sindicatos que pagaron la factura acabaron perdiendo hasta la camisa. Como dijo Barnum, «Nace un primo cada minuto».

—¿Cómo lo ensamblaron cuando llegó al lago? Ése es el escollo que casi me indujo a creer que Tesla había inventado la teleportación.

—Astuto y sencillo. Farouk utilizó dinamita para crear un dique. El barco fue ensamblado en el lecho del río y reflotado cuando eliminaron el dique.

Como ingeniero, Max asintió en señal de reconocimiento a la ingeniosa solución del problema.

—¿Y qué fue de nuestro timador turco?

—El día que botaron el barco, Farouk y dos acaudalados miembros de una tribu zarparon y no volvieron jamás. El barco se hundió, y sólo lo descubrieron después de que el lago se secara. Los hombres que ensamblaron el *Marguerite* debían ser conductores de camellos y campesinos. Cuando terminaron, el barco estaba tan en condiciones de navegar como un bloque de hormigón.

—Creo que prefiero la explicación de Mark y Eric, pero tu historia no deja de tener su encanto —dijo Max. Consultó su reloj—. Ah, pero ¿y aquella historia de los tres franceses que encontraron en Alaska?

—Tres posibilidades —replicó Juan sin la menor vacilación—. Una, es una leyenda urbana. Dos, eran franceses, de modo que tal vez fue el resultado de una broma pesada que acabó mal.

—Vale, ¿y la tres?

—Estaban manipulando una fuerza que Tesla descubrió cuando estaba investigando la forma de doblar la luz alrededor de un objeto, una fuerza que no pudo controlar, y tuvo el buen sentido de olvidarse de ella.

—¿Cuál crees que es?

—La uno, pero creo que la dos habría sido muy divertida, y la tres me asusta porque sólo Dios sabe cuántos proyectos de Tesla andan todavía sueltos por ahí. Éste ha estado a punto de provocar una guerra. La próxima vez, tal vez no tengamos tanta suerte.

Visite nuestra web en:

www.umbrieleditores.com